Mrs Zhivago

Olivia Lichtenstein

Mrs Zhivago

2007 – De Boekerij – Amsterdam

Oorspronkelijke titel: Mrs Zhivago of Queen's Park (Orion Books)
Vertaling: Nienke van der Meulen
Omslagontwerp/artwork: marliesvisser.nl
Omslagfoto: Imagebank

ISBN: 978-90-225-4636-9

Voor mijn vader, Edwin
maart 1923 – maart 2004

Dus trouwden ze
Om meer samen te zijn
En ze merkten dat ze nooit meer echt samen waren
Uiteengedreven door het kopje thee 's ochtends
Door de krant 's avonds
Door de kinderen en de rekeningen die ze kregen.

– Louis MacNeice, *Les Sylphides*

Het huwelijk kun je met een kooi vergelijken: de vogels buiten
willen er dolgraag in, en die erin zitten, willen er dolgraag uit.

– Michel de Montaigne, *Essays*

Alle gelukkige gezinnen lijken op elkaar; elk ongelukkig gezin
is ongelukkig op zijn eigen wijze.

– Lev Tolstoj, *Anna Karenina*

Chloe Zhivago, dertien jaar oud, vouwde zorgvuldig een vel schrijfpapier dicht dat versierd was met psychedelische krullen in verschillende tinten roze. Haar beste vriendin Ruthie Zimmer en zij hadden erop geschreven: 'Om het de toekomstige geschiedkundigen en archeologen gemakkelijker te maken. Dit blik bevat belangrijke aanwijzingen over het leven van twee meisjes in de jaren zeventig van de twintigste eeuw.' Ze stopten de brief in een Schots geruit koekjesblik waarin een paarse lippenstift van Biba zat; een nummer van het tijdschrift *Jackie*; een paar kapotte sieraden; brieven die ze aan elkaar hadden geschreven en een contract voor eeuwige vriendschap, ondertekend met bloed. Toen ze het blik met plakband hadden dichtgeplakt, groeven ze achter in de tuin van Chloe een diepe kuil en begroeven het daar. De twee meisjes stonden plechtig, met gebogen hoofd, bij de omgewoelde aarde alsof ze treurden om de toekomst waarvan zij ooit geen deel meer zouden uitmaken. Een poosje later zaten ze binnen, keken naar de regen en hielden een wedstrijdje met twee regendruppels die over de ruit naar beneden gleden: de ene was van Chloe, de andere van Ruthie. 'Wat ga jij doen als je later groot bent?' vroeg Ruthie aan Chloe. 'Ik wil een leuke baan, verliefd worden, kinderen krijgen en nog lang en gelukkig leven,' antwoordde Chloe.

En dit is wat er gebeurde na 'en ze leefden nog lang en gelukkig…'.

1

Toen ik die ochtend opstond voelde ik me nog goed. Vrolijk zelfs. Ik ergerde me niet eens toen ik de fluitketel niet kon vinden omdat mijn echtgenoot Greg hem had verstopt. Juist de dingen die je in het begin leuk vindt aan een man, gaan je later ontzettend irriteren. Een oom van Greg heeft op zijn tweeëndertigste alzheimer gekregen, en als gevolg daarvan heeft Greg de ziekelijke angst ontwikkeld dat zijn geheugen achteruit zou gaan. Van jongs af aan heeft hij zich daarom aan geheugentestjes onderworpen. 'Het brein is gewoon een spier die je moet trainen,' zegt hij. Dat is prima voor hem, maar heel irritant voor de rest van het gezin: wij staan niet aan de kant te juichen als hij zich nog weet te herinneren waar hij de ketel voor zichzelf verstopt heeft. Maar ik weet nog dat ik die ochtend gewoon fluitend de ketel ben gaan zoeken en uitbundig en opgewekt 'hoera' riep toen ik hem uiteindelijk uit de wasmachinetrommel opdiepte.

Greg had het niet in de gaten; hij zat aan de keukentafel en schreef een brief op poten in zijn onleesbare doktershandschrift met de ganzenveer die ik hem een paar jaar geleden voor de grap voor zijn klachtenbrieven had gegeven. (Het verbaasde me dat hij ze niet op perkament schreef, ze met was verzegelde en ze door een lakei in livrei liet bezorgen.) De brief waar hij nu mee bezig was, was gericht aan de gemeente en ging over een parkeerbon.

'Hé, Chloe, moet je horen,' zei hij. 'Ik eis een persoonlijk antwoord van het raadslid.' Hij stond op, hield de brief met gestrekte armen zo ver mogelijk van zich af – hij was te ijdel om een leesbril op te zetten en daarmee toe te geven dat hij oud begon te worden –, schraapte zijn keel en las voor, met die speciale stem die hij bewaarde voor officiële zaken: 'Na bestudering van de wet moet ik tot mijn verbazing constateren dat het erop lijkt dat het Londense stadsdeel Brent, of zijn vertegenwoordigers, mij op onwettige wijze geld uit de zak wil kloppen. Bijgesloten treft u een uittreksel van de grondwet van 1689 aan, vastgesteld en formeel vastgelegd na de Declaration of Rights in 1689. Ik wil uw aandacht op het volgende artikel vestigen: *Dat alle toegevingen of beloften betreffende geldboeten, die aan beschuldigde personen gedaan worden, voordat het bewijs van hun schuld geleverd is, onwettig en ongeldig zijn.*' Hij keek me innig tevreden aan, als een hond die een ver weg geworpen stok in recordtijd heeft teruggehaald en hem aan de voeten van zijn baasje legt. Toen nam hij een sneetje geroosterd brood, waar hij voorzichtig een dun laagje cholesterolverlagende Benecol op smeerde.

'Maar wat wil dat zeggen? Dat ze geen parkeerbonnen kunnen uitdelen als ze je niet eerst veroordeeld hebben?'

'Precies,' zei hij. Met een tevreden lachje verliet hij het vertrek. 'Je moet eerst in de rechtszaal veroordeeld zijn.'

Leo, onze vijftienjarige zoon, bracht een bliksembezoek aan de keuken, een korte strooptocht waarin hij erin slaagde een chocoladereep te bemachtigen uit het blik dat in een bovenkastje verstopt had moeten staan, een pak sinaasappelsap uit de koelkast naar binnen te klokken en weer te vertrekken voor iemand tegen hem tekeer kon gaan. Bea, onze Tsjechische au pair, keek met haar gebruikelijke boze blik naar de plek waar hij zojuist gestaan had, haalde toen haar schouders op en ging verder met het zorgvuldig klaarmaken van een bordje met exotisch fruit dat ik voor het avondeten had gekocht. Ik zweeg omdat ik aannam dat het voor mijn twaalfjarige dochter Kitty was, die onlangs had aangekondigd dat ze gezond ging leven, en zoals iedere ouder weet mag een kind dat uit zichzelf fruit en groente eet geen strobreed in de weg gelegd worden, door niets en niemand.

Net op dat moment kwam Kitty binnen met een halfleeg gegeten bord met aardappelpuree uit een pakje.

'Ik heb buikpijn,' zei ze.

'Dat verbaast me niets, als je die fabrieksrommel eet. Hoe zit het met je gezondlevenplan?' antwoordde ik weinig meelevend. Het drong toen tot me door dat het bordje met exotisch fruit voor Bea's eigen maag bedoeld was. En inderdaad: Bea ging aan tafel zitten en ik probeerde niet al te opvallend te kijken terwijl ze stukje voor stukje de dure mango, papaja en guave netjes met mes en vork oppeuzelde. De zon scheen en ik was vast van plan mijn goede humeur te bewaren. Dus met slechts licht opeengeklemde kaken ruimde ik de vaatwasser in en borstelde Kitty's haar. Echt, het ging allemaal prima tot ik mijn derde patiënt van die dag kreeg.

Ik ben psychotherapeut en ons huis aan Queen's Park heeft een souterrain met eigen opgang waar ik mijn cliënten ontvang. 'De meeste mensen zetten hun lieve oude moedertjes die geen vlieg kwaad doen onder in hun huis, in plaats van het open te stellen voor een stel zeurpieten met zelfmedelijden die onophoudelijk over hun problemen doorzaniken,' zegt Greg. Het idee dat Greg de woorden 'lief' en 'die geen vlieg kwaad doet' ook maar enigszins in verband met het woord 'moeder' kan bezigen, is ronduit lachwekkend als je zijn eigen moeder in aanmerking neemt. Bovendien hebben die 'zeurpieten met zelfmedelijden' van mij hem door de laatste paar jaar van zijn studie heen geholpen. Maar hij is huisarts en daarom heeft hij met geen enkele ziekte echt geduld, en vooral niet met ziektes die geen in het oog lopende fysieke verschijnselen vertonen. Het idee dat mensen zich beter en gelukkiger kunnen voelen door een gesprek met een psychotherapeut die ervoor doorgeleerd heeft, doet hem in geërgerd ongeloof met zijn ogen rollen. 'Waarom praten ze niet met hun vrienden, in plaats van met een volslagen vreemde?' We hebben het zo weinig mogelijk over mijn werk.

Die morgen had ik net afscheid genomen van Woedende Walter, die moeite heeft om zijn humeur de baas te blijven, waaraan we hebben gewerkt. Ik genoot van de tien minuten die ik tussen twee patiënten heb en keek uit het raam naar de voeten die in het voorbijgaan de herfstbladeren deden knisperen. De zomer was voorbij, maar ik voelde niet mijn gebruikelijke triestheid bij het vooruitzicht van het naderende mistseizoen.

De bel ging met de bekende zeurderige hardnekkigheid. Het was Sombere Sheila, die al vijf jaar bij me loopt. ('Zouden ze weten hoe je ze noemt?' vroeg mijn vriendin Ruthie me een keer. 'Natuurlijk niet,' zei ik. 'Jij bent de enige die dat weet. Het is een vorm van galgenhumor, gewoon koosnaampjes om ze uit elkaar te houden.')

Ik ben niet altijd zo cynisch geweest. Op mijn achtentwintigste was ik de jongste geregistreerde psychotherapeut bij de Britse Vereniging van Psychotherapeuten en ik heb mijn werk altijd met plezier en toewijding gedaan. Maar de laatste tijd was de glans er een beetje af en had ik vaak het gevoel dat ik alleen maar plichtmatig bezig was.

Sheila is zelden in staat het goede in een mens of situatie te zien: vergeleken met haar ben ik het zonnetje in huis. De laatste tijd ging het een stuk beter met haar omdat ze op het punt stond te trouwen en ze tot dan toe weinig fouten in haar verloofde Jim had kunnen ontdekken, hoewel ze daar haar uiterste best voor had gedaan. Voor haar doen was ze de afgelopen drie maanden bepaald uitbundig geweest. Maar die dag stond haar mooie gezichtje in de pre-Jim-stand. Er was iets aan de hand.

'Ik zat te denken,' stak ze van wal. Altijd een slecht begin voor Sheila. 'Het komt hierop neer: ik zal nooit meer met een andere man naar bed gaan. Ik zal nooit meer die opwinding voelen, het mysterie om iemand te ontdekken, de spanning van die eerste kus, van het samen verwonderd wakker worden als het nog helemaal fris is.'

Ik wilde zeggen: 'Doe niet zo dom, hij kan toch doodgaan? Misschien gaan jullie wel scheiden of begin je een buitenechtelijke relatie', maar ik zei het niet. In plaats daarvan besefte ik plotseling: o, mijn god, zo heb ik er nooit tegenaan gekeken. Op dat moment, onverwacht en pijnlijk, nestelde het zaad van het bedrog zich in mijn eigen borst.

Ik vrees dat ik amper meer geluisterd heb naar wat Sheila de rest van dat consult gezegd heeft. Ik voelde zelfs een beetje gewetens-wroeging toen ik haar cheque in ontvangst nam, een heel klein beetje maar; ze krijgt tenslotte echt wel waar voor haar geld met al die telefoontjes buiten werktijd en die nachtelijke paniekaanvallen van haar. Ik zat daar dus, knikte afwezig en keek naar de wand ach-ter haar. De streperige, bobbelende vlekken van het optrekkend vocht in mijn souterrain weerspiegelden volmaakt mijn onbehaag-lijke stemming, die steeds onbehaaglijker werd. De dag, die nog maar even daarvoor zo vrolijk en vol beloften was geweest, voelde nu somber en vochtig. De zon was onder.

Nooit meer de eerste kus van een nieuwe minnaar ervaren? Hoe ging dat gedicht van e.e. cummings ook alweer, iets over dat je je li-chaam mooi vindt als het bij dat van een ander is, de spanning van 'onder mij, jij helemaal nieuw'. Ik ben altijd dol geweest op e.e., aan-vankelijk omdat hij op mijn geboortedag gestorven is, 3 september 1962, wat voor een tiener een griezelig toeval is, vol van mystieke be-tekenis. Ik had het gevoel dat we een unieke spirituele band hadden. Even heb ik zelfs gedacht dat zijn ziel, nadat die om 1.15 uur (het tijdstip waarop hij stierf) zijn lichaam verlaten had, direct in dat van mij was gevlogen toen ik om 3.23 uur mijn mond opendeed voor mijn eerste hapje lucht. Net iets meer dan twee uur leek wel onge-veer de juiste hoeveelheid tijd voor een ziel om van de oostkust van Amerika naar Chalk Farm in Londen te reizen. Ik bewonderde cummings vooral omdat hij ondeugend genoeg was om zich niets van hoofdletters aan te trekken en een rotzooitje te maken van de grammatica, iets wat mij op de middelbare school nooit gelukt is. Ik heb het natuurlijk wel geprobeerd, in mijn fase van 'de ziel van e.e. cummings leeft in mij voort en ik ga de belangrijkste dichteres van deze tijd worden'. Maar onze lerares Engels Miss Titworth hechtte overdreven veel belang aan interpunctie. Ze liet ons zelfs ons ge-sproken Engels van interpunctie voorzien: 'Miss Titworth komma mag ik alstublieft even de klas uit vraagteken.' Dit was de bron van uren schoolmeisjesgevatheid bij stiekeme sigaretjes in de gardero-be. 'Miss Titworth komma hoeveel zijn uw tieten waard vraagteken.'

Maar nu, in mijn eigen spreekkamer, kon ik alleen maar denken: is dit het vraagteken. Voor eeuwig en altijd hetzelfde oude vertrouwde? Toen Sheila weg was, ging ik naar boven, regelrecht naar de ijskast, overzag met een somber oog de inhoud terwijl ik op stukjes kaas en koud vlees kauwde, als een schaap met een concentratiestoornis. Ik had iets nodig waarmee ik die gapende afgrond van de deprimerend onveranderlijke toekomst die me te wachten stond kon opvullen. Natuurlijk wist ik wel beter: 'voedsel is iets anders dan liefde' en dat soort dingen, maar net zoals tandartsen niet allemaal een perfect gebit hebben, hebben psychotherapeuten niet allemaal een perfecte psyche. Kitty kwam binnen en betrapte me terwijl ik stiekem smeerkaas van mijn wijsvinger likte die ik duidelijk eerst regelrecht in het kuipje had gestoken, en sinaasappelsap direct uit het pak naar binnen klokte. Mijn beide kinderen is geleerd dat op deze twee misdrijven zware straf staat.

'En jij zegt verdomme altijd tegen ons dat we dat niet mogen,' merkte ze kwaad op.

'Het was helemaal niet de bedoeling dat je me zag, en "verdomme" mag je niet zeggen,' antwoordde ik zwakjes. 'Waarom zit jij trouwens niet op school?' Ze zuchtte en rolde met haar ogen, een reactie waarvan ik dacht dat je die pas in je puberteit krijgt, als de onvoorstelbare domheid van je ouders je plotseling in het oog springt. Zij hoorde nog in het adorerende stadium te zijn waarin je vindt dat je moeder niets fout kan doen.

'Ik heb vanmorgen toch tegen je gezegd dat ik buikpijn had?' zei ze op beschuldigende toon. 'Maar ik moest van jou naar school, en daar ben ik niet lekker geworden, dus moest Bea me komen halen.' Bea hield zich nogal opvallend en niet helemaal stil bij de keukendeur op; nu kwam ze binnen en wierp me een verwijtende blik toe.

'Dank je wel, Bea. Heb je dan niet tegen pappa gezegd dat je buikpijn had?' vroeg ik, in een handige poging de verantwoordelijkheid af te schuiven. 'Hij is tenslotte de dokter hier.'

'Mam, je weet toch dat je hoofd zowat van je romp moet liggen voor pappa er iets aan doet?'

'Arme schat.' Ik nam Kitty in mijn armen en hield haar stevig vast.

Ik heb het vanaf het allereerste moment dat ik mijn kinderen in mijn armen hield heerlijk gevonden om moeder te zijn. Zelfs nu nog sus ik mezelf 's nachts vaak in slaap door hun geboorte als een dierbare film in mijn hoofd af te spelen. Ik was dol op die zoete, melkige geur van ze en heb ze zolang ze klein genoeg waren dicht tegen mijn hart op mijn borst gedragen, als een kostbare broche. Ik was gek op dat plekje onder in hun nek, waar je je neus in moest stoppen om het te kussen; ik ben daar nog steeds gek op. Ik vond het heerlijk die pasgeboren voetjes in mijn mond te stoppen. Kitty laat me nog steeds aan haar ledematen knabbelen en haar overdekken met kussen, en Leo is zolang er niemand kijkt ongewoon inschikkelijk voor een vijftienjarige. Ik plaag ze allebei door te zeggen dat ik ze lang geleden een contract heb laten ondertekenen waarin ze zich ertoe verplichten om mijn gekus en geknuffel te ondergaan, ongeacht hun leeftijd en tot in de eeuwigheid.

Ik heb respect voor contracten. Het is misschien ouderwets, maar ik meende het, die zeventien jaar geleden, toen ik hun vader, Meneer Mopperpot, eeuwige trouw beloofde. Ik heb af en toe wel een flirt gehad, een paar steelse kusjes, maar ik heb ontrouw nooit serieus overwogen. De laatste tijd merkte ik echter dat ik flirtte met mijn enige ongetrouwde mannelijke vrienden: door de wol geverfde homoseksuelen.

'Wat mankeert er aan ons vrouwen?' jammerde ik af en toe.

'Jullie zijn gewoon… tja, niet harig genoeg.'

'Dat zijn we wel, als we onze benen en bovenlip niet waxen,' bracht ik ertegenin.

Maar nu, nu de woorden van Sheila over de onontkoombaarheid van het nooit meer met een andere man naar bed gaan nog nagalmden in mijn hoofd, had ik het gevoel alsof ik stikte. Wat moest ik doen? Was Greg de enige man met wie ik nog seks zou hebben? Maar kon ik me aan de andere kant serieus voorstellen dat ik een minnaar had? Ik heb altijd maar aangenomen dat het niet echt gepast is om nog uit de kleren te gaan voor een vreemde, als je de veertig eenmaal gepasseerd bent. Het is prima dat je eigen man je naakt ziet, als het echt moet. Ach, en eigenlijk is je niet meer zo strakke lichaam – na twee zwangerschappen – zíjn schuld, dus geeft het ook wel een soort perverse genoegdoening om dat lijf eens goed aan hem te laten zien, als een soort stille schreeuw: *Kijk eens wat je met mijn lichaam gedaan hebt, rotzak!* Maar voor iemand ánders, het zou… eerlijk gezegd had ik gedacht dat dit niet meer tot de mogelijkheden behoorde.

'Jij vindt mij toch wel interessant?' vroeg Ruthie me later, terwijl we als Romeinen op haar bank lagen te lunchen.

'Natuurlijk, anders zouden we niet al tweeëndertig jaar vriendinnen zijn. Hoezo?' Ik propte het laatste hapje bagel met zalm en roomkaas in mijn mond.

'Nou ja, als ik iets tegen Richard zeg, wat dan ook, zucht hij alleen maar en sluit zijn ogen.'

'O, WHITEHAMM,' zei ik wijs.

Dat is ons steno; je kunt daarmee veel sneller sms'en en we kunnen elkaar op die manier zonder bang te hoeven zijn voor nieuwsgierige blikken vertellen hoe we ons voelen. We zijn er na een uitzonderlijk nare ruzie met Greg mee begonnen, nadat hij een heel weekend tegen de kinderen en mij tekeer was gegaan. Ik tikte de boodschap in: MIJN MAN IS EEN LUL. Maar ik verstuurde hem naar Greg in plaats van naar Ruthie. Toen ik dat doorkreeg, klopte mijn hart in mijn keel; ik voelde me als een kind dat erop betrapt was een obsceen gebaar naar de meester te maken. Ik moest me eruit bluffen door Greg nog een sms'je te sturen: GRAPJE, SCHAT. WAT WIL JE VANAVOND ETEN? Gelukkig trapte hij erin. Hierna leek het veiliger acroniemen te gebruiken, vandaar dat WHITEHAMM – wat heb ik toch een hekel aan mijn man.

Ruthie gaapte en rekte zich uit. Zo zie ik haar altijd voor me: gapend en zich uitrekkend op een vage, slaperige manier, als een kat voor het haardvuur die eventjes wakker wordt om van houding te veranderen. Op haar werk is ze scherp, actief, zakelijk en efficiënt, maar ik ken haar geheim: ze verlangt er voortdurend naar om weg te sluipen en eventjes te gaan liggen. Ze heeft een prachtig hartvormig gezicht, een Marilyn Monroe-achtig lichaam en glanzende bruine ogen. Toen ze jonger was, maakten de jongens elkaar af om bij haar in de gunst te komen. Ze is zo onweerstaanbaar omdat ze zich niet bewust is van haar schoonheid en omdat ze die net zo gemakkelijk en achteloos draagt als een enigszins groezelige badjas.

We hebben elkaar op de eerste dag op de middelbare school leren kennen, toen we naast elkaar werden gezet. Dat gaf het eerste zetje voor onze vriendschap. Onze achternaam begon met dezelfde letter: Chloe Zhivago en Ruthie Zimmer. Ooit was het Zimmerman geweest, maar de douane vond dat kennelijk onnodig lang, want toen haar vader voor de nazi's vluchtte, is ergens onderweg van Duitsland naar Engeland de laatste lettergreep eraf gevallen. Ruthie was een betere Jodin dan ik, ze wist dingen. Want, ondanks het feit dat ik psychotherapeut ben, fantastisch lekkere kippensoep kan maken en 'in' soulfood ben, weet ik praktisch niets van het Jodendom. Dat is niet zo vreemd: ik weet nog dat ik een keer aan pap heb gevraagd wat de Chanoeka-kaarsjes betekenden. Hij keek me peinzend aan en zei: 'Weet je, schat, ik heb geen flauw idee.'

'Wat ben jij nou voor Joodse vader?' vroeg ik.

'Een heel slechte.' Hij glimlachte. 'Maar ik kan wel wijs houden.' (Mijn vader Bertie componeert West End-musicals.)

Mam zou het geweten hebben, maar ze zou hebben gedaan alsof ze het niet wist. Ze had haar religieuze opvoeding sinds haar huwelijk met pap aan de wilgen gehangen, en de enige feestdag die wij vierden was kerst. Dus vroeg ik het aan Ruthie. Het schijnt dat ze duizenden jaren geleden olie nodig hadden voor de kandelaar in de tempel, die altijd de hele nacht moest blijven branden. Maar er was slechts voldoende olie voor één dag. Op onverklaarbare wijze brandde de kandelaar toch acht dagen lang. Dus hebben ze een achtdaags feest uitgeroepen om dat te herdenken. Het is eigenlijk net zoiets als de vissen en broden: iedere religie heeft zijn wonderen nodig. We zeiden vroeger dat het ook wel wat weg had van het wonder van Stevie Brick, die toen we vijftien waren erin slaagde om op dezelfde avond met vier verschillende meisjes naar drie verschillende feestjes te gaan. Maar goed, sindsdien heb ik Ruthie altijd over Joodse aangelegenheden geraadpleegd als dat nodig was. We hebben elkaar tot de zusjes gemaakt die we allebei niet hadden, en we hebben gezworen dat we dicht bij elkaar in de buurt zouden gaan wonen en tegelijk kinderen zouden krijgen. En dat is ons gelukt. Ruthie woont aan de andere kant van Queen's Park en we zouden vanaf ons dak via een semafoon met elkaar kunnen communiceren, als we daartoe behoefte zouden voelen en een semafoon hadden gehad. In plaats daarvan bellen en sms'en we voortdurend en komen we elkaar regelmatig in de buurt tegen als we met onze dagelijkse beslommeringen bezig zijn, afgezien van al de keren dat we elkaar zien als we echt afgesproken hebben. Haar kinderen, Atlas en Sephy (Persephone), zijn dik bevriend met Leo en Kitty. Ze zijn even oud. Haar man Richard is classicus en Ruthie vond, omdat hij over veel dingen in hun leven weinig te zeggen heeft, dat het nogal krenterig van haar zou zijn als ze het hem zou misgunnen de naam van de kinderen te bedenken. Atlas is een klein, tenger gebouwd kind. Je kunt je moeilijk iemand voorstellen die lichamelijk nog minder in staat zou zijn om hemel en aarde gescheiden te houden, maar hij heeft wel degelijk de houding van iemand die de last van de wereld torst. Net zoals zijn Griekse tegenhanger is hij hevig geïnteresseerd in wetenschap en astrologie, en hij brengt zijn avonden graag boven op het dak van hun huis door, griezelig balancerend, vaak met Leo, turend door een telescoop en wijzend op de sterren en planeten. (Ruthies Joodse-moederinstincten lagen met elkaar overhoop: aan de ene kant was ze blij dat ze een zoon had die een honger had naar kennis, aan de andere kant was ze als de dood dat hij in zijn streven daarnaar naar beneden zou vallen. De oplossing? Er is een stevige ijzeren reling rond het dak geplaatst, met een net zo stevig prijskaartje eraan.) En wat Sephy betreft, dat is een heel onwaarschijnlijke Koningin van de Onderwereld. Ze is, net als Kitty, een vrolijk kind, als een sprookjesprinses, en als zij met z'n tweetjes de kamer uit lopen, voelt het somber en kaal, alsof ze naar de Hades zijn teruggekeerd en de komst van de Winter aankondigen. Met het kiezen van een naam voor je kind beïnvloed je tot op zekere hoogte hun lot en persoonlijkheid. Daarom heb ik sterke namen gekozen, Leo en Katharine – namen van vroegere keizers en keizerinnen. Mijn kinderen moeten serieus genomen worden.

'Wanneer heb jij voor het laatst seks gehad?' vroeg ik aan Ruthie. 'Met Richard? Doe niet zo vies, ik ben met hem getrouwd.' 'Dat gevoel ken ik.' Ik kauwde op een groene peper, genoot van het prikkende gevoel wat dat aan mijn ogen gaf. 'Wij hebben het al zo lang niet meer gedaan dat alleen het idee al om in het echtelijke bed aan de slag te gaan ongepast en obsceen lijkt. Gelukkig dat we voor het huwelijk zo veel gevreeën hebben, want daarna is het naatje.'

'Denk je dat het bij onze moeders ook zo is gegaan? Misschien hebben zij, omdat ze maagd zijn gebleven tot het huwelijk, daarna wel heel veel seks gehad.' Ruthie pakte een olijf en stopte hem in haar mond; ze had amper iets gegeten. 'Misschien moeten we onze mannen wel aan de dijk zetten en een lesbische commune beginnen,' opperde ze.

'In principe is dat een uitstekend idee, met maar één maartje: we zijn niet echt lesbisch.'

'Weet ik,' zei Ruthie, alsof het haar speet. 'Jammer. En wat dacht je dan van een commune met een speciaal, afgescheiden gedeelte voor mannen? Dan kunnen we als we daar zin in hebben met ze spelen.'

'Een mannenhok?' peinsde ik. 'Weet je,' zei ik, met Sheila's woorden nog vers in het geheugen, 'ik zat erover te denken om een minnaar te nemen, uitsluitend met het doel om af te vallen... Je weet toch hoe de pondjes eraf vliegen als je met een nieuw iemand vrijt?' Ik kneep in de meer dan twee centimeter te veel rond mijn middel.

'Ons valt niets te verwijten als we een overspelige relatie beginnen. Je kunt niet van een vrouw verlangen dat ze met zo weinig seks genoegen neemt. Gewoon een kwestie van mensenrechten,' zei Ruthie. Ze doopte haar vinger in het kommetje met humus. 'Dat is het probleem: dat de enige seks na het huwelijk seks met een ander is.' Ze keek me vorsend aan en voegde eraan toe: 'Maar als je vreemd gaat, vergeet de regels dan niet.'

Ruthie is hoofdredacteur van *Smart Magazine*, het tijdschrift over Schoonheid en Intelligentie voor de vrouw van vandaag, en ze gebruikt mij, onder verschillende pseudoniemen, regelmatig voor haar stukjes. Ze heeft over praktisch ieder denkbaar onderwerp een artikel geschreven of geredigeerd en is een onuitputtelijke bron van kennis. Ik bekeek haar; ze was gekleed in haar zakenuniform: een geplisseerd pakje van Issey Miyake. Op haar werk draagt ze nooit iets anders. (Zijn kleren, samengesteld uit duizenden kleine, messcherpe plooitjes, maken me altijd een beetje zenuwachtig. Moet iemand die plooitjes er allemaal in vouwen, als een gestoorde gek met een dwangmatige stoornis?)

'Welke regel, o wijze geplisseerde vrouw?' vroeg ik.

'Begin nooit een overspelige verhouding met iemand die er minder bij te verliezen heeft als het uitkomt dan jij.' Heel slim en natuurlijk heel voor de hand liggend, als je er even over nadenkt. Ik moest me ervan weerhouden er een aantekening van te maken, als een overijverige student.

'Dan moet jij maar voor ons allebei vreemdgaan,' voegde ze eraan toe. 'Ik kan niemand behalve Richard die slordige, steeds groter wordende middelbare tieten van me laten zien.'

Ik keek naar haar borsten; ze leken inderdaad groter.

'Je weet toch dat oren en neuzen altijd maar doorgroeien?' ging ze verder. 'Nou, mijn borsten ook. Ze weten kennelijk niet van ophouden.'

'Jij hébt tenminste borsten. Die van mij zijn nooit echt gaan groeien, en nu zijn het net lege sokjes.'

Ruthie lachte. 'Vooruit! Jij hebt van ons tweeën altijd het meest gedurfd. Laat mij maar op een afstandje meegenieten.'

'Ik moet het zware werk dus weer opknappen. Het is nog net zoals vroeger, toen je mijn Latijn overschreef.'

'Weet ik, schat, maar jij bent altijd veel beter geweest in dingen echt doen dan ik. Ik schrijf er alleen maar over.'

We lachten allebei om de evenwichtige symbiose tussen ons tweeën.

'Wist je dat echt zeventig procent van de mannen en dertig procent van de vrouwen vreemdgaat?' zei Ruthie.

'Dan wordt het tijd dat de vrouwen hun schade inhalen,' merkte ik wrang op.

Ik had het niet echt gemeend, dat dieet van 'Val op een leuke manier een paar ongewenste kilo's af... Neuk een man die je echtgenoot niet is'. Ik wilde de woorden gewoon over mijn tong laten rollen, het idee proeven en het hardop uitspreken. Het leek zo lang geleden dat ik lol had gehad; mijn bestaan was gevuld met echtgenote, moeder en psychotherapeut zijn. En hier stond ik dan, ik was in de veertig zonder dat ik er erg in had gehad, en ik had geen tijd om me zorgeloos en blij te voelen. Ik begreep waarom de jaren tussen de veertig en de vijftig het decennium van de scheidingen zijn; iedereen neemt in doodsangst de benen in een laatste gooi naar vrijheid, om verlost te zijn van de loden last van verantwoordelijkheden en verplichtingen. Toen ik wegging bij Ruthie, kwam ik bijna in botsing met een vrouw die een huilende peuter meesleurde en een krijsende baby in een kinderwagen voortduwde. Toen ik beter keek, zag ik dat ook over het vermoeide gezicht van de moeder de tranen stroomden. De titelsong van *Married with Children* klonk ironisch in mijn hoofd. Het was zo'n echte Londense druilerige grijze dag, waarop het vocht zich gretig in je botten vastbijt en je het idee hebt dat je de zon nooit meer zult zien. Ik voelde in mijn binnenste de depressie de kop opsteken.

Tijdens mijn wandeling naar huis raakte ik steeds gedeprimeerder over mijn leven. Wat was er gebeurd met de overweldigende passie en de hele weekends in bed die Greg en ik ooit samen deelden? Ik vroeg het aan Greg toen hij thuiskwam van zijn werk. Hij was op zoek naar een stuk chocola dat hij eerder die dag voor zichzelf verstopt had.

'Doe niet zo dom. De wittebroodsweken duren niet eeuwig. Dan zou je niets van de grond krijgen.'

'Maar mis je het dan niet, schat? Wil je niet dat we nog steeds zo waren?'

'Nee. We hebben veel te veel te doen: de kinderen, werk, boeken die we moeten lezen, films die we moeten zien. Aha, daar is-ie.' Innig tevreden haalde hij een chocoladereep tevoorschijn vanachter een van de vele kookboeken die ieder moment van de overvolle plank konden vallen. 'Wil je ook een stukje?' (Hij gaat elke discussie over de eigenaardige combinatie van Benecol en chocola in zijn voedingspatroon uit de weg.)

'Waarom niet?' zei ik bitter, terwijl ik dacht: die calorieën kan ik altijd nog overspelig weer verbranden.

Greg liep naar de zitkamer en begroette Leo met een opgewekt: 'Yo, Rasta Man. We hebben ons lesje met de wiet wel geleerd.' Dit sloeg op een kwestie met een in beslag genomen lucifersdoosje marihuana dat Greg gevonden had toen hij in de kleerkast van zijn zoon op zoek was naar een verdwenen designerboxershort. Greg is zelf welbekend met wiet; hij had er demonstratief aan geroken en zei: 'Het lijkt me goed spul, misschien moet ik het zelf maar oproken.' Sindsdien wordt die rastagrap gemaakt. In het begin was het geestig, maar we waren nu tien dagen verder en hij begon een baard te krijgen.

Leo slofte de keuken binnen, bijna zichtbaar omhuld door de wolk van knorrigheid die de afgelopen twee jaar zijn vaste metgezel is geworden. Jongens maken op hun dertiende verjaardag een eigenaardige lichamelijke verandering door. Van de ene op de andere dag wordt hun hoofd, dat ze daarvoor zonder enige moeite hooghielden, te zwaar voor hun nek, en hun spraak, die eens zo duidelijk was, wordt onverstaanbaar. Dat eens zo kaarsrechte, praatgrage jongetje wordt een mompelende zoutzak.

'Heb je je huiswerk gemaakt, schat?' vroeg ik.

'Hmmf, hmmrf,' antwoordde hij.

'Wat zeg je?'

'Ja, ja, hoor,' articuleerde hij overdreven duidelijk.

Ik gooide de rest van de chocoladereep weg; de afkeer die ik van mezelf voelde bij iedere hap die ik nam was onverdraaglijk. Trouwens, misschien moest ik het eerst maar eens met een dieet en lichaamsbeweging proberen, voor ik mijn toevlucht tot overspel nam. Ik besloot met Greg te flirten en hem te verleiden. Dat moet je doen, dat zeg ik in ieder geval altijd tegen mijn cliënten. Ontdek elkaar opnieuw, haal de romantiek in je huwelijk terug, ga uit met elkaar, doe dingen samen, maak tijd vrij om met elkaar te praten en van elkaar te genieten. Wie zegt dat een verhouding met een andere man anders zou zijn? Na de wittebroodsweken van de eerste twee jaar zou het waarschijnlijk net zoiets worden als wat ik nu had. Was dat de leugens, het bedrog en het in de waagschaal stellen van het geluk van ons gezin allemaal waard: een paar jaartjes goede seks? (Hoewel het in mijn geval niet eens goed hoefde te zijn; als het maar seks was.)

Ik kon de tv in de zitkamer horen en door de openstaande deur zag ik Greg onderuitgezakt op de bank zitten, zijn mond enigszins open, terwijl hij naar het weerbericht keek met de gespannen blik die je gewoonlijk ziet op het gezicht van een hongerig kind aan de borst van zijn moeder. Ik trok mijn kleren uit en bewoog me lenig kronkelend in zijn blikveld, om te zien of het hem op zou vallen. 'Heel mooi, schatje, maar weet je, het weerbericht…' Het is zijn lievelingsprogramma, maar toch. Op dat moment ging de telefoon. Het was een van Gregs patiënten, Mrs Mayfair, of 'Mij weer', zoals wij haar noemen, omdat ze zo vaak belt. Joost mag weten, hoe ze erin geslaagd is ons geheime nummer te achterhalen; Mr Mayfair zal wel bij British Telephone werken, of bij de politie, of misschien is hij inbreker of zo. Normaal gesproken vang ik die telefoontjes op – Greg heeft sowieso al een hekel aan zieke mensen, en al helemaal aan hypochonders. Maar nu, nadat ik zo akelig was afgewezen, zei ik liefjes: 'Ja, Mrs Mayfair, natuurlijk, hier is hij,' en met alleen mijn hoge hakken aan beende ik verontwaardigd de kamer uit en botste precies tegen Leo op die de trap af slofte. Hij wierp één blik op me, huiverde en zei duidelijk verstaanbaar: 'Gatver, een naakte ouder! Dat is heel slecht voor mijn psychoseksuele ontwikkeling, mam.'

De rest van de avond heb ik chagrijnig aan een vilten olifant zitten prutsen, voor iets van Kitty's school, terwijl zij me alles vertelde over Hendrik VI en zijn acht vrouwen of Hendrik VIII met zijn zes vrouwen – *ja, ja hoor*. Was dit mijn leven? Wat was er met mij gebeurd? Hoe was ik hier terechtgekomen?

2

Recept van opa rabbi Neeman voor een gelukkig huwelijk

250 g liefde
250 g humor
250 g seksuele
aantrekkingskracht
500 g bewondering en respect
voor elkaar
500 g intellectuele
gelijkwaardigheid
Een snufje schoonfamilie,
tenzij je ervan houdt, dan
kun je meer toevoegen
Een redelijk budget
Een flinke scheut teamwork

4 theelepels bereidheid om
fouten toe te geven
250 g je snel en gemakkelijk
kunnen verontschuldigen
250 g zelfvertrouwen en 250 g
bemoedigende woorden
1 grote of verschillende kleine
gemeenschappelijke
hobby's
250 g plezier in elkaar
Aparte badkamers (als het
budget dat toestaat)

Zeef de ingrediënten en haal alle klontjes jaloezie, afrekeningen, wrok, puntenscoorderij, slecht humeur en beschuldigingen eruit. Meng er porties geregelde, gezonde en bevredigende seks door. Giet over in ruime bakjes liefde en laat jaren stoven in een gelijkmatig verwarmde oven van genegenheid, wederzijds respect en verlangen.

Die nacht had ik mijn contactlensnachtmerrie. Die heb ik in verschillende variaties; dit was de versie waarin ik probeerde een enorme contactlens in mijn oog aan te brengen. Hij was gewoon te groot en kon er niet in, maar ik bleef het proberen. Ik begreep er niets van: ik draag mijn lenzen dagelijks, waarom pasten ze niet meer? De lens in kwestie had extra flapjes aan de zijkant, zoals die maandverbanden met vleugeltjes die je om je broekje moet vouwen. De flapjes moesten om het wit van je oogbal passen, maar wat ik ook deed, het lukte niet. Wakker worden was een opluchting. Ik keek even naar Greg, die minder zachtjes dan hij denkt naast me lag te snurken. Wat betekende die droom? Ik hou mijn dromen altijd tegen het licht; dat is mijn jungiaanse inslag. Dromen doen ons over ons leven nadenken en zijn een onderbewuste manier om met onszelf te praten. De mijne zei duidelijk tegen me dat ik bang was. Misschien probeerde hij ook te zeggen dat Greg me niet meer paste? Een paar uur daarvoor, toen we naar bed gingen, had ik met mijn voet langs Gregs kuit gewreven, onze huwelijkse morsecode om aan te geven dat we zin hebben. Ik wist dat hij nog wakker was, maar hij ging zwaarder ademhalen en deed net alsof hij al sliep; hij knorde en draaide zich om, zodat er een eenzame oceaan van wit laken tussen ons tweeën kwam te liggen. Ik kon niet anders dan me ongeliefd en de liefde onwaardig voelen bij dit gebrek aan enthousiasme van zijn kant.

Het was vier uur in de ochtend. Het is altijd vier uur 's ochtends als ik angstig wakker word in een slapend huis. Ik stond op, liep naar Kitty's kamer en ging zitten in de met katoen overtrokken stoel waarin ik haar vroeger voedde en die ze nog altijd bij haar bed wil hebben. Ik vind het heerlijk om naar haar te kijken als ze slaapt. Dan lijkt ze weer een baby; haar gezicht is zacht en tevreden; haar ene arm ligt achteloos over haar borst, haar lange, donkere wimpers rusten vochtig op haar wang en haar mond staat een beetje open. Ze heeft een uitzonderlijk mooie mond, vol en rood, rijp als sappig fruit en vol van de belofte van de sensuele jonge vrouw die ze binnenkort zal zijn. Ik wilde haar kussen, maar weerstond die aandrang. In plaats daarvan legde ik mijn hand zachtjes op haar borst om die met haar ademhaling te voelen rijzen en dalen. Toen Leo en zij nog in de wieg lagen, legde ik regelmatig een vinger onder hun neus om te controleren of ze nog wel leefden. Soms was hun babyademhaling zo zacht dat je hem niet voelde en dan maakte ik ze per ongeluk wakker met mijn angstige gepriem. Ik weet nog goed al die keren dat ik midden in de nacht in deze zelfde stoel zat te voeden – eerst Leo, en een paar jaar later Kitty. Ik had dan altijd het gevoel dat ik de enige in de hele wereld was die wakker was, en ik probeerde zo zachtjes mogelijk te doen en mijn baby's niet te laten huilen, uit angst dat we Greg wakker zouden maken. Hij was de hele dag in een verschrikkelijk humeur als hij 's nachts slaap tekortkwam.

Nu bewoog Kitty en ze zei geheimzinnig: 'Vier kastanjes en een otterstaart.' Iedereen bij ons thuis praat in zijn of haar slaap, behalve ik. Vooral Greg, die heeft de neiging lange Bijbelse verklaringen af te steken waarvan ik wakker word. Droomt hij dat hij Jezus is? Dat is zijn grootste angst: dat hij opeens het Licht zal zien. Hij heeft me laten beloven dat ik hem dood zal schieten als hij herboren wordt en last krijgt van religie.

Ik ging naar beneden. Het huis reageerde met gekraak en gegrom en draaide zich om om verder te slapen. Ik keek om me heen, naar mijn leven, naar de rommel van mijn leven. Jassen op een hoop door elkaar in de gang, schoenen verspreid over de trap. Halen en brengen, daar kwam het in mijn leven op neer: iets van de ene plek oprapen en het ergens anders neerleggen, het dan later daar weer weghalen en het weer ergens anders opbergen. Ieder beschikbaar oppervlak lag vol met *spullen*. Dingen schenen met elkaar te paren en zich schrikbarend snel voort te planten. Losse sokken kwamen bijeen in bendes en feestten met lege koffiekopjes, onverschillig terzijde geworpen kledingstukken en eindeloze hoeveelheden papier. Soms dreigde de rotzooi me te overmeesteren. Stel dat ik gewoon de deur achter me dichttrok en nooit meer terugkwam? Naar het vliegveld reed, het eerste het beste vliegtuig nam en een nieuw leven begon? Af en toe vond ik het prettig dit idee tegen het licht te houden, het door mijn hoofd te laten spelen en het te proeven, voor ik het verwierp omdat ik het nooit serieus in overweging kon nemen. De gedachte om Leo en Kitty achter te laten maakte me ziek, letterlijk lichamelijk ziek, een doffe, misselijkmakende pijn in de kern van mijn wezen.

Toen ik nog klein was, bracht mijn vader me altijd een beker warme melk als ik een nachtmerrie had gehad of als ik niet kon slapen. Hij ging dan aan mijn bed zitten terwijl ik de melk opdronk, streelde mijn hoofd en streek met zijn duim mijn voorhoofd glad. Hij zong zijn nieuwste liedje voor me, een liedje waar hij nog mee bezig was en dat nog niemand anders gehoord had. Soms was het niet meer dan een regel of twee en die zong hij dan steeds opnieuw, steeds zachter, tot ik in slaap viel. Ik hield van die pappa-en-Chloe-nachten, wanneer hij de wereld veilig voor me maakte. Tegenwoordig drink ik alleen nog maar midden in de nacht melk. Ik warmde nu wat melk op en ging met opgetrokken benen op de bank zitten, de beker dicht tegen me aan, terwijl ik probeerde uit te zoeken wat me zo'n ongemakkelijk gevoel gaf. Ik moet weggedommeld zijn, want de keukenklok die we van mijn broer Sammy hebben gekregen sloeg zes keer, terwijl het roze biggetje uit zijn luikje, waar normaal de koekoek zit, naar voren snorde. Ik pakte de telefoon.

'Pappa?'

'Met wie spreek ik?'

'Welke andere vrouw noemt jou pappa?'

'Daar zullen we het nu niet over hebben,' lachte hij.

'Met Chloe,' gaf ik toen maar toe.

'Inderdaad, ik had vroeger een dochter die Chloe heette, maar daar heb ik in geen eeuwen iets van vernomen.'

'Ik heb je drie dagen geleden nog gebeld.'

'Drie dagen vermenigvuldigd door een Joodse Vader is drie maanden, dat weet je best.'

'Ben je wakker?'

'Nu wel, ja.'

Hij was sowieso al wakker; dat wist ik. Hij zit om zes uur al achter zijn vleugel.

'Wacht even, lieverd,' zei hij. 'Ik moet de vogels even uit mijn hoofd laten en op papier zetten voor ze wegvliegen.'

Mijn vader heeft liedjes in zijn hoofd, zoals andere mensen gedachten. Toen ik klein was, stelde ik me voor dat zijn hoofd vol vogels zat die als hij zijn mond opendeed zingend naar buiten vlogen, en dat hij ze dan moest vangen. En ik was ervan overtuigd dat hij ze, als hij ze gevangen had, op papier plakte, omdat de zwarte nootjes die hij met inkt op zijn notenbalkpapier zette eruitzagen als piepkleine mereltjes op een telegraafdraad. Als de vogels klaar waren om naar buiten te vliegen, werd mijn vader zenuwachtig en wilde hij niet praten voor ze allemaal netjes opgeplakt waren. Dus wachtte ik geduldig.

'Mooi, ze zitten allemaal op hun plek. Waarom ben je zo vroeg op, Chloe?'

'Omdat ik moest nadenken. Pap, hoe kun je de rest van je leven met één persoon gelukkig getrouwd zijn?'

Ik luisterde naar het getik van de klok in de vroegeochtendstilte en wachtte op zijn antwoord.

'Ik denk dat relaties veranderen, zoals alles verandert. Af en toe heb ik wel eens gedacht dat ik het geen minuut meer met je moeder kon uithouden, en de week daarna was ik ervan overtuigd dat leven zonder haar onmogelijk was. Soms ben je gelukkig en soms niet. Lust is kant-en-klaar, maar liefde heeft tijd nodig om te groeien. Mark Twain heeft gezegd: "Geen man of vrouw weet wat volmaakte liefde is tot ze een kwarteeuw getrouwd zijn." Misschien ben je nog niet lang genoeg getrouwd.'

Ik hou om allerlei redenen van mijn vader, onder andere omdat hij hetgeen waarover je het hebt direct met een citaat kan samenvatten. Hij heeft er een voor iedere gelegenheid.

'Ben je niet gelukkig, lieverd?'

'Dat is het niet, pap, alleen lijkt het wel alsof alles zich heeft vastgezet in een eindeloze monotonie. Alsof alle spannende dingen al gebeurd zijn en alles van nu af aan voor altijd en eeuwig hetzelfde blijft en er niets meer over is om je op te verheugen.'

Ik hoorde hoe klagerig ik klonk, als een nukkig kind, maar dat

31

maakte mijn gevoelens er niet minder om.

'Dat is de leeftijd, Chloe. Je bent getrouwd, je hebt kinderen en denkt: en nu? Ik weet nog dat ik dat op mijn veertigste ook had.'

'En wat heb je toen gedaan?'

Het bleef lang stil. Ik keek naar buiten en zag in het schemerige ochtendlicht dat het regende. Ik hoorde het ruisende geluid van banden op nat asfalt van de auto's die met steeds kortere tussenpozen langsreden. De wereld wreef in zijn ogen en werd wakker. Een nieuwe dag. Maar hoe nieuw zou hij zijn en hoeveel ervan zou gewoon weer een herhaling zijn van de oude dag van gisteren?

Ik wachtte. Aan de andere kant van de lijn schraapte mijn vader zijn keel.

'Tja, Chloe. Ik kan het je niet aanbevelen, maar ik had een verhouding.'

Ik zweeg, terwijl bij zijn woorden oude, halfvergeten herinneringen ongevraagd bij me opkwamen. De telefoon die overging, een stroom boze woorden, de hoorn die op de haak gegooid werd, mijn moeder, met rode betraande ogen, die vanachter gesloten deuren hees en kwaad fluisterde. Mijn vader die opeens een paar dagen weg was, 'naar Leeds, naar een voorstelling van een van zijn shows'. Ik zal een jaar of twaalf zijn geweest, ik begreep er niets van, maar ik besefte wel dat een scheiding weliswaar nog niet onafwendbaar was, maar wel onderwerp van gesprek. Met het egoïsme dat kinderen eigen is dacht ik alleen maar: als ik dan maar bij pappa mag wonen.

'Jezus. Wist mam ervan?'

'Naderhand pas,' zei mijn vader. 'De volgende keer dat we elkaar zien, vertel ik het je wel.'

Mijn moeder was de jongste in een gezin met vier kinderen, de verwende dochter naar wie lang was uitgekeken en die pas na drie broertjes, toen de hoop al bijna opgegeven was, werd geboren. Ze waren zo blij met een meisje erbij dat ze haar altijd Girlie noemden. Trouwens, iedereen noemde haar zo, iets anders was niet toegestaan. Haar echte naam was Gertrude. Gertrude Neeman. 'Dan klink ik als een stevige moeke met dikke enkels,' klaagde ze. Ze was een heel mooi meisje, dat, volgens de familielegende, met een dikke bos donkere krullen en lange balletbenen uit de baarmoeder was gekomen. Zodra ze kon lopen, danste ze al en op haar achtste kreeg ze een beurs voor de Koninklijke Balletacademie. Haar ouders, die uit een familie van gestudeerde orthodoxe Joden kwamen – haar vader was rabbijn, haar moeder lerares –, vonden dat dansen wel goed zolang het klassiek was en omschreven kon worden als 'kunst'. Ze hadden er heel wat meer moeite mee toen ze van het Koninklijk Ballet af ging en de vrijheid van de 'gewaagde musicals' van West End verkoos. En hun afschuw kende geen grenzen toen ze verliefd werd op mijn vader en met hem trouwde, een man die tien jaar ouder was dan zij en die nou juist de musicals componeerde die haar hadden weggelokt van haar ware artistieke roeping. Het feit dat zijn ouders in de *sjmatte*-handel zaten en een kledingzaak hadden, was nog een punt in zijn nadeel.

'Wij zijn intellectuelen. Dat onze dochter met een geldjood moet trouwen, bah!' zeiden ze. 'Wees blij dat het een Jood is,' merkte Girlie op.

Ze trokken wit weg. Een week later tikten ze haar alweer tegen de wang en vertelden ze haar hoe mooi ze was. Ze was hun wonder, hun godsgeschenk, hoe konden ze boos blijven op een meisje met zo'n prachtig gezichtje?

Girlie was een bijzondere, wereldvreemde persoonlijkheid en iedereen zei altijd tegen me dat ik geluk had dat zij mijn moeder was. Maar ze was niet erg moederlijk, niet een 'ga zitten, schatje, dan maak ik iets lekkers voor je klaar'-soort moeder en toen ik nog heel jong was, trad er al een soort rolverwisseling bij ons op. En eenmaal in de puberteit had ik gevoel dat ik de verantwoordelijke volwassene was en zij het nukkige, tirannieke en depressieve kind. Als ik thuiskwam uit school en de sleutel in de voordeur omdraaide, snoof ik ongerust de lucht op. Ik kon aan een subtiele geur merken of het allemaal goed ging in het wereldje van mijn moeder, en dus ook in dat van mij. Alle gezinnen hebben hun eigen geur, een onderbewust aroma dat vertrouwd is, hoewel dat nog niet wil zeggen dat je je er prettig bij voelt. Ik kon op een kilometer afstand ruiken of mijn moeder slechtgehumeurd of van streek was. Dan lag ze in het donker in bed, haar stem klonk monotoon, ik liep op mijn tenen door het huis uit angst de zaak nog erger te maken, en probeerde haar boze bui te verjagen door haar met eten of drinken te verleiden. Alles wat ik aanbood werd afgeslagen: 'Je wilt zeker dat ik dik word,' klaagde ze. 'Dat wil je toch? Een dikke mamma-achtige moeder?' Waarschijnlijk had ze gelijk: ik wílde een mamma-achtige moeder, niet de onvoorspelbare, teleurgestelde vrouw die zich daar in het donker verstopte. Haar humeur kon van het ene op het andere moment omslaan. Als de bel ging, stapte ze haastig uit bed, maakte zich op om haar entree te maken, klaar om op te treden en te verblinden, haar verdriet van daarvoor vergeten in haar blijdschap over de onverwachte gasten. Het was alsof ze niet langer bestond als ze niet in de schijnwerpers stond. De tijd dat ze danste lag ver achter haar, en nu vormden haar vrienden en kennissen haar publiek. Zonder hen kwijnde ze weg; haar gezin was niet genoeg om haar staande te houden.

Die behoeftigheid van haar heeft me de showbizz zeker tegen gemaakt, en ervoor gezorgd dat ik zonder meer voor de boeken heb gekozen. Ik heb mijn moeders dansbenen geërfd, maar niet de wens om ermee – of met welk ander lichaamsdeel dan ook – te pronken. Bij de aanblik van Girlie in de greep van haar sombere buien heb ik gezworen zelf nooit aan een depressie ten prooi te vallen. Het is een soort fobie voor me geworden. Ik ben door de ijdele hoop dat ik mijn eigen geest de baas zou kunnen blijven niet zozeer in de armen van de psychotherapie gedréven als wel ronduit geschópt.

Ik ging weer terug naar bed. Door het raam zag ik in de gele gloed van een lantaarnpaal het Duivenvrouwtje verwikkeld in haar oorlog met de duiven. Soms praatte ze tegen ze alsof het haar beste vrienden waren, maar vaker leek ze ruzie met ze te maken. Het was alsof de vogels iets bijzonder beledigends tegen haar hadden gezegd en ze hen ervan moest overtuigen dat ze het helemaal bij het verkeerde eind hadden. Ze vloog keer op keer schreeuwend en met geheven vinger op ze af; haar boodschappentassen en wilde grijze haren wapperden achter haar aan, haar jas zat strak om haar lange, magere lichaam getrokken. Twee vogels trokken zich er niets van aan. Ze liepen naast elkaar op de stoep, de een leek de ander met zijn vleugel te dekken, en pikten gezellig in het rond. Een derde duif streek tussen ze neer en duwde ze uit elkaar. Ik bedacht dat ik mijn ouders iets dergelijks had aangedaan: omdat ik het lievelingetje van mijn vader was, had ik hun eenheid kapotgemaakt en hen uit elkaar gedreven. Ik herinner me al die nachten nog dat ik mijn broer Sammy alleen in onze kamer achterliet en in het bed van mijn ouders kroop, vastbesloten tussen hen in. Ik plantte mijn kleine hielen in de dijen van mijn moeder en duwde haar nog wat verder opzij, zodat ik de plaats die me toekwam kon innemen: naast mijn vader. Dan legde ik mijn hoofd triomfantelijk op zijn borst.

Ik was dol op zijn geur, zijn dure aftershave van Givenchy, die speciaal voor hem gemaakt was in een klein winkeltje vlak bij de Place de la Concorde in Parijs, waar hij ook twee keer per jaar naartoe ging om zijn sokken te kopen: dun, zwart en van zijde. Mijn vader is altijd een dandy geweest: onberispelijk gekleed, voor iedere gelegenheid. Hij heeft altijd een extra das bij zich, voor het geval het ergst denkbare zou gebeuren: een vlek op de das die hij draagt. Het verbaasde me niets dat hij een verhouding had gehad; hij was te charmant, te sprankelend en te warm om zich door een huwelijk te laten inperken. Ik denk dat ik dat op de een of andere manier wist en de onderstroom van spanning tussen mijn moeder en hem opmerkte. Na een paar dagen kwam hij terug uit 'Leeds', en werd het gewone gezinsleven weer opgepakt. Ik denk dat mijn moeder hoe dan ook het gevoel had dat hij haar lang geleden al verraden had omdat hij zo dol was op mij, zijn kleine meisje. Maar zij had mijn broer om van te houden.

De volgende dagen moest ik steeds denken aan mijn vaders verhouding en hoe het zou zijn om zelf een verhouding te hebben. Als Greg niet op zijn werk was, zat hij het grootste deel van de tijd nieuwe boze brieven aan de gemeenteraad te schrijven en zocht hij op internet naar precedenten om hem in zijn pasverklaarde oorlog tegen de parkeerbonnen te steunen. De rest van zijn tijd bracht hij telefonerend met zijn nieuwe vrienden door: mede-parkeerbonnenstrijders. Ze hadden een nationaal netwerk met een eigen website, innig verbonden door hun gemeenschappelijke doel.

'Het is allemaal prima dat ze mensen op de bon slingeren die de openbare weg versperren of die parkeren op plekken waar alleen maar bewoners mogen parkeren,' zei Greg op een avond, aan het einde van een lang exposé tijdens het avondeten, 'maar ze doen het nu uitsluitend om geld binnen te halen, en dat moet afgestraft worden.' Hij kon over niets anders meer praten en de kinderen en ik meden hem zoveel mogelijk. We konden alleen maar hopen dat hij er uiteindelijk genoeg van zou krijgen.

De hele wereld leek overspelig. Toen een cliënt een keer afzei en ik mezelf op een illegaal middagje tv trakteerde, was het onderwerp van de Jerry Springer-show *Mijn partner bedriegt me*. Daar waren ze, zwart, blank, dik, dun, allemaal mensen die naar hartenlust hun partner bedonderden en er nogal tevreden bij keken. Jerry sloot het programma af met de hypocriete opmerking: 'Maar uiteindelijk bedriegen jullie toch eigenlijk jezelf? Wat levert dat nu op, een huwelijk waarin je niet eerlijk bent?'

'Lol,' zei ik hardop, terwijl ik de afstandsbediening walgend op de bank gooide en de kamer uit liep. Overal zag ik geliefden samen lopen, hun lichamen zo dicht mogelijk tegen elkaar, zag ik ze kussen op straathoeken terwijl ze elkaars gezicht verliefd vasthielden. Damesbladen bij de kiosk om de hoek belaagden me met hun overspelige koppen: VERLIEFD WORDEN OP EEN MAN MET WIE JE NIET GETROUWD BENT, WIJ WONEN MET Z'N DRIEËN: MIJN MAN, MIJN MINNAAR EN IK, MIJN VERHOUDING HEEFT ONS DICHTER BIJ ELKAAR GEBRACHT. Voor ons huis riep het Duivenvrouwtje zomaar tegen me: 'Ga toch een leuke man zoeken! Jullie zijn allemaal hetzelfde.' En ik merkte dat ik weer naar mannen keek, echt naar ze keek op een 'ik ben ervoor in'-soort manier – en sommige mannen keken terug. De onzichtbaarheidspil die ik zonder het te weten op mijn veertigste verjaardag had geslikt leek, voorlopig in ieder geval, niet meer te werken.

3

Sariputra's cactussalsa

1 bosje verse koriander
1 groot blik (780 g) Italiaanse
  gepelde tomaten
2 grote blikken (400 g)
  gemarineerde cactus (of
  vers, als je daaraan kunt
  komen)
1 kg tomaten
3 citroenen

1 of 2 bosjes lente-uitjes
2 grote rode uien
4 kleine rode of groene pepers
6-8 tenen knoflook
1 theelepel zout
1 theelepel vers gemalen
  zwarte peper
2 grote eetlepels olijfolie

Doe de inhoud van het blik tomaten in een grote kom. Snijd de gezeefde cactus, verse tomaten, uien en lente-uitjes in stukjes en voeg ze toe. Snijd de korianderblaadjes en pepers fijn en voeg ze toe met het sap van de citroenen, de knoflook (geperst), het zout, de peper en de olijfolie. Meng alles door elkaar en laat een paar uur staan.
Dien als chutney op bij vis, kip of vlees. Of gooi het even in de blender voor een fijnere structuur en dien op als dip voor tortillachips.

'Ik dacht toch dat "ze leefden nog lang en gelukkig" bevredigender zou zijn dan dit, jij niet?' vroeg Ruthie. We zaten in een van onze vaste trefpunten, het café-restaurant in Queen's Park. Ze zag er moe uit en leek de laatste tijd constant verkouden. Toen ik haar vroeg wat er met haar aan de hand was, zei ze dat haar werk haar sloopte.

'Hmm,' zei ik, 'maar misschien, heel misschien, is er een ander leven mogelijk. Een leven vol passie en liefde, waarin je praat en iemand naar je luistert, waarin je streelt en die iemand jou streelt, waarin iemand je in je ogen kijkt en tegen je zegt dat hij van je houdt, waarin jij in iemands ogen kijkt en daar alles ziet wat je nodig hebt.'

'O, Chloe, wat ben jij hopeloos romantisch,' zei ze, terwijl ze met het eten op haar bord speelde als een anorexiapatiënt die net doet of ze eet. 'Trouwens, gefeliciteerd nog.'

'Waarmee? Ik ben niet jarig.' Ik keek haar niet-begrijpend aan.

'Weet ik. Maar Lou heeft weken niet met me willen praten omdat ik haar verjaardag vergeten was, dus nu feliciteer ik iedereen die ik zie. Dan wordt ook niemand boos omdat ik het vergeten ben. Trouwens,' ging ze verder, 'Lou heeft wel wat anders aan haar hoofd nu James en zij uit elkaar zijn.'

Ik was ontzet. Lou en James waren al twintig jaar bij elkaar; ze waren de eersten van ons groepje die trouwden en ze kregen binnen de kortste keren vier kinderen: jongen, meisje, jongen, meisje. Ze waren echt op elkaar gesteld, ze lachten om elkaars grappen en ze praatten met elkaar – echte gesprekken, niet alleen zakelijk contact over wiens beurt het was om de loodgieter te bellen of de auto te laten repareren. Lous hand bewoog zich altijd liefdevol rond James: ze streek zijn haar glad, streelde zijn wang. James zag wat Lou aanhad en vond het leuk om met haar te winkelen. Hij trok kleren uit het rek waarvan hij wist dat ze haar zouden staan en hield ze keurend tegen haar lichaam. Wij zeiden altijd voor de grap dat hij een nicht was, gevangen in een heterolichaam. Zij waren de standaard voor de rest: meneer en mevrouw Gelukkig Getrouwd, het wandelend bewijs dat het mogelijk was om nog lang en gelukkig te leven. Hun verbintenis was essentieel voor de ecologie van de relaties van de rest. Hoe konden zij nu uit elkaar gaan? Ze leken altijd samen in huwelijkse harmonie te hebben standgehouden, als twee sterke eikenbomen die gedijen onder dezelfde zon, hun wortels verstrengeld, ondanks het verstrijken van de jaren. Af en toe had het eventjes gekraakt, was er een takje vanaf gevallen, maar niemand had kunnen denken dat dat zou kunnen leiden tot het omhakken van de hele boom. Tot op dit moment.

'Wat? Waarom? Sinds wanneer?' De vragen tuimelden naar buiten. 'Waarom heb je me dat niet eerder verteld?'

'Ik was het vergeten. Net zoals die verjaardagen. Ze zijn op proef uit elkaar; ze hebben het idee dat ze weer opnieuw moeten beginnen met afspraakjes of zo. Ze vinden dat ze elkaar te vanzelfsprekend zijn gaan vinden.'

'Als zíj al niet bij elkaar kunnen blijven, hoe moet het dan met ons?' mompelde ik.

'Daar zeg je wat,' zei Ruthie. 'Maar je weet natuurlijk nooit wat zich achter hun voordeur afspeelt. Ik vond al dat aanhalige gedoe waar anderen bij zijn altijd al een beetje verdacht, een teken dat er in feite weinig in bed gebeurde.'

'Bij jou en mij thuis gebeurt er ook weinig in bed, maar wij zijn nog bij onze mannen,' zei ik.

'Wist jij dat gebrek aan seks een reden voor echtscheiding is?'

'Maar wij zijn zoete Joodse meisjes die er alles aan doen om het gezin bij elkaar te houden, toch?'

'Natuurlijk, maar als we gelovig waren en we echt een celibatair huwelijk hadden, dan konden we naar de rabbijn gaan, en dan had je dikke kans dat die een scheiding goedkeurde. Joden zijn erg op seks en intimiteit, en de Thora verplicht een man om aan de seksuele behoeften van zijn vrouw tegemoet te komen. Sommige teksten suggereren zelfs dat een man zijn vrouw eerst tot een orgasme moet brengen.'

'Slimme mensen, de Joden, heb ik altijd al gezegd.' Ik dronk mijn koffie op en zweeg; iets wat ze gezegd had hinderde me. 'Wacht eens eventjes,' zei ik. 'Wat bedoel je met "als we echt een celibatair huwelijk hadden"? Ruthie, heb jij seks met je man?' vroeg ik streng.

'Niet echt,' zei Ruthie. 'Gewoon, twee keer per maand, meer niet.'

'Voor mij is dat een wild seksleven!'

Ruthie staarde me aan.

'Tweehonderdvijfentachtig dagen,' zei ik.

'Wat bedoel je?'

'De laatste keer dat Greg en ik seks hebben gehad. Dat is tweehonderdvijfentachtig dagen geleden. Een dronken wip met oudjaar. Ik geloof dat dat betekent dat ik officieel weer maagd ben.'

'En dat vertel je me nu pas!'

'Ik kon het gewoon niet opbrengen erover te praten.'

'Heb je het er met hem over gehad?'

'Dat heb ik geprobeerd, maar hij zegt dat er niets aan de hand is; we hebben het allebei druk en zitten dus even in een geenseksfase. Wat hem betreft is het geen probleem.'

'En wanneer verandert een fase in een blijvende toestand?' Ruthie keek naar me alsof ik een exemplaar van een pasontdekte diersoort was. 'Het zou een prachtig artikel zijn: *Het celibaat in het huwelijk: vrouwen vertellen hun verhaal.*'

'Fijn ja! Nou, je weet bij wie je aan moet kloppen.' Ik keek op mijn horloge. 'Jezus, en na deze sensationele onthulling moet ik ervandoor.'

Ik had me niet gerealiseerd dat Ruthies definitie van geen seks twee keer per maand seks was. Haar ontzette reactie op mijn onthulling deed me beseffen dat Greg en ik echt een probleem hadden. Soms gebeurt dat, als je iets hardop zegt.

Ik was nog net op tijd terug voor mijn afspraak van drie uur. Gentleman Joe is een Amerikaan en vroeger was hij stripper bij de Chippendales. 'Voor het allemaal nichten werden,' stelde hij me regelmatig gerust. Gentleman Joe was zijn artiestennaam, en nadat hij zijn kleurrijke verleden had opgebiecht, na drie jaar therapie, kon ik alleen nog maar zo aan hem denken. Hij was geweldig: een olijfkleurige huid, zacht zwart haar, wenkbrauwen als dikke wollige rupsen en wimpers die zo lang en zwaar waren dat het een wonder was dat hij zijn ogen überhaupt nog kon openhouden. Hij had problemen om zich te binden en was zwaar teleurgesteld in de vrouwelijke soort: hij kon geen meisje zover krijgen dat ze bij hem bleef en zijn vrouw werd. Joe was een seriële verloofde: zijn aanstaande vrouwen lieten hem zitten zodra ze het altaar roken. 'Wat hebben die Britse wijven toch?' klaagde hij. 'Ze gaan allemaal vreemd. Je denkt dat je een monogame relatie met iemand hebt, en daar gaat ze dan, met een of andere "jongen" die met haar broer op school gezeten heeft, of zo.'

'Heb je wel eens overwogen om het met een andere nationaliteit aan te leggen, een Amerikaanse wellicht?' opperde ik voorzichtig.

'Nee, Amerikaanse vrouwen zijn veel te bezitterig.'

Pot, ketel, zwart, dacht ik. 'Hmm. Weet je, Joe, misschien moet je niet langer meer doelbewust zoeken naar een huwelijkskandidate, dan gebeurt het allemaal vanzelf. Wat denk je: voel je je aangetrokken tot vrouwen die voor jou onbereikbaar zijn?'

Hij was een anomalie, de spreekwoordelijke uitzondering die de regel bevestigt: een Joodse man die zich wilde binden; maar hij was inderdaad al vierenveertig en zijn hoogtijdagen als Chippendale in de jaren tachtig lagen ver achter hem. Strippen? Dat is toch helemaal geen baan voor zo'n aardige Joodse jongen?

Ik heb nooit een echt serieuze relatie kunnen hebben met een Joodse man. Het zal wel een ingebouwd incesttaboe zijn: Joodse mannen zijn net familie. Ik wist dat ze in restaurants het eten terugsturen, dat ze een vraag met een vraag beantwoorden, in het geheim geilen op ijzige, blonde *sjikses*, en dat we uiteindelijk meer geïnteresseerd zijn in taart eten en kletsen in bed dan in een stormachtige seksuele relatie. Ik heb een keer een Joods vriendje gehad – en de seks was best stormachtig, tot we het een keer voor de spiegel deden en allebei tegelijk beseften hoeveel we op elkaar leken. Het was net alsof ik het met mijn broer deed, en hoe gek ik ook op Sammy ben, ik verlang er niet naar met hem naar bed te gaan.

Sammy is twee jaar jonger dan ik en woont in een tipi in de Alpujarras in Spanje. Hij heeft inmiddels een boeddhistische naam: Sariputra, dat 'Kind van een Lentenachtegaal' betekent. Wij noemen hem

Sari, wat als je het onduidelijk uitspreekt behoorlijk als Sammy klinkt. Op die manier is iedereen blij. Vroeger was hij musicus, op weg naar het succes met een R&B-band, maar toen overleed mijn moeder en nadat we haar as in mijn achtertuin hadden begraven en er een kersenboom bovenop hadden geplant, vluchtte Sammy naar North Carolina om bij de Cherokee-indianen te gaan wonen. 'Dat is een matriarchale maatschappij,' zei hij voor hij wegging. Hij was kapot van verdriet. Dat waren we allemaal: we voelden ons verraden, beroofd en verbijsterd. Mijn moeder vond het niet prettig om ouder te worden dan vijfenvijftig en dus nam ze gewoon het besluit dat niet te worden. Ze is gaan slapen en niet meer wakker geworden – niemand kent de oorzaak van haar dood, de lijkschouwing heeft niets aan het licht gebracht. Het leek alsof ze gezegd had: 'Goed, ik ga ervandoor, ik heb genoeg van jullie.' (Ik kon de gedachte niet onderdrukken dat ze het expres had gedaan, om nog eenmaal in het middelpunt van de belangstelling te staan. Alleen kwam ze dit keer niet op, wat ze zo heerlijk vond, maar ging ze af.) Sammy leefde vijf jaar als een Cherokee en wilde niet met pap of mij praten. Hij wilde helemaal met niemand praten. 'Rust kun je in stilte vinden,' verklaarde hij toen hij uiteindelijk zijn tipi in Spanje opzette, het boeddhisme omhelsde en weer contact met de buitenwereld opnam. 'Ik wil het pad der zachtmoedigheid gaan op deze aarde.'

'Ja, maar dat pad is wel verdomd ongemakkelijk,' zei ik terwijl ik hem stevig omhelsde, met het gevoel alsof mijn hart zou knappen van verdriet en blijdschap. Maar stiekem hou ik wel van zijn tipi, van de bossige, rokerige lucht en de eenvoud van zijn bestaan. Door de jaren heen is het een soort veilige haven voor me geworden, een plek waar ik naartoe kan vluchten om een ander leven te proeven. Ik ga ten minste vier keer per jaar, meestal met de kinderen en soms met Greg. Sammy heeft zes raampjes in de canvas wanden uitgesneden, compleet met glas en houten lijsten, een verbetering waarop hij buitensporig trots is. 'Daar heeft nog geen indiaan aan gedacht.' Toen we klein waren wilden we per se samen op één kamer slapen, en dan lagen we 's ochtends in bed en keken door het daklicht naar de wolken. Dat noemden we 'dieren in de lucht'.

Een van ons bedacht dat iets de vorm van een bepaald dier had, en dan moest de ander dat dier zoeken.

'Eenhoorn,' had Sammy gezegd toen we tijdens mijn laatste tripje naar Spanje samen op een bergtop lagen en sloom tortillachips in de cactussalsa doopten, zijn handelsmerk (die jaren bij de Cherokees waren niet voor niets geweest).

'Mag dat, een fabeldier?' vroeg ik, gespannen de schaarse wolkjes boven ons afspeurend.

'Wie vraagt dat nu aan een man die in een tipi woont?'

Ik omhelsde hem, snoof zijn broerheid op, genoot ervan dat hij nog steeds met zichzelf kon spotten. Kitty en Leo spelen ook 'dieren in de lucht'; zij noemen Sammy 'oom Knettergek'. Hij neemt hen mee op tochten door de bergen en vertelt hun over de oma die ze nooit gekend hebben.

Mam stierf twaalf jaar geleden en ik ben nog steeds woedend op haar dat ze me in de steek liet met een peuter van drie, een dikke zwangere buik en geen moeder om me te helpen. Gregs moeder telt niet. We zien haar niet vaak genoeg, en als we haar zien, verlangen we er al naar dat ze weer weg is. De meeste kinderen maken wel een periode door waarin ze zich zorgen maken dat ze geadopteerd zijn, maar Greg hóópte vroeger dat hij dat was. Hij had het gevoel dat hij in het verkeerde gezin was terechtgekomen. Een ongenode gast op een feestje waar hij niets aan vond. Hij leek totaal niet op zijn broers en zusters, en had niets met hen gemeen. Zij waren allemaal blond met bruine ogen; zijn haar was pikzwart en zijn ogen waren blauw. Het waren Ierse methodisten en alcohol was in hun huis niet toegestaan, op Bailey's na, dat om de een of andere reden tot non-alcoholisch drankje was verklaard en bij feestelijke gelegenheden met kratten tegelijk gedronken werd. De ooms en tantes liepen rood aan en werden luidruchtig, en een emotionele vertolking van 'Danny Boy' vulde de ruimte. Dit waren de weinige gelukkige jeugdherinneringen die Greg had.

Zijn vader, de enige die een soort medestander was in deze familie van vreemden, zei zijn eigen lidmaatschap al lang geleden op, toen Greg acht was, door naar Amerika te vertrekken. Zogenaamd om te kijken of het een geschikt land was om naartoe te emigreren. Ze hebben nooit meer iets van hem gehoord en zijn gezicht was zorgvuldig verwijderd van alle oude familiefoto's, die prominent stonden uitgestald op ieder beschikbaar oppervlak. Greg herinnerde zich nog hoe zijn moeder avondenlang met een stapel foto's en een scherp nagelschaartje in de weer was. Hij was erin geslaagd een paar afgeknipte hoofden van zijn vader te redden toen ze eventjes niet keek en die heeft hij tot op de dag van vandaag in zijn portefeuille bewaard – het enige aandenken dat hij heeft. Zijn vaders naam mocht niet meer uitgesproken worden, en het leven was netjes in tweeën gedeeld: v.G. (voor de Gebeurtenis) en n.G. (na de Gebeurtenis). Edie, Gregs moeder, heeft de jaren n.G. een afkeurende uitdrukking op haar gezicht gehad, alsof ze voortdurend iets smerigs rook. Toen Leo geboren was heeft Greg gezegd, met de opluchting van een drenkeling die vaste grond onder de voeten krijgt: 'Ik heb eindelijk een gezin dat ik leuk vind.'

Ik was moe. Soms putten mijn cliënten me volledig uit. Dat gebeurde meestal als ik me niet zo sterk voelde en niet kon verhinderen dat hun levens het mijne binnendrongen. Ik ging naar boven en trof daar Greg aan, die in de keuken rommelde, in laden en kastjes tuurde, met de deurtjes sloeg en steeds kwader werd. Zijn haar stond overeind als een toiletborstel en hij droeg Kitty's Spaanse schortje: knalrood met gele stippen. Het stond hem heel goed. Met zijn rechterhand deed hij na wat het voorwerp dat hij zocht deed, een soort bezwering om het te laten verschijnen. 'De soeplepel?' opperde ik. 'Bovenste linkerla. Tenzij je hem voor jezelf verstopt hebt.'

'Proef eens,' zei hij, terwijl hij me een lepel hete soep voorhield. 'Hmm, nou wat vind je ervan?' Hij knikte ongeduldig.

'Heerlijk, schat, maar…'

'Wat maar…? Hij is prima!'

Greg heeft ons hele huwelijk een zelfverklaarde kippensoepoorlog gevoerd, met de inzet dat als ons huwelijk ten einde komt, het-

45

zij door een scheiding, hetzij door de dood, hij de kippensoepwinnaar zal blijken te zijn. Hij kookt lekker – een van de redenen waarom ik met hem getrouwd ben – en heeft zijn eigen repertoire, maar hij is geobsedeerd door de behoefte om te bewijzen dat je niet Joods hoeft te zijn om Joodse kippensoep te maken. Zijn soep is goed, heel goed zelfs, maar minder authentiek en aromatisch dan die van mij, omdat hij de correcte consistentie van de *kneidlach* – de noedels – nog niet helemaal onder de knie heeft.

Als Jodin ben ik genetisch geprogrammeerd om zodra ik van tegenslagen van vrienden of familie hoor naar de keuken te rennen om soep te maken. Het blijkt dat dit gen door een huwelijk kan worden overgedragen: dat doen Joodse vrouwen met hun niet-Joodse echtgenoten, ze maken ze onherroepelijk en onomkeerbaar osmotisch tot Joden. Als pappa zich niet lekker voelt, dan heb je nu net zo veel kans dat Greg met een kommetje kippensoep naar hem toe rent als ik. Kippensoep is de Joodse penicilline, het erkende medicijn voor alle kwalen, van liefdesverdriet tot kanker. En nu Greg me op deze manier uitdaagde, betekende dat dat ik zo snel mogelijk ter verdediging zelf kippensoep moest maken, om de handschoen die hij me had toegeworpen op te nemen en voor de zoveelste keer te bewijzen dat ik in dit koninkrijk heerser ben.

'Vanavond heb ik geen tijd,' zei ik geërgerd. 'Ik moet naar dat gedoe van BV. Ga jij niet?'

Greg huiverde. 'Ik eet nog liever een stoofpotje giftige slangen. Ik ga in bed tv-kijken en de Verkeerswet van 1991 nog eens doornemen.' Hij knikte naar zijn dampende pan soep. 'Ik heb dus gewonnen.'

'Die mensenhaat van je wordt ziekelijk. Morgen maak ik mijn soep, en dan zullen we deze kwestie voor eens en voor altijd regelen door onze soep ter beoordeling aan een breder publiek op te dienen.'

'Prima, laat het publiek besluiten wie de beste soep maakt.'

Ik stormde de keuken uit. Ik vind het heerlijk om ergens weg te stormen, en Kitty en ik oefenen samen om te zien wie het hooghartigst kan kijken als we ons hoofd in de nek werpen, ons omdraaien en de kamer uit gaan. Kitty, die was binnengekomen en het laatste stukje van ons gesprek had aangehoord, stond bij de ijskast. Discreet stak ze haar duim omhoog toen ik langs haar stoof. (Ze kan een jongen van haar leeftijd al op een kilometer afstand in elkaar doen krimpen met haar minachtend toegeknepen ogen en een amper hoorbaar afkeurend gesnuif.) Ik knipoogde naar haar, gebaarde dat ze me moest volgen.

'Help me even met mijn kleren,' zei ik.

Ze vloog met twee treden tegelijk de trap op. Zij is mijn aankleedpop, maar ik ben net zo goed de hare, en ze vindt het heerlijk om eventuele outfits op de vloer voor me klaar te leggen, zodat we kunnen zien hoe ze combineren. Bloesjes, rokken of broeken, panty's en schoenen, riemen, armbanden en sjaals; zonder inhoud, wijd uitgespreid op het kleed doen ze me denken aan de outfits die achter op de *Bunty* stonden afgedrukt: van die kledingstukken die je kon uitknippen, met papieren lipjes eraan om om je kartonnen aankleedpop te buigen, zodat je haar van een kantoormeisje tot feestbeest transformeerde.

Mijn Beroemde Vriendin Lizzy, bij haar vrienden bekend als BV, gaf een feestje om de publicatie van haar nieuwste boek te vieren: *Het celibaat: zo leer je je diepste zelf liefhebben.* Ze was er op de een of andere manier in geslaagd om van het celibaat iets cools te maken, in plaats van het schuldige geheim dat het voor mij was – maar ja, zij was op dat moment even ongehuwd. Ik bekeek wanhopig mijn garderobe, die me slechts twee mogelijkheden bood: geruststellende, vestjesachtige psych-kleding, of een 'je kan me wat'-outfit die inmiddels uit de mode was, en dan nog wat obligate grungy T-shirts en joggingbroeken ertussenin. Het duurde langer dan normaal voor Kitty iets had gevonden wat we allebei goed vonden, maar we besloten uiteindelijk tot een korte zwarte rok, een rood bloesje, met een paar achteloze knoopjes open om mijn decolleté, voor zover aanwezig, te tonen, een zwart jasje en rode hoge hakken. Tegen de tijd dat ik gedoucht had, me had ingesmeerd (verschillende crèmes voor verschillende lichaamsdelen; het is een wonder dat je überhaupt nog de deur uit komt) en me had opgemaakt, was het al behoorlijk laat.

Greg was in de zitkamer en danste op *Top of the Pops* rond terwijl Kitty en Leo op de bank zaten te gruwen. 'Een van de genoegens van het ouderschap,' zegt Greg altijd, 'is dat je wraak kunt nemen voor alle keren dat je je in je eigen jeugd hebt zitten generen.' Een luchtgitaar, zinloos gewijs, slecht gecoördineerde bewegingen, kleine sprongetjes en een vertrokken gezicht: alles droeg bij aan deze exquise vorm van ouderlijke marteling. De kinderen waren buiten zichzelf. Ik heupwiegde mee om het nog erger te maken en kuste Greg ten afscheid. Hij klopte me, zoals gewoonlijk, vriendelijk op mijn rug.

'Ik ben geen paard,' zei ik. Hij bood me een heel zuinig mondje voor een kus. 'En ik ben ook geen ouwe ongetrouwde tante van je.'

Ik deed de voordeur open, ademde de kille avondlucht diep in en voelde de vrijheid door mijn aderen stromen, als een gevangene die tijdelijk verlof krijgt wegens goed gedrag.

4

Recept voor problemen (anoniem)

1 deel seksueel verwaarloosde vrouw	1 scheutje helemaal opgedoft en alleen op stap
1 deel onbevredigde, zoekende man uit ander land	3 druppels bedwelmend verlangenparfum
2 delen behoefte aan avontuur	

Roer de ingrediënten door elkaar en wacht af…
(Hou afstand, want het kan soms ontploffen.)

Het feestje van Beroemde Vriendin was in volle gang toen ik arriveerde. Het werd in een van die trendy mediakroegen in Soho gegeven; het soort café waar de rij voor de plee langer is dan de rij voor de bar, omdat iedereen voortdurend zijn neus moet poederen. Ik heb de verlokkingen van cocaïne nooit begrepen. Ik heb het een paar keer geprobeerd en die keren was het of ik angst en depressie in poedervorm opsnoof. Omdat ik meer dan genoeg angst en depressie van mezelf heb, leek het me een zinloze bezigheid. Toen ik de tent binnenstapte zat ik al in de kledingschaamtespiraal, trok aan mijn te korte rokje en probeerde mijn gebrek aan decolleté te verbergen. Ik voelde me volkomen misplaatst en veel te veel jaren tachtig. Waarom blijven we allemaal in een soort tijdsslot van onze jeugd steken, ons 'lekkerste' moment, bevroren in de tijd die voor ons voor altijd synoniem is geworden met er sexy uitzien? De aanwezige literaire fine fleur van Londen kletste, dronk en nam namaak-arbeidersvoedsel, zoals kleine porties *fish and chips* en miniatuurworstjes, tot zich. Het boek van BV lag overal, en zijzelf viel niet over het hoofd te zien in haar knalrode hemdjurk met VERBODEN IN TE RIJDEN-borden in wit over haar borst- en schaamstreek geborduurd. Ik voelde me plotseling wat beter over mijn eigen outfit. BV is er ongelooflijk handig in de *Zeitgeist* te vangen, een eigenschap die, gekoppeld aan het beste adresboek van Londen en een grote persoonlijke schoonheid, haar in één klap beroemd heeft gemaakt met haar eerste boek, *Hoe word ik een geisha*, dat bij het aanbreken van het postfeministische tijdperk uitkwam. Ze had met Ruthie en mij op school gezeten, en hoewel onze vriendschap in essentie warm was, was hij met jaloezie doorvlamd, zoals de strepen in een zuurstok. Ruthie had me die middag opgebeld en gezegd dat ze zich niet ruimhartig genoeg voelde om de rol van bewonderende hofdame te vervullen. Ze was een beetje slaperig en had ontzettend veel zin om met een boek in bed te kruipen. Kon ik het niet voor ons allebei opknappen? Die hield ik dan van haar te goed. 'Ik heb er al twintig van je te goed,' kaatste ik terug, maar ze maakte al luide, smakkende zoengeluiden door de telefoon en hing op. Ik heb haar een sms'je gestuurd waarin ik zei dat als ze niet zou komen, ik het contract van onze eeuwige vriendschap zou opzeggen, het contract dat we dertig jaar geleden met bloed hadden ondertekend en in de tuin hadden begraven.

BV stortte zich als een exotische rode vogel op me om me een luchtkus te geven.

'Hallo, engel! Mag ik je aan David voorstellen? Hij heeft een heel interessante relatie met zijn vader.'

Dat is de moeilijkheid als je psychotherapeut bent: iedereen die je tegenkomt wil het volle pond en ze verwachten dat je als een fruitmachine die uitkeert ogenblikkelijk antwoord hebt op al hun problemen. Toen Greg nog met me meeging naar feestjes hadden we een geheim spel: *Hoeveel had jij vanavond kunnen verdienen?* Veel mensen die we tegenkwamen vroegen ofwel hem om een medisch advies, ofwel mij voor psychologische begeleiding. Na het eerste rondje kwamen we dan in een hoekje van de kamer bijeen.

'Ik zit al aan de vijfhonderd guineas,' mompelde Greg. 'Zie je die vrouw daar? Ze heeft vruchtbaarheidsproblemen en ze denkt dat haar man te weinig zaadcellen heeft, maar hij wil zich niet laten testen.'

'En zie je die man links van haar?' kon ik dan terugzeggen. 'Die zit vol woede omdat zijn moeder geen pannenkoeken als ontbijt wilde maken toen hij vijf was.'

Het is niet zo leuk meer nu Greg de menselijke soort mijdt. Ik moet nog steeds therapeutisch aan de slag, maar ik kan er geen spelletje meer van maken. Ik zette me schrap, wendde me tot David en probeerde geïnteresseerd te kijken terwijl hij vertelde dat zijn vader geen enkele keer in zijn jeugd tegen hem had gezegd dat hij van hem hield. Maar goed, zijn haar was leuk geknipt, een beetje Hugh Grant-achtig. Seksuele onthouding en gedachten aan overspel hadden een koppige cocktail gebrouwen en mijn hormonen leken aan een eigen leven te zijn begonnen. Tot mijn ontzetting merkte ik dat mijn flirtspieren, die zo lang in sluimertoestand hadden verkeerd, tot leven kwamen.

'En toen ik zes was...' zei David.

Ik onderdrukte een geeuw: het drong tot me door dat we op het punt stonden jaar na jaar de hele weg van zijn psychologische ontwikkeling af te leggen. Iedere ingebeelde krenking, iedere afwijzing, elk wissewasje, de onderste steen zou worden bovengehaald. Hoe leuk zijn haar ook zat, onder deze omstandigheden kon ik niet geïnteresseerd blijven. Ik keek langs hem heen en zag dat Ruthie net was binnengekomen. Ik wierp haar steels een sos-blik toe. Ze zwaaide opgewekt, maakte een wurggebaar en liep door. Ze strafte me omdat ik haar had laten komen.

'Ik kan me niet herinneren dat hij me ooit meegenomen heeft naar het park om een balletje te trappen,' zei David. Achter zijn linkerschouder kwam er een lange, opvallende man met prachtige jukbeenderen in beeld. 'Wie is dat?' siste ik tegen BV, die net bij ons was komen staan. De jukbeenderen keken me aandachtig aan.

'O, dat is Ivan.'

'De Verschrikkelijke Versierder?'

'Nee, dat dacht ik niet. Hij is getrouwd met een nogal lelijke uitgeefster die Becky heet, heb ik begrepen.'

'Hmm.' Ik keek steels naar hem.

Tot nu toe leek alles in overeenstemming met de Regel van Ruthie. Wat gebeurde me nou? Ik voelde me als Bobby, het hondje van Kuifje, dat als hij tussen goed en kwaad moet kiezen een duivels zwart hondje op zijn ene schouder heeft zitten en een engelachtig wit hondje op de andere. Het zwarte hondje moedigt hem aan verraderlijke handelingen te verrichten; het witte hondje wijst hem het rechte pad. Mijn zwarte hondje was duidelijk aan de winnende hand. Ik merkte dat ik op Ivans blik reageerde met die blikken vanonder fladderende wimpers – de kunst van het flirten is kennelijk net zoiets als de kunst van het fietsen, je verleert het nooit. Binnen de kortste keren stond hij naast me en duwde me een kaartje in handen.

'Hier heb je mijn telefoonnummer,' zei hij. 'Ik ben Ivan.' (Hij sprak het uit als *Iewahn*.) 'Je moet me bellen. Normaal doe ik zoiets niet, maar ik móét je leren kennen.'

Ik lachte beleefd terwijl ik mijn hand uitstak. (Waarom wordt dat leuke ijsblokjes-tintelende lachje uit je jeugd toch dat akelige heksengekakel als je ouder bent?)

'Je mag me Wanja noemen, en als we elkaar beter kennen, Wanka,' ging hij door.

Ik schaterde het – weinig aantrekkelijk – uit.

'Ja, ja, ik weet dat dat in het Engels heel grappig is.'

Ik bloosde.

'Nee,' zei hij toen, zo heftig dat ik ervan schrok. 'Ik geloof niet dat jij mij gaat bellen. Geef me jouw nummer maar.'

'Zullen we eerst een tijdje praten?' stelde ik koket voor.

Hij kwam uit Sint-Petersburg en zag eruit als een graaf uit een roman van Tolstoj: lang, donker, en met die gebeeldhouwde hoge jukbeenderen waardoor je meteen aan de Russische steppe moest denken. Hij paste helemaal in mijn *Strasse*, of liever gezegd in de Strasse waar ik woonde toen ik nog single was.

'Toen ik uit Rusland wegging, was het nog de Sovjet-Unie,' zei hij. 'Ik wilde erg graag weg en uiteindelijk is het gelukt. Al die jaren voelde ik me als een gekooide vogel, die vergeefs met zijn vleugels fladdert en ernaar verlangt te kunnen vliegen. Maar toen ik hier kwam, was er opeens geen kooi meer, maar kwam ik erachter dat ik niet langer kon vliegen. Mijn vleugels waren gekortwiekt.'

'Ik ben getrouwd en heb twee kinderen. Leo is vijftien en Kitty is twaalf,' flapte ik eruit.

'Ik ben ook getrouwd.' Zijn glimlach was in de hoekjes een beetje droevig. 'Maar weet je, soms…'

'Ja, ik weet het.' En dat is ook zo. Soms… Ivan was verschrikkelijk aantrekkelijk. Hij had iets tragisch over zich, misschien een restje van het wrede Sovjetregime. Ik voelde me zwak en uit mijn evenwicht gebracht door een gevoel dat ik me amper meer kon herinneren. Het was de vaste hartslag van seksueel verlangen – een volkomen onbekende emotie na zo veel jaar sacrament des huwelijks. Waardoor raakte hij me zo? Omdat ikzelf de behoefte had weer iets te *voelen*? Het idee dat een man belangstelling voor me had? De zeldzame sensatie dat iemand je echt in de ogen keek en naar je luisterde? Ik kon mijn ogen niet van zijn handen afhouden. Het waren de handen van een pianist of een chirurg: lange, spitse vingers, kracht gecombineerd met gevoeligheid. Terwijl ik tegen hem praatte hield hij zijn hoofd een beetje schuin, zijn prachtige handen als in gebed geheven: met de vingers in elkaar gevlochten, behalve de wijsvingers, die hij met de toppen tegen elkaar tegen zijn lippen legde. Ik stelde me voor dat die handen mijn gezicht streelden, zich naar beneden bewogen langs mijn lichaam. De manchetten van zijn overhemd vielen iets terug zodat je zijn donkerbehaarde onderarmen kon zien. Ik vroeg me af hoe het haar op de rest van zijn lichaam eruit zou zien en bloosde omdat ik hem al naakt voor me zag. Zijn mond was vol, zijn ogen doordringend blauw. Mijn lievelingscombinatie: donker haar en blauwe ogen. Net zoals Greg. O, god.

Ik gaf hem mijn telefoonnummer. Dat kon toch niet anders, na dat vogelvleugelverhaal? Plotseling wilde ik weg. Ik voelde me duizelig bij de gedachte aan wat er mogelijk was, bang ook. Dus pakte ik mijn jas en was al onderweg naar de uitgang toen BV me tegenhield en me een paar kaartjes voorhield.

'Kaartjes voor Frou-Frou. Dat wordt dé grote late-nightshow dit seizoen.'

Ze is de koningin van het vrijkaartje. Al vanaf haar veertiende kon ze gratis toegangsbewijzen voor popconcerten lospeuteren, zelfs als mensen als The Who of 'Reggie' (Elton John voor normale mensen) optraden. En nu ze zelf rijk en succesvol is, is een vrijkaartje nog steeds het mooiste wat er is voor haar.

'Nee, dank je wel, BV. Ik moet ervandoor.'

'Kom op nou, het is vast heel leuk, en daarna kunnen we naar het premièrefeestje. Ik sta op de lijst.'

'Uiteraard,' zei ik, terwijl ik snel doorliep voor ze me kon overhalen. Ze is er buitengewoon goed in om mensen te laten doen wat zij wil.

Ik keek om me heen en zag dat Saaie David Ruthie vastgezet had in een hoek. Ze zag er vertwijfeld uit.

'We moeten ervandoor,' zei ik, terwijl ik haar bij de arm nam, even naar David lachte en haar veilig naar de uitgang loodste.

'Ik hou van je,' fluisterde ze. 'Heb ik altijd gedaan, zal ik altijd doen. En wie maar iets over jou durft te beweren, die krijgt het met mij aan de stok.'

'Tja, je verdient het niet. Ik ben veel liever dan jij. Jij hebt mij aan het begin van de avond niet geholpen. De volgende keer zoek je het zelf maar uit.'

Ik vond het prettig dat ze me niet met Ivan had zien praten. Ik wilde dat voorlopig voor mezelf houden. Als ik erover zou praten, zou dat betekenen dat ik toegaf dat er iets aan het ontstaan was, en voorlopig was ik nog niet bereid dat zelfs maar aan mezelf toe te geven.

Toen ik thuis was, liep ik door het stille, slapende huis. Een schimmige gedaante maakte me aan het schrikken. Het was Leo.

'Brrr een vijfje, yeah, weet je, morgen met de jongens.'

Wat tienertaal is voor: 'Heb je misschien vijf pond voor me, mam? De jongens en ik willen morgen uit.' Vol schuldgevoel vanwege mijn overspelige gedachten betaalde ik de ouderlijke tol. Ik maakte mijn gezicht schoon – dat doe ik altijd, want het is een universeel erkend feit dat je in de hel zult branden als je dat niet doet – en kroop in bed naast mijn snurkende man.

'En zij kwamen in grote scharen tot hem, en ziedaar! De antibiotica werden onder hen verdeeld,' mompelde hij in zijn slaap.

Het is gek, maar ik was zo gewend om al mijn nieuwtjes en gedachten met Greg te delen dat ik mezelf ervan moest weerhouden om hem wakker te maken en hem mijn laatste heerlijke roddelpraatje te vertellen: dat ik een prachtige exotische man had leren kennen.

Ik werd wakker met het gevoel dat er iets spannends was en genoot ten volle van de herinneringen aan de vorige avond, deelde ze voor mezelf in stukjes als een kind met een verboden reep chocola vlak voor het eten. Het behaaglijke gevoel werd al snel verstoord door de harde werkelijkheid die een schooldag is. Bea was in de keuken bezig op die ergerlijk apathische manier van haar die ze altijd tentoonspreidt als iedereen *haast* heeft. Ik wankelde naar binnen en tastte blindelings naar de ketel.

'Greg, de ketel,' snauwde ik.

'Voilà!' zei hij stralend, terwijl hij hem zwierig van de ijskast af haalde, alsof hij een konijn uit de hoge hoed toverde.

'Zou je verdomme je geheugen willen oefenen op dingen die alleen jij nodig hebt, in plaats van op spullen die voor algemeen gebruik zijn, zodat we die verdomde Tommy Cooper-act van je niet meer hoeven mee te maken?' snauwde ik opnieuw.

'Mam!' riep Kitty verontwaardigd vanachter een pak cornflakes.

Ik keek met toegeknepen ogen naar de klok aan de wand. 'Schei uit, Kitty. Ik wist verdomme niet dat de vloekpolitie al om kwart voor acht op pad is.'

Kitty stak haar hoofd zo ver boven het pak uit dat ik kon zien dat ze met haar ogen rolde. 'Zijn we uit ons humeur? Hebben we te veel gedronken?'

'Aha, de drankpolitie is er ook al,' mompelde ik. 'Ik heb maar één glas champagne gehad, en ik heb een getuige die dat onder ede kan verklaren.'

Bea glimlachte. Dit was net zo'n ongewone aanblik als een orthodoxe Jood die een picknicktafeltje vol varkensworst naast de klaagmuur neerzet.

'Alles goed met je, Bea?' vroeg ik.

'Ja, ja. Vandaag ben ik heel gelukkig. Mijn vriendin Zuzi, zij komt vandaag uit de Tsjechische Republiek. Mag zij een paar dagen bij mij op mijn kamer slapen tot zij een baan heeft?' Bea keek me strak aan met die eeuwenoude blik van de militante au pair. De blik die bekend is bij en gevreesd wordt door alle werkende moeders. Duidelijker dan woorden zei die blik: 'Zeg maar ja, want anders vertrek ik en dan heb jij een groot probleem, dame.' Ik weet wanneer ik verslagen ben.

'Natuurlijk, Bea. Je had het alleen wel iets eerder mogen zeggen, en als het maar niet voor al te lang is.'

Greg fluisterde: 'Streng, hoor!' in mijn oor toen hij langs me liep.

'Is Leo eruit?' vroeg ik.

'Ik heb hem al vijf keer geroepen,' zei Bea. 'Om zeven uur, tien over zeven, twintig over zeven, halfacht…'

'Goed, Bea, ik snap het. Wil je hem voor de zesde keer wakker maken? Meestal lukt het dan wel.'

Ik schoof de barricade van pakken cornflakes opzij die Kitty om zichzelf heen op tafel had opgetrokken. Ze komt in die buitensporig gevoelige fase die samenhangt met de eerste oestrogeenopwellingen en vindt het niet prettig als iemand toekijkt terwijl ze zit te eten. Ik borstelde haar haar, probeerde de klitten er zo voorzichtig mogelijk uit te krijgen.

'Au!' piepte ze voorspelbaar. 'Je doet het expres. Je wilt me pijn doen.'

'Klopt. Ik heb negen maanden zwangerschap en een vreselijk pijnlijke bevalling doorstaan, alleen maar om het jou betaald te kunnen zetten door je haar te borstelen.'

Een gemelijke, ineengedoken gestalte kwam de keuken binnensloffen, en zocht zwaar ademend zijn weg naar de ijskast. Leo was er eindelijk uit.

'Goedemorgen, lieverd,' zei ik.

'Hè?' snauwde Leo alsof ik hem gestoord had.

'Ik heb geen schone sokken meer!' riep Greg van boven.

'Fijn, ben ik nu ook al de sokkencurator?' zei ik.

Ik heb een hekel aan de vroege ochtend: opstaan, alle anderen eruit krijgen, ze klaarmaken voor school, mezelf klaarmaken... Mijn mobiel ging. 'Wat nou weer?' mopperde ik. 'Laat me toch met rust.' Ik pakte hem op en opende het bericht: IK DENK AAN JE. JE BENT MOOI. IVAN.

Het was een prachtige dag. De lucht was helder, herfstig blauw, de bomen stonden in vuur en vlam, de bladeren dwarrelden omlaag in het briesje en kastanjes lagen op de stoep te glimmen als edelstenen, hun prikkerige omhulsels terzijde geworpen als weggegooide boterhamzakjes bij een picknick. Ik pakte er een op en voelde de gladde hardheid onder mijn duim. Hij was groot en sterk, had het helemaal in zich een kastanjewedstrijd te winnen. Het Duivenvrouwtje riep me achterna: 'Wat zijn we vandaag goedgemutst, mevrouwtje.' En inderdaad, dat was ik eigenlijk wel. Ik holde naar het café in het park voor een snel kopje koffie met Ruthie, vóór mijn eerste cliënt.

'Jezus, wat zie jij er goed uit,' zei ze toen ze me zag. 'Je straalt helemaal. Wie was die man gisteren?'

'Welke man?' zei ik zedig.

'Doe maar niet zo onschuldig, Chloe. Je weet heel goed wie ik bedoel.'

'Hè?'

'Jezus, het is alsof je NEUK ME op je voorhoofd hebt laten tatoeeren.'

'Is het zo erg?'

Ze knikte. 'Kom op, vertel.'

Dus vertelde ik haar over Ivan. Ik voelde me als een zwijmelende shakespeareaanse maagd die voor het eerst verliefd is. Alleen al het uitspreken van zijn naam deed mijn wangen gloeien. Ik had geen trek in mijn croissant en nam een klein slokje van mijn cappuccino, als een koortsig kind.

'Wees alsjeblieft voorzichtig, Chlo,' zei Ruthie. 'Je hebt heel veel te verliezen.'

'Ik heb nog niets gedaan. Ik heb zijn sms'je nog niet eens beantwoord. Hé, ik weet wel dat dit allemaal het klassieke midlifegedoe is: vrouw van in de veertig moet bewijzen dat ze nog aantrekkelijk is; het is niet allemaal voorbij; er zit nog leven in dat oude mens. Maar het is gewoon lekker om iemand tegen te komen die in me geïnteresseerd is en me mooi vindt.'

'Jawel, maar dat hoeft nog niet te betekenen dat je met hem naar bed moet. Je moet juist uitzoeken waarom je niet langer met je man vrijt.'

'Jij zou therapeut moeten worden, Ruthie.'

'Al die boeken, al dat geanalyseer. Nee, dank je wel. Trouwens, ik geef alleen om mijn vrienden en familie. Ik hoef de wereld niet te verbeteren, zoals jij.'

'Maar wat moet ik nu doen?'

'Niets. Doe niets.'

'Je hebt gelijk.'

Terwijl ik naar huis liep, sms'te ik: IK VOND HET OOK LEUK OM JOU TE ONTMOETEN. Ik verzond de boodschap en wilde meteen dat ik dat niet gedaan had. Wat ongeïnspireerd: 'Vond het ook leuk om jou te ontmoeten'. Ik wist niet meer hoe het moest. Ik wist niet meer hoe je het deed. En ik wist zelfs niet precies wat 'het' was.

BV stond met haar dochter Jessie voor mijn deur te wachten. Mij en Mini-mij, precies eender gekleed in lange rokken en strakke truitjes die hun volmaakte borsten, smalle middeltje en platte buik accentueerden. Maar die lange rokken verborgen een geheim: zware benen en dikke enkels, in het geval van Jessie nog in de beginfase, in dat van BV tot volle wasdom gekomen. Dit was haar geheime fout, haar stukje dat niet helemaal volmaakt was. Ze verborg het goed, maar wij die met haar op school hadden gezeten noemden ze vroeger achter haar rug 'boomstronkjes' en dankten in stilte de onbekende godheid die haar dit kruis had toebedeeld. Daardoor konden we iets welwillender tegenover haar onvoorstelbare schoonheid staan. Ze ontkwam aan de minirok door het hippiepad op te gaan met lange rokken en broeken met wijde pijpen, en toen omhelsde ze het feminisme: niet zozeer vanwege de ideologie als wel vanwege de mode: Doc Martens en tuinbroeken verborgen heel wat.

Jessie zag er nooit uit alsof ze erg gelukkig was. Haar gezicht was een niet helemaal gelukte kopie van dat van haar moeder. Als je ze samen zag, was het net of je aan een test meedeed om uit te zoeken wat het ene ding mooi maakt en het andere gewoontjes. Jessie was in aanleg mooi, maar ze had nog niet het talent of het temperament om die schoonheid uit te dragen. Af en toe bracht een glimlachje haar gezicht tot leven, maar dat leek haar zorgelijke aard alleen maar te benadrukken. Ik kende die gezichtsuitdrukking – ik had hem als kind ook gehad: de gezichtsuitdrukking van een kind dat op te jonge leeftijd in de rol van 'vriendin' of 'vertrouweling' gedwongen wordt, terwijl ze alleen maar dochter wil zijn, met alle gezelligheid en koestering die daarbij hoort. Op haar dertiende wist Jessie al hoe overweldigend zwaar het leven kon zijn, en dat de wereld een plek was van verdriet, bedrog en teleurstellingen. We hadden samen een regeling, Jessie en ik. Het was mijn rol om haar te koesteren, te verwennen, haar naar haar school en vriendinnen te vragen, en haar nooit te vertellen hoe ik me voelde of waar ik mee bezig was.

'Hè, hè, eindelijk, engel,' zei BV, 'we staan hier al uren. Ik heb gebeld en ik hoorde gegiechel, maar er werd niet opengedaan.'

'Wat raar.' Ik keek door de brievenbus en zag een onbekende koffer in de gang staan. Vanuit de kamer klonken gedempte geluiden. Ik drukte op de bel.

'Heb je geen sleutel, Chloe? Het is toch je eigen huis?' Jessie keek me vragend aan.

'Ja, natuurlijk, mijn huis. Ja, ik woon hier.' Ik was helemaal in de war van dat gedoe met Ivan. Ik grabbelde in mijn handtas. Ruthie heeft een keer gezegd dat een vrouw drie procent van haar leven met haar handen in haar tas zit op zoek naar een mobiel die overgaat, een stel sleutels of een ander essentieel gebruiksvoorwerp. Als je al die minuten bij elkaar optelt kom je waarschijnlijk tot een flink aantal weken die heel wat profijtelijker doorgebracht kunnen worden: weken die je bijvoorbeeld zou kunnen wijden aan heerlijke, verboden seks met een zalige nieuwe minnaar.

'Gaat het, Chlo?' BV keek me nieuwsgierig aan.

'Sleutels. Ja, daar zijn ze,' zei ik opgewekt. Ik deed de deur open en struikelde over de koffer in de gang.

'Heb je de bel niet gehoord?' vroeg ik kwaad aan Bea toen die, wonderlijk verhit, de zitkamer uit kwam.

'Nee, ik praatte met mijn Zuzi. Wij hebben zo veel te bepraten.' Ik had Bea in de twee jaar dat ze bij ons was nog nooit zo gelukkig gezien. Haar gezicht met de zware gelaatstrekken, die gewoonlijk door een vrijwel permanente frons ontsierd werden, was opgelicht; ze zag er tevreden uit. Een aantrekkelijk meisje met rood haar dook naast haar op.

'Aha,' zei ik. 'Jij bent vast Zuzi, en dan is dit jouw koffer.' Ik wreef treurig over mijn scheenbeen.

'Dank u dat ik in uw huis mag komen wonen,' zei Zuzi. Ze rimpelde haar kleine besproete neusje, op een manier waarvan iemand kennelijk ooit eens tegen haar gezegd had dat het schattig was. Ik wierp een ontstelde blik op Bea, die kil terugkeek. Ik stelde mezelf gerust dat dit gewoon een talige vergissing was. Ongetwijfeld werden 'een paar dagen blijven' en 'wonen' in het Tsjechisch met hetzelfde werkwoord uitgedrukt. Ik nam BV en Jessie mee naar de keuken.

'Ik ben gisteren, toen jij al weg was, iemand tegengekomen,' zei BV opgewonden toen we aan de keukentafel zaten, ik met een kop sterke thee en zij met een kopje venkelthee – om de lymfeklieren te reinigen.

'Jeremy, Jeremy, Jeremy. Ik heb me nooit gerealiseerd dat dat zo'n heerlijke naam is. Hij neukt fantastisch.'

Alles werd duidelijk. BV had iemand versierd en was ijlings naar me toe gekomen om me op de hoogte te brengen.

'Jessie,' zei ik waarschuwend, terwijl ik met een knikje in haar richting BV haar aanwezigheid in herinnering bracht.

'O, dat geeft niets, engel. Jessie en ik zijn de allerbeste maatjes. Ik vertel haar alles. Wij zijn boezemvriendinnetjes, hè, engel?'

Jessie knikte vermoeid.

'Meisje, ga jij maar naar boven, naar Kitty's kamer. Pak maar een boek of zo. Wij zijn veel te saai voor jou,' zei ik.

'Ik heb een paar boeken van mezelf bij me.' Ze tikte op de zware tas die ze op haar schouder had gehesen. Jessie kwam vaak logeren en iedere keer leek ze meer van haar spullen achter te laten in het kamertje waar ze sliep.

Ik wendde me tot BV. 'En hoe zit het dan met *Het celibaat: zo leer je je diepste zelf liefhebben*?' vroeg ik.

'Begrijp je dat niet? Omdat ik nu van mezelf hou, kan ik ook van een ander houden,' zei BV. 'Nou ja, misschien niet houden van, maar in ieder geval toch wel platneuken.'

Dat heeft ze altijd gedaan: te veel seksuele informatie verstrekken. Het gezicht van een engel, de mond van een viswijf. Ik heb begrepen dat sommige mannen dat heel aantrekkelijk vinden. Je weet wel: moeder in de keuken, hoer in de slaapkamer, dat soort gedoe. Maar hier zat zij de hoer in mijn keuken uit te hangen. De bijzonderheden maken je altijd een beetje afkerig; het doet te veel aan een studieboek voor gynaecologen denken, je wilt dat soort dingen niet weten van een vriendin. Het volgende uur werd ik onderworpen aan een diepgaand (ja, inderdaad) verslag van hun liefdesnacht. Dat haalt alle zin in seks onderuit, wat in mijn huidige koortsige staat nog niet zo gek was.

'Zijn pik is fantastisch,' zei ze. 'Ongeveer zó lang,' – ze gaf met haar handen een onwaarschijnlijke lengte aan – 'en lekker dik. Ik heb een hekel aan die lange dunne. Jij niet?'

'Dat weet ik niet meer,' zei ik. 'Ik kan me amper herinneren hoe een pik eruitziet, en nog minder waar hij toe dient.'

'Maar goed,' ging ze verder, mijn opmerking negerend. 'Het heeft me aan een onderwerp voor mijn volgende boek geholpen:

Terug in het zadel. Vier je seksualiteit. Geweldig, vind je niet?'
BV nam haar werk serieus op en benaderde het met de ernst van
een Oxfordse don die op het punt stond een wetenschappelijke
ontdekking te doen. Crick en Watson kunnen met hun ontdekking
van de dubbele helix nauwelijks tevredener zijn geweest dan zij
met haar zelfhulpboeken. Die boeken waren haar eigen DNA, en elk
nieuw boek vormde onmiskenbaar een stukje van de legpuzzel die
voorstelde wat het volgens haar inhield om mens te zijn, en meer in
het bijzonder wat het inhield om haar te zijn in al haar wonder-
baarlijkheid. En het was allemaal door haarzelf verzonnen onzin,
het had geen enkele wetenschappelijke basis, sociologisch noch
psychotherapeutisch. Zij had geen jaren in therapie gezeten, zoals
ik toen ik studeerde en Freud en Jung las, en zowel in mijn eigen
psyche dook als in die van anderen.

Nu zat ze blozend van opwinding uit te weiden over haar schit-
terende nieuwe project, en als ze opgewonden is, heeft ze de irritante gewoonte om onder het praten met haar been op en neer te
schommelen; een gewoonte die maakt dat ik haar een klap wil geven en de kamer uit sturen. Ik vroeg me weer eens af waarom ik het
überhaupt nog uithield met BV en al haar egoïstische flauwekul.
We hadden een band door het verleden, door een gedeelde geschiedenis en door mijn gevoel voor loyaliteit, mijn credo 'Eens een
vriend, altijd een vriend'. En ook moet ik toegeven dat ik genoot
van de glamoureuze glans die de omgang met deze beroemde,
beeldschone en enigszins ridicule vrouw me opleverde. Het gezelschap van schoonheid heeft iets verleidelijks en hypnotiserends;
een keatsiaanse waarheid die je dwingt naar haar te gaan zitten kijken in de overtuiging dat je louter door met haar te verkeren verwarmd wordt en verrijkt op het esthetische vlak. Niet alle schoonheid heeft dat effect. De ex van BV, de vader van Jessie, was een
bloedmooie acteur die zijn naam, Eric, veranderd had in Helvetica,
omdat hij dacht dat dat de naam was van een mooie Griekse god.
BV en hij hadden zich gebaad in de poel van hun wederzijdse
schoonheid, zoals Narcissus (die was inderdaad Grieks). Eric/Hel-
vetica was heel goed in de rol van smoorverliefde minnaar, maar

was niet opgewassen tegen de eisen die als plichtsgetrouwe echtgenoot en vader aan hem gesteld werden. Als je hem zou vragen wat hij deed voor de kost, zou hij vast zeggen: 'Ik ben mooi', alsof dat voldoende was. Hij was beroepsmatig mooi. Ik heb dat type man nooit aantrekkelijk gevonden; er is iets eigenaardig aseksueels aan mannelijke perfectie – ze zijn te modepopperig. Je zou bijvoorbeeld niet raar opkijken als zich op de plek waar zich de genitaliën zouden moeten bevinden een verdikking van roze plastic zou zitten.

In elk geval bleef Eric, of Swissy, zoals we hem enigszins onaardig noemden, niet lang. Hij verzamelde mooie vrouwen alsof het trofeeën waren, en als hij een barbaar was geweest had hij ze ongetwijfeld tentoongesteld, als geweien aan de muur van een jachthuis. BV had net zo snel genoeg van hem, hoewel het huwelijk wel vrucht droeg, in de vorm van Jessie en BV's eerste boek: *Hoe word ik een geisha: de basisprincipes van een succesvol huwelijk*, waarin uit de doeken werd gedaan hoe je de volmaakte echtgenote wordt. Kook uitgebreid en pijp hem als hij dat wil, daar kwam het ongeveer op neer, maar BV was er op de een of andere manier in geslaagd die boodschap over driehonderdvijftig pagina's plus illustraties uit te smeren. Het boek was een sensatie en daarna kon BV geen kwaad meer doen. 'Zie je wel?' zei ze toen haar debuut uitkwam. 'Niet alleen maar mooi, ook nog slim.' Dat was haar zwakke plek: de angst dat ze niets meer was dan een mooi gezichtje.

'En toen ik bijna klaarkwam, stak hij zijn vinger in mijn kont. Ik kreeg een fantastisch orgasme,' ging ze verder. Uit mijn ooghoeken zag ik Greg in de deuropening van de keuken staan. Toen hij het O-woord hoorde, vertrok hij zijn gezicht, maakte een soort pirouette en sloop achterwaarts weer weg, zijn handen naar mij uitgestoken in een geluidloze smeekbede hem niet te verraden. Die stakker, hij was gewoon even van de praktijk naar huis gekomen om iets te eten. Even later ging mijn mobiel over met de boodschap: SMS ME EVEN ALS DE KUST VEILIG IS. Greg houdt er niet van de bijzonderheden van andermans seksuele wapenfeiten te moeten aanhoren.

'Je weet toch dat ik alleen van onenightstands hou?'

'Afgezien van het celibaat, bedoel je?'

'Inderdaad.' De ironie ontging haar. 'Maar goed, gisteravond was het zo geweldig dat ik misschien nog wel een keer met Jeremy neuk, maar natuurlijk niet in een exclusieve relatie. Ik heb het een en ander in te halen.' Ze zweeg, zuchtte tevreden op een overdreven manier en zei: 'O, Chlo, ik vind het zo heerlijk bij jou in de keuken, jij en ik met z'n tweetjes, en dat we elkaar alles vertellen net als vroeger. Is het niet prachtig dat we altijd vriendinnen zullen blijven? Ik zou niet weten wat ik zonder jou zou moeten. En je weet dat Jessie ook dol op je is.'

Zo ging het nu altijd: net als ik dacht dat ik het geen minuut langer kon verdragen, liet BV haar gouden licht op je vallen en voelde je je bijzonder en nodig en... gevangen in een vriendschap zonder hoop op ontsnapping.

Toen ze weg was, voelde ik me leeg. Haar seksuele avontuurtje had op de een of andere manier de gedachte aan een eigen slippertje besmet, en het idee van een verhouding met Ivan stond me nu enigszins tegen. Ik zat aan tafel naar een kleverig kloddertje jam te kijken dat er nog lag van het ontbijt. Een vlieg had het lekkers gevonden en wandelde er op die akelige vliegenmanier overheen. Al snel kwam er een tweede bij, die geen acht sloeg op het snoepgoed, maar op de rug van de eerste klom. De bijtjes en de bloemetjes en de vliegjes... Twee neukende vliegen. Het deed me denken aan dat domme jongensgrapje over een indiaanse jongen die wil weten waarom zijn zusje Rennend Hert genoemd is. Zijn vader vertelt dat het de gewoonte is om een baby te noemen naar datgene wat je het eerst ziet als hij geboren is. 'Waarom vraag je dat, Twee Neukende Hondjes?' Ken je hem? Een dijenkletser. Ja, mijn stemming was inderdaad bedorven.

'Ze is me zeker weer vergeten,' zei Jessie, die net in de keuken was gekomen.

'Nee, meisje, natuurlijk niet,' loog ik snel. 'Ze is wat kleren voor je halen, zodat je kunt blijven slapen vannacht. Waarom zit je niet op school?'

'Mam had het te druk met neuken om me wakker te maken, dus toen we eindelijk allemaal uit bed waren was het zo laat dat het weinig zin meer had. Ik heb geen kleren nodig. Er liggen er genoeg in mijn kamer... ik bedoel... in de logeerkamer hier.'

Het was werkelijk een geluk dat BV maar één kind had. Vooral voor mij. Jessie bleef zo vaak logeren dat ze hard op weg was mijn derde kind te worden. Gelukkig was ik dol op haar, dus kon het me niet schelen. Wat BV aangaat, die had de helse pijnen van de bevalling niet nog eens kunnen doorstaan. In haar geval waren die uiteraard erger dan ooit vertoond in de geschiedenis van de vrouw. Ze had natuurlijk ook verschrikkelijk veel last als ze ongesteld was: een lijdensweg, waarvoor ze vroeger altijd vrij van school had moeten nemen. Dat soort vrouwen bezorgt de rest een slechte naam.

Ik ging de keuken uit om BV discreet te bellen om tegen haar te zeggen dat ze wat kleren voor Jessie moest brengen zonder te laten merken dat ze haar, in de gloed van haar verzadigde seksuele passie, vergeten was. Ik botste bij de trap tegen een schimmige gedaante op.

'Is ze weg?' siste Greg.

'Ja, net.'

'Ik rammel van de honger en ik moet nu terug naar de praktijk. Verdomme. Waar is ze naartoe?'

'Ze gaat haar schaamhaar in de vorm van een hart laten scheren ter verstrooiing van haar nieuwe minnaar.'

'Beetje ouderwets,' merkte Greg op. 'Dat deed Mary Quant in de jaren zestig al voor haar man.'

Greg is een onuitputtelijke bron van trivia. Hoewel het eigenlijk niet zo heel verbazingwekkend is, omdat het ook een manier is om de geheugenspier te trainen. Maar het komt goed van pas, bijvoorbeeld als je je suf piekert wie ook alweer een hit had met '1,2,3' (Len Barry in 1965).

'Hoe heette die man?' vroeg ik nu meteen.

'Alexander Plunkett-Green,' zei hij.

'Ik maak wel een broodje voor je om mee te nemen,' zei ik vol bewondering.

Greg was terug naar de praktijk, met een broodje kip, avocado en tomaat (olijfolie, geen boter – slecht voor zijn cholesterol); ik had BV op haar moederlijke plichten gewezen en Jessie las onze poes Janet voor. Kitty had de naam voor de kat bedacht; ze wilde haar een echte naam geven, niet zo'n dom kattennaampje dat geen mens heeft. Dus heette ze Janet, niet Moortje of Snuitje of Fifi, maar Janet Zhivago-McTernan (ze had zowel Gregs achternaam als die van mij, net zoals de kinderen) en ze had niet alleen een menselijke naam, maar ook een ingewikkelde menselijke psychische kwaal. Janet leed aan anorexia: we konden net genoeg eten bij haar naar binnen krijgen om haar in leven te houden, maar dat was het dan. De enkele keer dat ze at, schrokte ze enorme hoeveelheden voedsel naar binnen én dan trof je haar later discreet kotsend in een hoekje van de tuin aan. Dierenarts Nick was een geregelde bezoeker aan ons huis en had van Janet zijn speciale project gemaakt. Zijn nieuwste theorie was dat omdat Janet dacht dat ze een tienermeisje was, ze ook zo behandeld moest worden. Dus las Jessie haar *Fat is a Feminist Issue* voor, terwijl Janet bij haar op schoot lag en stiekeme blikken op zichzelf wierp in het spiegeltje dat naast hen hing. Wat zag ze daar? Een door haar kwaal tot reusachtige proporties vervormd beeld van een kat of het kleine, al te magere poesje dat ze in feite was?

Ik voelde me een beetje depri: de uitgelaten stemming van die ochtend was bedorven door de gebeurtenissen daarna. Ik keek naar mezelf in de spiegel en een vermoeide vrouw van middelbare leeftijd keek terug. Wie was dat? Ik herkende haar totaal niet, ik had het gezicht van een jong meisje verwacht. Zo gaat het nu eenmaal: het ene ogenblik ben je jong, sappig, vol sexappeal en ligt het leven nog voor je, en het volgende moment glijd je onvermijdelijk af naar de ouderdom en wordt je vlees steeds slapper, als het elastiek van een oud gymbroekje.

Ik hoorde een miauwerig geluid van boven komen, dus ging ik kijken wat er aan de hand was. De klanken voerden me naar Bea's kamer en toen ik voorzichtig om het hoekje van de deur keek zag ik haar hoofd enthousiast op- en neergaan tussen de gespreide dijen van Zuzi, als de kop van een kat die melk van een schoteltje likt. Nou ja, natuurlijk niet onze kat, maar een normale kat. Een herinnering schoot door me heen: ik was elf; ik was wakker geworden door een nare droom en ging troost zoeken in de slaapkamer van mijn ouders. Toen ik bij hun deur kwam hoorde ik rare, hijgerige geluiden en toen ik naar binnen gluurde zag ik ze met hun armen en benen wijd op het bed liggen. Ik had daar in die deuropening gestaan terwijl ik in stilte ontzet en gegeneerd schudde van het lachen. Datzelfde gebeurde me nu. Ik sloop op mijn tenen weg. Iedereen, leek het wel, deed het, behalve ik. Mijn mobiel piepte en de woorden die me toelachten gaven me een verraderlijke schok van genot: IK DENK ALLEEN MAAR AAN JOU EN DAT IK JE WEER MOET ZIEN. IVAN.

5

Chloe Zhivago's Joodse penicilline
De enige echte kippensoep met noedels

VOOR DE BOUILLON:	2 laurierbladeren
Een malse soepkip	4 zwartepeperkorrels
1 stengel bleekselderij	1 schoongemaakte ui in vieren
1 schoongemaakte wortel	1 handvol verse peterselie

Doe alle ingrediënten in een grote pan en doe er koud water bij tot ze onder staan. Breng aan de kook, draai dan het vuur laag en laat tweeënhalf uur heel zachtjes koken.
Haal de kip eruit en hou die apart, giet de bouillon door een zeef en gooi de groenten weg. Laat de bouillon afkoelen en schep het vet eraf. De bouillon vind ik soms een beetje waterig, dus doe er voor wat extra pit een paar blokjes kippenbouillon bij.
Terwijl de bouillon trekt, maak je de kneidlach (Joodse noedels) klaar.

Oma Bella's kneidlach:

1 ei	25 g gemalen amandelen
25 g geheim ingrediënt	1 eetlepel fijngehakte
6 eetlepels bouillon	peterselie of koriander
75 g matzemeel	Peper en zout naar smaak

Klop het ei los in een mengkom, voeg het geheime ingrediënt toe en spatel het erdoorheen, spatel er vervolgens de bouillon, het matzemeel, zout en peper en de peterselie of koriander door. Het moet een stevig, maar kneedbaar mengsel worden. Laat een uurtje afkoelen in de ijskast (mag ook langer). Rol er balletjes van. Van deze hoeveelheid kun je 15 balletjes ter grootte van een walnoot maken.

Voeg de kneidlach aan de bouillon toe en bovendien:
2 geschrapte en in plakjes gesneden wortels
1 schoongemaakte prei in ringetjes
De gekookte kip – in stukken gescheurd (verwijder het vel en de botjes)
Peper en zout naar smaak
Zet de pan weer op het vuur en laat 40 minuten zachtjes koken. Dien op met een beetje verse peterselie.
Voldoende voor 6 tot 8 personen.
Geneest aantoonbaar schuldgevoel, spijt en alle belangrijke ziektes.

Greg vond de lesbische capriolen van onze au pair bijzonder vermakelijk. Hij kikkerde er helemaal van op; maar goed, mannen vinden nu eenmaal niets zo spannend als twee meisjes die het met elkaar doen.

'Alles goed en wel,' merkte ik op, 'maar ze is hier gewoon ingetrokken: ze heeft een ingelijste foto van haar hond aan haar kant van het bed op het nachtkastje gezet, en niets wijst erop dat ze van plan is weer op te stappen.'

'Wat voor hond? Een grote, likkerige?'

'Doe niet zo vies.'

'Maar vertel nog eens: wie deed nu precies wat met wie?' vroeg hij.

'Jezus nog aan toe.'

Ik was bezig met de kippensoep. Pap kwam die avond eten en Sammy had zijn tipi in Londen opgezet. Greg vond dat dit een uitgelezen gelegenheid was voor het Kippensoeptoernooi. De gasten zouden zowel zijn soep als die van mij voorgezet krijgen, in een blinde proefopstelling, zodat de winnaar door onafhankelijke arbitrage uitgeroepen kon worden. Hij had allerlei geheime ingrediënten aan zijn soep toegevoegd, met zijn lichaam over het brouwsel gebogen als een kind dat zijn huiswerk afschermt zodat degene die naast hem zit niet kan afkijken. Ik schreef TOPGEHEIM op een sticker en plakte die op Gregs soeppan terwijl hij geheel in beslag genomen werd door zijn wekelijkse taak om alle uiterste verkoopdata op de spullen in de provisiekast te controleren en de verlopen producten in de vuilnisbak te gooien met een flinke boogworp waarop Glenn McGrath nog trots zou zijn geweest.

Ik had nog niet gereageerd op Ivans berichtje. Ik had het gevoel alsof ik op een kruispunt stond, en ik behoefte had aan de raad van een wijze man om me de juiste weg te wijzen. Ik had natuurlijk niet echt een Bijbelse vreemde met lang golvend haar en een zilveren baard nodig om me te vertellen wat goed en verkeerd was. Maar ik had genoeg van mijn leventje, van mijn werk, van mezelf. Ik was toe aan een Groot Avontuur en ik was me er pijnlijk van bewust dat dit wel eens mijn laatste kans kon zijn. Dat je weet hoeveel geluk je in vergelijking met anderen hebt, verhindert niet dat je naar meer verlangt. Bovendien leek het een beetje onbeleefd om Ivans bericht helemaal niet te beantwoorden. MISSCHIEN ZIEN WE ELKAAR NOG EENS OP EEN ANDER FEESTJE VAN BV. Kijk! Beleefd en aardig, zonder te zinspelen op intieme afspraakjes à deux. Ik wilde het bericht net versturen toen er een duiveltje in me voer dat mijn vingers liet tikken: IK DENK DE HELE TIJD AAN JE EN IK WIL JOU OOK GRAAG WEER ZIEN.

'Je hebt me helemaal niet verteld dat Lou en James uit elkaar zijn,' zei Greg.

Ik schrok. Ik haalde mijn vinger schuldbewust weg van 'Send'.

'Dat was ik vergeten. Van wie heb jij het gehoord?'

'Ik kwam James in het park tegen met een jonge vrouw die hij aan mij voorstelde als zijn vriendin.'

Geweldig, zo'n proefscheiding.

'Wat? Man verlaat vrouw voor een jonger exemplaar? Goh, daar heb ik nu nog nooit van gehoord,' zei ik. (Ik geef toe dat het voor iemand die net het eenentwintigste-eeuwse equivalent van een *billet doux* aan een bewonderaar had verstuurd niet helemaal redelijk was om zo sarcastisch te doen.)

'Gek, ik dacht dat die twee zo gelukkig waren samen,' zei Greg.

'En wij? Zijn wij gelukkig?'

'Hmm, natuurlijk. Waar had ik de theezakjes ook alweer gelaten?' Daar stond hij met gesloten ogen, als een kandidaat bij *Een van de acht* die zich de prijzen op de lopende band probeert te herinneren. 'Natuurlijk, in de emmer van de mop.' Met een tevreden gezicht ging hij ze halen. Heel lief, moet ik toegeven, maar na zeventien jaar ook wel een heel klein beetje irritant.

Bea en Zuzi kwamen de keuken binnen, van top tot teen gehuld in een postcoïtale roze wolk. 'Wij blijven vanavond eten, voor het kippensoeponderzoek,' kondigde Bea aan. 'En dan neem ik mijn Zuzi mee naar een club in Londen.'

Ik haalde halfhartig instemmend mijn schouders op. De jaren die ikzelf in therapie heb doorgebracht hebben me geleerd dat ik moeilijk grenzen kan trekken, maar ik weet nog steeds niet hoe ik daarmee om moet gaan. Beroepsmatig lukt het me de grenzen min of meer vast te stellen, maar in het persoonlijke leven zijn mijn grenzen ongeveer net zo doelmatig als een kuisheidsgordel zonder slot.

'Mooi zo,' zei Greg tegen Bea. 'Hoe meer zielen, hoe meer vreugd. Ik heb behoefte aan onpartijdige proevers, weet je, mensen die geen familie van Chloe zijn en die er dus geen belang bij hebben dat zij de wedstrijd wint.'

Kitty, die weer eens niet naar school was omdat ze verkouden was, zat in een hoekje met Janet en probeerde haar over te halen een hapje te eten.

'Leo en ik zijn net zo goed familie van jou als van mamma,' zei ze.

'Weet je wel wat "blind onderzoek" betekent?' vroeg ik geërgerd. 'Niemand weet welke soep van wie is.'

Kitty stond op, pirouetteerde naar de bestekla en ging de tafel dekken. Ze heeft het gen om de aandacht te trekken van haar oma geërfd. Eenvoudige handelingen worden getransformeerd tot shownummertjes: je gezicht wassen en je tanden poetsen worden een klein ballet over een jong, mooi prinsesje dat wakker wordt, snoezig in haar ogen wrijft, zich uitrekt en aan haar toilet begint. Het mimen en dansen vindt ze belangrijker dan de activiteit zelf, waardoor die vaak wat oppervlakkig verricht wordt.

Een paar dagen geleden nog had ik haar op balletles zien dansen en de tranen waren me over de wangen gelopen; ik had niet gewoon een beetje vochtige ogen gekregen – nee, ik werd overmand door zware, schokkende snikken. Dat heb ik altijd als ik mijn kinderen zie optreden en ik begrijp moeders die hun ogen droog houden niet. Leo, op zijn vijfde, als derde herdertje van links in het kerstspel op school was voor mij een zes-tissues-ervaring. Je kind op het toneel zien, los van jezelf, heeft iets ondraaglijk ontroerends. Toen ik Kitty zag dansen huilde ik om haar talent, bewonderend en verbaasd om haar vaardigheid in iets waar ikzelf niets van kan. Hoewel we allemaal individuen zijn, zijn we ook de optelsom van de individuen die ons voor zijn gegaan, de oplossing van de vergelijking die door onze voorouders gevormd is. In Kitty bereikte het danstalent van de familie zijn hoogtepunt; het had generaties gekost om de kunst te verfijnen en om zijn volledige expressie in haar te vinden. Wat zou mijn moeder trots zijn geweest als ze Kitty had zien dansen. Als ik naar haar keek zag ik mijn moeder af en toe in haar terug, in de manier waarop ze haar hoofd droeg, haar arm boog.

'Battement frappé, pas de bourrée,' zei Kitty onhoorbaar terwijl ze de tafelschikking danste.

'En, Zuzi, heb je al een baantje?' vroeg ik op de opgewekte toon van iemand die net doet alsof het antwoord op zijn vraag hem volkomen onverschillig is.

'Jazeker. In een restaurant.'

'Prachtig. En kun je daar ook een kamer krijgen?'

'Nee, ik blijf liever hier bij mijn Bea. Zij zegt dat dat haar gelukkig maakt en als zij gelukkig is, dan bent u gelukkig en is uw hele gezin gelukkig.' Ze glimlachte, wierp een flirterige blik op Bea en voegde eraan toe: 'En dan ben ik natuurlijk ook gelukkig.'

Bea keek me strak en onverbiddelijk aan, me tartend er iets van te zeggen.

'Wat heb je liever? Lachende Bea of Huilende Bea?' vroeg ze. Ze glimlachte overdreven en vertrok haar mond toen tot een karikatuur van verdriet. Ze zag er anders uit. Haar wenkbrauwen, die vroeger een aaneengesloten rij hadden gevormd, waren keurig geepileerd, waarschijnlijk dankzij de liefhebbende zorg van Zuzi. Ze droeg nu ook een stropdas, een toespeling wellicht op haar rol van man in de relatie. (Waarom moeten sommige lesbiennes toch doen alsof ze een man zijn? Waarom hebben hun partners daar behoefte aan? Als Zuzi een man wilde, dan waren er ongetwijfeld talloze kandidaten die daarvoor maar al te graag in aanmerking zouden willen komen.) De das kwam me bekend voor... Ik had hem voor Leo gekocht, als verjaarscadeau. Er was niet gewoon een grens overschreden; het hek dat erop had gestaan lag in stukken op de grond.

'Goed, we zullen zien,' mompelde ik verslagen. 'Een poosje, goed?'

Aan de andere kant van de keuken trok Greg zijn wenkbrauwen op en bewoog wellustig met zijn tong. 'Ik moet me omkleden voor het middagspreekuur. Tot straks, en blijf met je tengels van mijn soep af,' zei hij. Ik liep achter hem aan de trap op en struikelde over een eenzame schoen die daar in stil verwijt lag. Zijn wederhelft was al een hele tijd weg, ergens verstopt door Greg. Hij heeft unieke voeten: zijn kleine teentjes zijn bij de tenen ernaast achteropgeklommen en liften mee, alsof ze te lui zijn om zelf mee te doen met de klus van het staan en lopen. Als kind schaamde Greg zich voor dit kleine gebrek en ter compensatie heeft hij een schoenenverslaving ontwikkeld. Hij is de Imelda van Queen's Park: de eigenaar van eenenvijftig paar schoenen. Hij koopt ze in kringloopwinkels in het gehele land, allemaal puntgaaf. 'Mijn dodemannenschoenen,' noemt hij ze opgewekt. Ik vind het raar dat hij op de schoenen van andere mannen wilde lopen, en de verhalen die deze schoenen zouden kunnen vertellen achtervolgen me. Leo, die zijn vaders voeten heeft geërfd, (een mannending, kennelijk) maakt zich geen moment druk om zijn afwijking.

Zodra Greg weg was, keek ik op mijn mobiel om te zien of Ivan geantwoord had, maar mijn in-box was leeg. 'Waarschijnlijk maar goed ook,' redeneerde ik. 'Ik moet mezelf maar eens vermannen. Ik ben een volwassen vrouw met een goede baan, ik ben moeder en echtgenote.' Ik scrolde door mijn sms'jes en zag toen dat ik mijn bericht toch niet aan Ivan had verstuurd. Gregs gepraat over Lou en James had me gestoord bij de verzending. Terwijl mijn vinger aarzelde om mijn lot te bezegelen, ging de telefoon.

'Hallo,' zei ik, iets te gretig.

'Engel, met mij,' klonk BV's kortaffe, zelfverzekerde stem.

'O, hallo,' zei ik teleurgesteld.

'Alles goed, engel? Je klinkt alsof je een baantje hebt aangenomen als receptioniste bij een begrafenisonderneming. Hebben jullie vanavond kippensoep?' denderde ze door zonder op antwoord te wachten over mijn al dan niet welzijn. 'Ik ben eigenlijk van plan om mee te eten, mijn voedingsconsulente zegt dat kippensoep de juiste mix aan brandstoffen voor mijn lichaam geeft.' Was ze verdomme een auto of zo? 'Rond achten, maar ik kan niet zo lang blijven. Ik heb daarna iets anders, een besloten kunstenaarsfeestje, zoiets.'

Ik probeerde haar duidelijk te maken dat het een familie-etentje was en geen gratis gaarkeuken, maar het is onmogelijk om 'nee' te zeggen tegen BV. De woorden beginnen zich te vormen, de tong maakt zich op om zijn werk tegen het verhemelte achter de tanden te doen, en dan, voor je het goed en wel beseft, alsof je overmand wordt door een onweerstaanbare kracht, legt hij zich ontspannen tegen je achterste kiezen aan en komt het woordje 'ja' naar buiten schieten. Ik troost mezelf met de gedachte dat ze vroeger als heks op de brandstapel gezet zou zijn wegens haar gave mensen te laten doen wat zij wil.

'Goed, engel, ik heb haast. We komen met z'n tweeën.' En ze hing op. Zij was degene die mij had opgebeld, maar zoals altijd gaf de manier waarop ze ophing mij een afgewezen gevoel, alsof ik haar op de een of andere manier van belangrijker dingen had afgehouden.

Het was tien voor vijf. 'Verdomme, Godsgeschenk.' Ik rende naar het souterrain en was daar net op tijd voor er aangebeld werd. Geen tijd om Ivan te sms'en. Dat was natuurlijk Heel Goed. Ik moest maar eens ophouden met die onzin. Goed, je kwam iemand op een feestje tegen. Goed, hij vond je leuk; goed, jij vond hem leuk. (Ik dacht niet alleen als een vijftienjarige, mijn zinsbouw ging ook op die van een vijftienjarige lijken. Nou ja.) Ik streek mijn haar glad, deed er een bandje omheen, kwam tegemoet aan mijn restje-eten-tussen-mijn-tanden-fobie door snel een grimas voor de spiegel te trekken en deed de deur open.

Godsgeschenk stapte naar binnen, hield mijn hand vast en keek me in de ogen, net een beetje te lang. Ik had gedacht dat dit een geval van klassieke overdracht was – psychiater-als-object-van-begeerte, dat soort gedoe –, tot ik hem beter leerde kennen en me realiseerde dat hij dacht dat iedereen die hij tegenkwam dolgraag met hem wilde neuken. Hij was inderdaad buitengewoon knap, maar niemand wist dat beter dan hijzelf. Hij kwam via het smalle gangetje naar binnen, liep langs de spiegel, in de liefhebbende blik waarvan hij zich even koesterde terwijl hij zijn buik introk. Hij knipte een denkbeeldig pluisje van zijn onberispelijke pak en bewoog zijn lippen op die eigenaardige, een beetje nichterige manier. Het was alsof hij amper in staat was zichzelf ervan te weerhouden zijn lippen te tuiten en zijn eigen lichaam met kussen of met zuigzoenen te overdekken. Godsgeschenk had een televisieproductiebedrijf, dat niet zozeer beroemd was vanwege de kwaliteit van de geproduceerde programma's als wel vanwege de jonge, langbenige meisjes met volle lippen die er werkten: tot leven gekomen opblaaspoppen. De enige man die er behalve Godsgeschenk werkte was zijn assistent Baz.

'Die meisjes kunnen niet te dicht in mijn buurt werken,' had Godsgeschenk mij al tijdens een van onze eerste gesprekken verteld. 'Ze worden verliefd op me, en dan wordt het allemaal heel ingewikkeld. Maar goed, onder ons gezegd en gezwegen: ik ben bang dat Baz ook een zwak voor me heeft.'

'Ik dacht dat hij met een topmodel ging,' bracht ik ertegenin.

'Tja,' zei Godsgeschenk, terwijl hij zich vertrouwelijk naar voren boog, 'de manier waarop hij naar me kijkt heeft iets…' Godsgeschenk kwam niet zozeer naar therapie om zichzelf te ontdekken en te doorgronden als wel om 'te begrijpen waarom de vrouwen allemaal op me vallen. Ik wil leren daar beter mee om te gaan, zodat ik wat minder harten breek.'

Zijn echte probleem was zelfmisleiding. De werkelijkheid was niet meer dan een vage kennis voor hem.

'En?' begon ik, terwijl we ieder in onze leunstoel gingen zitten. 'Hoe is het deze week gegaan?'

'Het oude liedje,' zei hij met een diepe zucht. 'We hebben een nieuw meisje op kantoor en ze maakt al de hele week avances.'

'Wat heeft ze precies tegen je gezegd?'

'De eerste dag zei ze dat ze mijn overhemd mooi vond. De volgende dag vroeg ze of ze koffie voor me moest halen. De klassieke symptomen.' Hij schudde zijn hoofd alsof hij treurde om zijn onweerstaanbare seksuele aantrekkingskracht.

'En zou het niet zo kunnen zijn dat ze je overhemd mooi vond? En dat ze als nieuweling dacht dat het netjes is om haar werkgever een kopje koffie aan te bieden?' opperde ik.

Godsgeschenk leunde achterover, hief zijn handen, hield zijn hoofd een beetje naar achteren en trok zijn wenkbrauwen op alsof hij wilde zeggen: 'Wie kan dit weerstaan?' Hij zag er goed uit, hij kleedde zich goed, maar mij deed het niets. Hij had de irritante gewoonte de kraag van zijn jasje omhoog te trekken, en dat deed hij nu ook weer, terwijl hij droevig zijn hoofd schudde. 'Dit moet je niet verkeerd opvatten: jij bent een vrouw.'

Ik beet me op mijn tong om niet te roepen: 'Fijn dat je me dat vertelt, jongen. Laat ik nou toch ruim veertig jaar gedacht hebben dat ik een vent was.' In plaats daarvan knikte ik en moedigde hem met mijn zwijgen aan door te gaan.

'Weet je,' ging hij verder, 'een man weet het als een vrouw hem leuk vindt. Dat is gewoon zo. En als iemand het weet, ben ik het wel.'

Ik voelde me behoorlijk tevreden met mezelf dat ik Ivan niet terug ge-sms't had. Godsgeschenk maakte me het hele seksgedoe tegen. Hij was de gecomprimeerde man: vergiftigd door testosteron en veranderd in een karikatuur. Bovendien was zijn eigenliefde niet zo onschadelijk als het misschien leek: hij was er zo van overtuigd dat de meisjes die voor hem werkten om zijn attenties vroegen dat hij ze lastigviel, en dan dwong hij hen toe te geven. En hoe knap hij ook was, hij was in de veertig en daarom onzichtbaar voor de meeste meisjes van twintig. Maar omdat ze net hun eerste voet op de eerste sport van de hachelijke tv-ladder hadden gezet, waren ze slecht toegerust om zijn avances af te wijzen. Ik probeerde hem te helpen, maar de genezing voor zijn waandenkbeeld en voor zijn gewoonte vrouwen seksueel lastig te vallen was zo te zien nog niet ophanden.

Het was al laat en ik moest mijn kneidlach nog maken, de matzeballen voor mijn soep. Ik kon ze niet maken als Greg er met zijn neus bovenop stond. Dit was het dodelijke wapen in mijn Joodsekeukenarsenaal. Het kwam allemaal neer op dit ene, essentiële onderdeel, mijn geheime ingrediënt: om matzeballen met de juiste consistentie te maken, donzig en tegelijkertijd stevig, had je *schmalz* nodig. Ik bewaarde mijn schmalz in een jampotje achter in de ijskast. Greg pakte het af en toe wel eens op en vroeg dan wat die oude pot met vet in de toch al veel te volle ijskast te zoeken had, zonder te beseffen dat dit het obstakel was tussen hem en de kippensoepsuprematie. Schmalz is geklaard kippenvet. Je braadt het vet uit, en daarna zeef je het in een schone mousselinen doek om eventuele donkere stukjes te verwijderen. Dit aldus gedolven vloeibaar goud kneed je op de traditionele manier van de Oost-Europese Joden door het matzemeelmengsel voor de ultieme noedelperfectie. De matzeballen, op de juiste manier toebereid, geven de soep een speciale smaak. Een niet-Jood kan dat niet weten. Zoiets leer je van je grootmoeder; zo heb ik het ook geleerd.

Oma Bella, de moeder van mijn vader, was in Vilnius geboren, de hoofdstad van Litouwen. Ze was als jong meisje in de zomer van 1917 naar Engeland gekomen, toen de eerste schoten van de Revolutie in het buurland Rusland afgevuurd werden. Ze nam haar bejaarde ouders mee (zij was een nakomertje), een Jiddisch-Engels woordenboek en een potje schmalz. Op de een of andere manier slaagden ze erin door het door oorlog verscheurde Europa te komen en sindsdien, uit dankbaarheid voor hun veilige doortocht en om smaak te geven aan het eten dat ze zo ver van huis aten, droeg ze die talisman altijd in haar handtas met zich mee. Die stevige bruine handtas met zijn dubbele hengsel en een rits over zijn afgesleten buik was voor een klein kind een grot van Aladdin: een lippenstift in zijn bewerkt gouden huls compleet met spiegeltje; platte poederdozen met edelsteentjes erop; haarkammen; verschoten bruine familiefoto's van mannen met witte baarden en ernstige gezichten en zedige vrouwen met volle boezems; en ten slotte, zorgvuldig gewikkeld in een plastic zakje om lekken te voorkomen, het potje schmalz, dat ze dan tevoorschijn haalde en opende. Met een mesje met een benen heft dat ze altijd bij zich had, smeerde ze het gouden vet op een snee brood en stopte de hapklare stukjes in mijn kindermond.

Ze zag er precies uit zoals je van een oma verwacht, wat troostrijk was voor een kind wier moeder er niet echt als een moeder uitzag. Ze was klein, mollig, zacht en had wit haar, en had die bekoorlijkheid die sommige oude vrouwen behouden: haar gezicht bewaarde de herinnering aan hoe ze er toen ze jong was had uitgezien. De jaren hadden haar verbazingwekkend zeegroene ogen niet dof gemaakt. *Bella mit die sjaine oigen*, Bella met de mooie ogen, was haar bijnaam. Mijn vader had die ogen geërfd. En ze had ze ook aan mij doorgegeven, hoewel die van mij wat minder helder zijn dan het origineel, alsof ze bij het kopiëren iets vervaagd zijn.

Ze vond het vervelend dat ze dik was, maar ze kon het voedsel dat haar dik maakte niet laten staan. In een vergeefse poging het effect ervan op haar taille te neutraliseren vertrok ze bij iedere hap die ze nam haar gezicht in afkeer, alsof ze zowel tegen de buitenwereld als tegen zichzelf wilde zeggen dat het helemaal geen pretje was om te eten. Ik zie nog voor me hoe ze een aardappelsalade naar binnen lepelde, druipend van de mayonaise en glinsterend groen van de gezouten komkommer, terwijl ze ondertussen haar neus in weerzin had opgetrokken. Ze schepte zich nog een portie op, ogenschijnlijk tegen haar zin, schudde walgend haar hoofd en mompelde afkeurend.

Toen ik dertien werd, de leeftijd waarop Joodse jongens mannen worden, nam ze me bij de hand en zei: 'Het is zover.' We markeerden mijn *rite de passage* naar het vrouw-zijn in haar keuken, waar ze me de kunst van kippensoep met kneidlach bereiden bijbracht, en me ondertussen vertelde over haar leven 'thuis' en hoe ze opa in een kleine bibliotheek in East End in Londen op de Engelse les voor Joodse immigranten had leren kennen. (Hij was een maand eerder dan zij in Londen gekomen, uit Orjol in Rusland.)

Ik voelde de aangename textuur van het matzemeel met mijn vingertoppen en kon oma Bella's zachte stem in mijn oor horen: 'Voorzichtig, zachtjes aan, doe het alsof je herfstblaadjes tussen je vingers verkruimelt, niet alsof je een sneeuwbal maakt.'

'*Yo, motherfucker, you my bitch, you my ho.*' Ik werd wreed uit mijn dromerijen gewekt. Leo was weer thuis. Hij kwam de keuken binnensloffen en zong mee met zijn iPod.

'Leo,' zei ik vermanend.

'Yo, mamma.' Hij schudde zijn tot vuist gebalde hand in de lucht, de wijsvinger en pink uitgestoken, en krabde met zijn andere hand in zijn kruis. Een hiphopkoning in schooluniform. Ik wilde hem in herinnering brengen dat hij niet zwart was en ook niet in een getto in New York woonde, maar toen zag ik mezelf voor me toen ik zo oud was als hij nu: knalroze haar en gekleed in een haveloze baljurk van een eeuw geleden. Sinds de komst van de Grote God iPod is het steeds moeilijker geworden met Leo te communiceren. Je zou het buitenaardse wezens op hun eerste bezoek aan de aarde niet kwalijk kunnen nemen als ze zouden denken dat het menselijk ras op een soort energiebron was aangesloten, door middel van witte oordopjes en lange witte draden die zich kronkelend een weg zoeken naar het batterijachtige apparaatje in hun zak. Degenen onder ons die geen draden hebben, beschouwen zij wellicht als de heersers over dat iPodiaanse slavenras, die door die kabeltjes bevelen uitvaardigen en toezicht houden op hun daden. Hoewel het systeem nú niet leek te werken, toen ik tegen Leo probeerde te zeggen dat hij zich moest wassen en omkleden.

Hij schudde zijn hoofd en riep: 'Ik versta je niet.'

Ik trok een oortje uit zijn oor. 'Je hoeft niet zo te schreeuwen. We eten over een uur en opa en oom Knettergek komen ook.'

'Cool,' zei hij. 'Fuck you man, fuck you.'

'Wat zeg je?' Maar het had geen zin. Hij had zijn oortjes weer in en liep op de ballen van zijn voeten de keuken uit, met tussen iedere stap een grappig klein sprongetje.

Het huis was vol van de geluiden van de vroege avond: de tv stond te schetteren, de kinderen kibbelden, Bea giechelde met haar Zuzi en Greg stond door de telefoon iemand uit te kafferen die hem boos had gemaakt. 'Nee,' hoorde ik hem zeggen, 'helaas kan ik hem volgende week niet komen brengen, want dan is het te laat. Waarom? Omdat ik dat kreng dan uit het raam op straat heb gesmeten, en daar wordt hij overreden en tot duizenden stukjes pc gereduceerd. Daarom!' Hij ramde de telefoon in de houder. Ik wachtte. Hij kwam de trap af en hield me een kapotte en dus onbruikbaar geworden telefoon voor. Zwijgend nam ik hem aan, deed een kast open en gaf hem een nieuwe. We hadden nog een voorraadje voor een paar maanden: er lagen vijf nieuwe telefoons in de kast. Het was een wedstrijdje geworden wie van ons de goedkoopste telefoon kon scoren; Greg stond op dit moment voor met een telefoon die hij voor vijftig penny op eBay had gekocht. Je kunt zijn emotionele gemoedstoestand via telefoons meten. We hebben ooit een eentelefoonjaar meegemaakt, en het ergste was een jaar waarin er negenentwintig doorheen gejast zijn. Dat was het jaar waarin Leo geboren is en Greg met het vaderschap moest leren leven, met slaapgebrek en met het overweldigende verantwoordelijkheidsgevoel. En ik? Ik richtte mijn woede om zijn onredelijke gedrag naar binnen, waar hij loeide en knetterde als een draak die zichzelf in de fik heeft gestoken terwijl hij achter zijn eigen staart aan joeg. Oost west, thuis best. Ik ging naar boven, een bad nemen voor de soepkeuken open zou gaan.

6

Gregs wildepaddenstoelenrisotto en salade frisée aux lardons

6 eetlepels olijfolie
1 grote ui, grof gesnipperd
2 tenen knoflook,
fijngesneden
2 koppen Arboriorijst
4 koppen gemengde wilde
paddenstoelen (shiitake,
oesterzwammen,
portabello), schoon-
gewreven en in grove
stukken gesneden
50 g gedroogde porcini, dertig
minuten geweekt in een
kopje warm water. Laat
uitlekken, maar bewaar het

water. Droog de padden-
stoeltjes en hak ze in
stukjes
1 kop droge witte wijn
7-8 koppen hete kippen- of
groentebouillon (gebruik
het weekwater van de
paddenstoelen om bouillon
mee te maken)
25 g ongezouten boter
1 kop geraspte Parmezaanse
kaas
$^1/_4$ kop gehakte platte
peterselie
Peper en zout naar smaak

Bak de gehakte ui in een grote steelpan met dikke bodem.
Voeg als hij begint te kleuren de knoflook en de rijst toe en
roer tot de rijst een glimmend laagje heeft gekregen. Voeg de
witte wijn toe, blijf roeren tot de wijn geabsorbeerd is. Voeg

nu de hete kippen- of groentebouillon toe, lepel voor lepel, onder voortdurend roeren, tot de vloeistof geabsorbeerd is. Voeg na ongeveer een kwartier de gehakte porcini toe.

Als de rijst *al dente* is en alle bouillon is toegevoegd, meng dan de wilde paddenstoelen erdoor. Laat een paar minuten opwarmen en haal van het vuur, voeg zout en peper toe, de geraspte Parmezaanse kaas, de boter en de peterselie. Het kookproces neemt ongeveer een halfuur in beslag en het gaat erom ervoor te zorgen dat het mengsel vochtig en romig blijft.

Voor de salade:
Was een krop friseesla en scheur hem in kleine stukken. Doe in een grote slakom. Maak in een koekenpan de lardons: dobbelsteentjes bacon, die je in een pakje kunt kopen (ik gebruik ook graag blokjes Spaanse *jamon serrano*, als ik daaraan kan komen). Strooi de lardons als ze bruin zijn samen met het bij het bakken vrijgekomen vet over de sla. Maak een dressing van olijfolie, citroensap en peper (de lardons geven al genoeg zout) en dien op.

Voor vier personen als hoofdgerecht.

'Doe eens open!' riep ik. Er werd nog eens gebeld. 'Verdomme, ik doe zelf wel open.'

Greg was verantwoordelijk voor de rest van het eten en stond in de keuken zijn wildepaddenstoelenrisotto met salade frisée aux lardons te maken. Ik was in bad in slaap gevallen en liep haastig naar de deur, met een gerimpelde huid omdat ik te lang in het water gelegen had, een handdoek om mijn nog natte haar, een andere om mijn lijf, allebei in die onappetijtelijke grijze kleur die symptomatisch is voor de wastechniek van een onverschillige au pair. Ik deed de deur voor BV open. Naast haar stond een man, met zijn rug naar mij toe, die zijn sleuteltjes richtte op een auto die voor ons huis geparkeerd stond en op een knopje drukte om te controleren of hij hem wel afgesloten had. Zijn achterhoofd kwam me bekend voor. Ik begroette hem. Hij draaide zich om. Het was Ivan.

Mijn verbazing en blijdschap om hem op mijn drempel te zien, werden als snel verdrongen door ontzetting over mijn uiterlijk en door de vraag: wat doet hij verdomme met BV? Ik kon me er nog net van weerhouden het hardop te zeggen. En waarom kwam BV uitgerekend nu voor het eerst in haar leven een kwartier te vroeg? Ik had acht uur gezegd. Mijn hart bonsde zo dat het me niet verbaasd zou hebben als het uit mijn keel was gesprongen om roze op de vloer te gaan liggen kloppen terwijl ik op een gezellige, hartelijke manier 'Kom binnen, kom binnen' zei. 'Loop maar door naar de keuken. Ik kom er zo aan.'

Typerend, raasde ik terwijl ik kleren uit mijn kast trok. *BV wist natuurlijk dat ik hem leuk vind, en nu ze weer in het zadel zit heeft ze hem ingepikt. Het is weer het oude liedje. Ze heeft me in 1975 precies hetzelfde geflikt, met Matt Salmon.* Toen bedacht ik twee dingen: ten eerste dat ik getrouwd was, en ten tweede dat mijn man bovendien ook nog daadwerkelijk aanwezig was en waarschijnlijk op dit moment Ivan de hand schudde en een beleefd praatje met hem maakte. Ten derde: ik zat niet meer in de derde klas. (Jawel, ik weet wel dat dat drie dingen zijn). Achter in de kast vond ik het zwarte jurkje waarvan ik dacht dat Bea het had kwijtgemaakt; een standvastige, betrouwbare lycra vriendin die me op de juiste plekken introk en uitduwde. Ik spoot Boudoir van Vivienne Westwood in de lucht en liep door de nevel (een trucje dat mijn moeder me eens heeft geleerd), kamde mijn haar, bracht mascara aan, gloste mijn lippen, trok mijn spiegelgezicht, knikte zuinig maar toch goedkeurend naar mijn beeltenis en liep met ongepaste haast de trap af, naar de keuken.

En route deed ik de deur voor Sammy en pap open, die al enige tijd stonden te bellen. Niemand had het gehoord. Sammy, net uit Spanje en van plan hier een tijdje te blijven, hield een *patta negra* in zijn armen (een gezoute gedroogde ham, bijzonder lekker voor ongodsdienstige Joden die meer dan de meeste christenen van varkensvlees kunnen genieten), die aan een *jamonera* was bevestigd (het houten rek dat de Spanjaarden uitgevonden hebben om een varkenspoot in de juiste positie te houden om er gemakkelijk een plak vanaf te kunnen snijden). Hij sleep een vervaarlijk uitziend mes en leek op een piraat.

'Met eikels gevoed. Verrukkelijk,' kondigde hij aan. 'In Sevilla gekocht.'

'Aangenaam,' zei mijn vader, terwijl hij zijn hand uitstak. 'Ik ben je vader.'

Ik kuste hem. 'Ben jij dan niet de man met wie ik vanmorgen nog gesproken heb? Je zou zelf ook wel eens mogen bellen, hoor.'

'Ik wil je niet lastigvallen, liefje.' Hij keek naar Sammy en mij samen en zei stralend: 'Wat heb ik toch een prachtige kinderen.'

In de keuken troffen we een gezelschap dat al plechtig rond de tafel zat, waarbij we aanschoven. Wij vieren waren er; Bea en Zuzi; pap en Sammy; BV en Ivan en de dierenarts Nick, die had besloten te blijven eten om te zien of dat nog iets opleverde voor zijn behandeling van Janet. Ik vond het heerlijk dat iedereen er was om mijn eten te eten; mijn dwangneurose om mensen te voeden is het meest Joodse trekje aan me. Kitty was belast met de organisatie van de proeverij. Iedereen had twee kommen voor zich, A en B gelabeld, en twee lepels. Naast iedere kom lagen een vel papier en een potlood en in het midden van de tafel stond Leo's oude spaarvarken dat nu dienstdeed als stembus. Kitty had het midden versierd met donzige gele kuikentjes, een oude paastaartversiering die ze ergens uit een la had opgediept. Greg stond aan het hoofd van de tafel als een dirigent die net met de ouverture zou beginnen. Op zijn teken pakten we allemaal een lepel en namen eerst een hap van kom A en daarna van kom B.

'Mogen we nog eens proeven?' vroeg pap, die graag een wetenschappelijk verantwoorde respons wilde geven bij het onderhavige experiment.

'Ja,' zei Greg, 'als je er maar voor zorgt dat je de juiste lepel in de juiste kom steekt.'

Matzeballen werden over de tong gerold, soep werd van de lepel gezogen, er werden proevende, keurende geluiden gemaakt, lippen werden afgelikt en stemmen werden uitgebracht. Ivan leek zich totaal niet te verbazen over het bizarre ritueel. Hij ving mijn blik, keek even opzij naar BV en haalde verontschuldigend zijn schouders op. Het trof me opnieuw hoe aantrekkelijk hij was en ik moest mijn best doen om kalm te blijven.

Kitty had zichzelf benoemd tot stemmenteller en haalde nu dansend de opgevouwen papiertjes uit het spaarvarken, wapperde er expressief mee door de lucht en spreidde ze vervolgens met veel omhaal op de tafel uit.

'Jezus christus, Kitty, ben je dom of zo,' mopperde Leo. 'Hou op met dat stomme gedans en tel verdorie die stemmen.'

Kitty liet zich niet uit het veld slaan en legde de stembriefjes op een rij op tafel. Op elk briefje stond een letter: B. Greg probeerde het wel weg te lachen, maar hij was echt behoorlijk van streek.

'Hoe kan dat? Hoe kan dat?' mompelde hij terwijl hij in wanhoop zijn gezicht met zijn handen bedekte. Pap klopte hem op de rug in een soort 'het valt wel mee, rustig maar'-gebaar. Ik probeerde hem te kussen.

'Ik hoef jullie medelijden niet,' zei hij op die dappere, grappige toon van mensen die niet echt een grap maken. Hij hield zijn hand op om me af te weren, zijn ogen op iets op de vloer gericht. Ik volgde zijn blik en zag dat het zout nog dieper in de wonden van vernedering werd gewreven. Een klein kommetje A en een klein kommetje B waren voor Janet neergezet. Kommetje B was leeg, van kommetje A was niets gegeten.

'Nou ja, we weten nu in ieder geval dat Janet van kippensoep houdt,' zei ik opgewekt in een poging deze publieke nederlaag te verdoezelen.

Nick maakte driftig aantekeningen in een boekje, zijn puntbaardje wipte op en neer van opwinding. 'Ze moet als een lid van het gezin behandeld worden,' zei hij. 'Ze moet eten wat jullie eten en dat moet ze met jullie samen doen.'

'Eureka!' zei ik.

Toen ik de volgende gang opdiende – die door Greg was bereid, zoals ik in een poging om zijn vernedering wat te verzachten niet naliet te verkondigen –, zag ik dat hij een van mijn matzeballen in een monsterpotje uit de praktijk stopte. De problemen van onze kat waren dan misschien verholpen, maar Gregs geduld was tot het uiterste op de proef gesteld. Alleen de wetenschap kon hem nu nog redden; hij had kennelijk besloten een monster naar het laboratorium te sturen om het geheim voor eens en voor altijd op te lossen.

'Mag ik helpen?' vroeg Ivan. Hij stond van tafel op en kwam bij me bij het fornuis staan. Hij liet zijn stem dalen. 'Het spijt me zo, Chloe. Ik wist niet dat we naar jou toe gingen. Ik wilde helemaal niet met BV op stap, maar ze heeft me op de een of andere manier overgehaald.'

'Ze is een heks,' zei ik. 'Ze kan je laten doen wat zij wil.'

'Ja precies, zo voelde het, maar het leek te belachelijk om hardop te zeggen. Maar goed, ik wil je in je eigen huis niet in verlegenheid brengen, maar ik wil je echt erg graag nog eens zien.' Zijn hand begon aan een reis naar mijn gezicht. Hij keek er verbaasd naar en trok hem toen terug, als een kind dat betrapt wordt terwijl hij uit zijn moeders portemonnee steelt. 'Zonder anderen erbij,' voegde hij er rustig aan toe.

'Waar is jouw vrouw?'

'Ze is een tijdje weg.' Hij haalde zijn schouders op. 'We hadden even rust nodig, tijd om na te denken.'

Hmm. Een proefscheiding. Hoe strookte dat met de Regel? Dat moest ik Ruthie vragen.

Hij krabbelde iets op een stukje papier en gaf het aan mij. 'Zoek dit maar eens uit,' zei hij raadselachtig.

Tvoj soep – tsjoedo kak i ty. Ponedjelnik v sjest tsjasov, Potter Lejn 23.

'Wat is dit?' vroeg ik. 'Een raadsel?'

'Zoek maar iemand die Russisch spreekt. Die kan je helpen.' Hij glimlachte en we hielden elkaars gezicht met onze blik vast alsof we de contouren uit ons hoofd wilden leren. Heel even stond hij iets te dichtbij. Hij rook heerlijk, naar zeep en naar iets anders, een eigen luchtje, dat me toch heel bekend voorkwam. Iedereen heeft zijn of haar eigen geur die de macht heeft aan te trekken of af te stoten, net zoals families hun eigen geur hebben. Onze *eau familiale* trof je direct als je bij ons binnenstapte en hij was opvallend afwezig als we een tijdje waren weg geweest en iemand anders op ons huis had gepast. Leo had een bijzonder goed ontwikkelde reukzin. Hij kon zeggen van wie een voorwerp was door er even aan te ruiken. Uit mijn ooghoeken zag ik dat hij daar nu mee bezig was: hij pakte een sjaal op die op de grond gegleden was, snoof eraan en hing hem zwijgend over de rugleuning van de stoel van mijn vader.

Ik ging naast Ivan aan tafel zitten.

'Mmm, heerlijke risotto,' zei ik.

Iedereen maakte waarderende geluiden en prees Greg om zijn culinaire vaardigheden.

'Doe niet zo neerbuigend,' zei hij, nog steeds zuchtend onder zijn nederlaag.

Ik voelde de warmte van Ivans lichaam naast me. Het leek alsof alles om ons heen wazig was geworden, en het drukke gepraat en gelach waren niet meer dan zacht gerommel op de achtergrond. Ivans bewegelijke handen en zijn lippen, tanden en tong als hij kauwde, tekenden zich scherp af. Ik wilde hem kussen en zijn mond op mijn gezicht voelen, zijn handen op mijn lichaam.

'Chloe... Chloe,' hoorde ik een bekende stem roepen. Het geluid leek uit de verte te komen, maar toen kwam naast me langzamerhand weer een gezicht in beeld. Het was Greg, die me vragend aankeek. 'Ik moet op huisbezoek. Mrs. Mayfair... Ze denkt dat ze een hartaanval heeft gehad. Ze is deze week al drie keer op het spreekuur geweest. Het is natuurlijk weer niets, maar haar man dringt erg aan.'

'Goed, goed hoor, ja, prima.' Ik was weer terug in de realiteit, weg uit de warmte van mijn trouweloze fantasieën.

'Wij moeten er ook vandoor, Chlo,' zei BV. Ze stond op en streek met haar handen over haar lichaam. Haar blonde haar, door de kapper nog iets blonder gemaakt, was als in een instantfacelift gevangen in een strakke hoge paardenstaart, die er op de een of andere manier eerder chic dan chav uitzag. 'Kom mee, Ivan.'

Ivan stribbelde tegen. 'Nee, ik blijf geloof ik nog een poosje...'

Maar niettemin stond hij op, trok braaf zijn jas aan en liep achter haar aan naar buiten, als een lam naar de slachtbank.

Sammy en de kinderen hadden ons alleen gelaten en waren boven tv gaan kijken, Bea en Zuzi waren giechelend de nacht in gegaan en dierenarts Nick had afscheid genomen, onder het mompelen van: 'Ongelooflijk, echt ongelooflijk.' Pap neuriede; zijn handen bewogen in een zwijgend gesprek met zichzelf zoals ze dat zo vaak deden, en zijn voeten tikten op het ritme van de muziek die voortdurend in zijn hoofd speelde.

'Vertel me eens over die verhouding van je, pap.'

Hij zuchtte, schonk ons allebei nog een glas wijn in en wendde zijn gezicht toen naar mij.

'Je herinnert je Jürgen Geber.' Het was een vaststelling, geen vraag.

Geber was zo lang ik me kon herinneren onderdeel van onze mythologie geweest. Hoe pap en hij elkaar hadden leren kennen was een familieverhaal, en Sammy en ik hadden onze vader bij iedere geschikte gelegenheid gesmeekt het nog eens te vertellen. In 1943 was pap in het leger gegaan. Hij was nog maar zestien, maar hij had de geboortedatum in zijn paspoort veranderd en zijn vaders handtekening vervalst. Hij liet een briefje voor zijn ouders achter en sloop op een nacht weg uit het huis waar ze lagen te slapen en meldde zich bij de Vijfde Pantserdivisie voor een opleiding. Een jaar later zat hij in Italië, als radio-operateur op een tank. Hij zei dat morse ook een soort muziek was en hij had het heel snel opgepikt. Het was 15 juli, de lucht was blauw en wolkeloos, en pap en zijn vijf tankvrienden lagen op hun rug in een bos in de omgeving van Siena, als welkome onderbreking van het soldatenleven. Ze genoten van de zorgeloze ontspanning die jongemannen toekomt, rookten en wisselden verhalen uit over hun leven thuis, de meisjes die ze gekend hadden en van wie ze gehouden hadden en de meisjes die ze nog hoopten te ontmoeten.

Ze waren verbonden door hun gezamenlijke doel, maar thuis zouden ze elkaar nooit zijn tegengekomen, laat staan dat ze vrienden zouden zijn geworden. Jimmy, Berties beste vriend op de tank, was een metselaar uit Croydon, wiens idee van humor was om je been als een hond op te tillen en dan een scheet te laten. Hij zong als Frank Sinatra en had een onstuitbaar opgewekte aard, en had daarmee Bertie voor zich ingenomen, en samen zongen en dansten ze scènes uit *Las Vegas Nights*, ter vermaak van de anderen. Die middag was het nog betoverender omdat de omgeving helemaal niet aan de oorlog deed denken, met het gezoem van de duizenden insecten die rustig doorgingen met wat ze altijd doen en nectar uit de ene na de andere wilde bloem opzogen. Een van de jongens stond op, liep een paar meter weg, knoopte zijn gulp open en pieste in een grote boog over zijn vrienden heen. De anderen klapten voor zijn kunstje en toen, verwarmd door de zon en gesust door het hypnotiserende gezoem van de insecten, vielen ze in slaap. Allemaal, behalve Bertie, die het heerlijk vond dat hij na zo lang in een tank opgesloten te hebben gezeten zich weer vrij kon bewegen, en zijn benen strekte en het bos in liep om iets te gaan doen wat door een jongen met zo'n overgevoelige aard in eenzaamheid verricht moest worden. Hij hurkte boven de droge grond en voelde de zachte warme wind langs zijn naakte lendenen strijken.

Toen hij klaar was liep hij verder het bos in, en genoot van deze zeldzame privacy na maanden in het gezelschap te zijn geweest van ruwe soldaten. In gedachten verzonken liep hij daar, met zijn hoofd vol muziek die kwam binnenstromen om de plaats van stilte en eenzaamheid in te nemen. Hij moest een behoorlijke tijd gelopen hebben; het werd al donker en hij besefte dat hij dat Hans en Grietje-punt had bereikt waarop terugkeer niet meer mogelijk is. Hij was moe en ging even onder een boom zitten om de melodieën die zich in zijn hoofd vormden te ordenen en om te beslissen wat hij verder zou doen. Hij moest in slaap gevallen zijn, want het eerste wat hij daarna voelde was de ijskoude loop van een geweer tegen zijn achterhoofd. 'Ik weet nog dat ik heel rustig dacht: nu houdt het dus op voor mij, terwijl het nog maar net begonnen is. Ik voelde een soort afstandelijk verdriet, alsof het niet om mezelf ging, maar om een ander.' Hij draaide zijn hoofd langzaam opzij en keek in het gezicht van een Duitse soldaat van ongeveer zijn leeftijd, wiens ogen die van Bertie weerspiegelden. Beide jongens beefden; de vinger van de Duitser trilde aan de trekker. Zijn ogen bleven op het gezicht van Bertie gevestigd, en hij mompelde steeds maar weer, als een bezwering: 'Der Sohn einer Mutter', en toen gooide hij zijn geweer weg en barstte in snikken uit. 'We waren kleine jongens, twee kleine jongetjes, die bang waren, alleen en ver van huis,' vertelde Bertie ons altijd. Bertie nam zijn eigen geweer en legde het plechtig naast dat van de Duitser. Hij stak zijn hand uit en stelde zich voor alsof ze elkaar op een feestje tegenkwamen.

'Soldaat Bertie Zhivago, Vijfde Pantserdivisie.'

'Jürgen Geber, Tweede Divisie, Duitse leger.' De Duitser schudde Bertie beleefd de hand.

Met behulp van Berties gebroken Jiddisch en Jürgens schoolengels zetten ze hun eerste stappen op een gezamenlijke reis die zou duren tot Jürgens veel te vroege dood in 1973.

'Ik kon je niet doden,' zei Geber, terwijl ze schouder aan schouder in de schaduw van een boom zaten en samen een sigaret rookten. 'Ik kon alleen maar denken dat jij net als ik de zoon van een moeder was, der Sohn einer Mutter. Het zou zijn alsof ik mezelf doodschoot, en ik zag steeds het gezicht van mijn moeder toen ik wegging naar het front voor me. Ze hield me dicht tegen zich aan, en ik voelde hoe klein ze was, hoe teer, alsof ik haar met een omhelzing in tweeën kon breken. Ze keek me strak aan, alsof ze met haar ogen een foto van mijn gezicht nam.'

Fysiek leken ze wonderlijk veel op elkaar: allebei klein van stuk en goed gebouwd, met donker golvend haar en blauwe ogen. Jürgen was zijn detachement kwijtgeraakt toen hij dekking zocht voor vijandelijk vuur. De volgende twee dagen hielden ze zich in het bos schuil. Ze overleefden op konijnen, die ze schoten en onhandig vilden voor ze ze op een vuurtje roosterden. En als ze na zo'n verkoold en enigszins harig feestmaal achterover gingen liggen, vertelden ze elkaar over zichzelf.

'Ik wilde niet in het leger,' zei Jürgen. 'Ik ben ertoe gedwongen.

Wat is dat toch voor een impuls dat je wilt sterven voor je vaderland en voor alles waar het voor staat? Nationalisme is iets slechts: het leert je om te haten en daarna leert het je dat die haat iets goeds is. Ze vertellen ons leugens over Joden, vergelijken ze met ratten en laten ons foto's zien van ratten die verdelgd worden. Jij zegt dat je een Jood bent, maar ik zie dat jij net zo bent als ik. We zijn allemaal mensen in deze wereld. Mensen met hoop en angst, mensen die liefde willen geven en ontvangen. De mensen die ons deze oorlog in hebben gestuurd zijn misdadigers, maar ze tonen dat niet in hun gezicht, ze verbergen het in hun hoofd en in hun hart en halen het alleen tevoorschijn om ten voordele van zichzelf aan te wenden wanneer dat ze uitkomt.'

De overeenkomst in de gedachtewereld van de twee jonge mannen maakte de oorlog tot waanzin. Bertie had net zo gemakkelijk als Jürgen geboren kunnen zijn en Jürgen als Bertie. Het was puur toeval wie ze waren en waar ze woonden. Maar die paar dagen in het bos veranderden hun leven voor altijd. Ze leerden erdoor op zoek te gaan naar de waarheid en naar het gemeenschappelijke in de medemens, en om voor zichzelf te denken. Ze durfden hun adressen niet uit te wisselen, uit angst van spionage beschuldigd te worden, en daarom maakte Bertie een rijmpje dat ze allebei uit hun hoofd moesten leren. Ze namen op de avond van hun tweede dag samen afscheid van elkaar. Bertie hoorde later dat Jürgen zich in zijn been geschoten had om aan de dienstplicht te ontsnappen. Na een paar maanden in een militair hospitaal werd hij naar huis gestuurd. Het kostte Bertie een dag om zijn tank terug te vinden. Hij had zijn vrienden vredig slapend achtergelaten; nu vond hij ze, voor eeuwig bevroren in die stille julimiddag, in hun slaap doodgeschoten.

Hoe moet dat gevoeld hebben voor een zeventienjarige – om de lijken van zijn jonge makkers te vinden? Bertie voelde zich verschrikkelijk schuldig omdat hij ontkomen was. Bovendien kon hij moeilijk geloven dat de noodzaak om een triviale lichaamsfunctie te verrichten hem het leven had gered. Hij ging op een rotsblok zitten en huilde. Maar toen tot hem doordrong dat hij mogelijk in gevaar was, nam het instinct tot zelfbehoud de overhand. Hij ging naar de tank en zond een radiobericht om hulp uit. Vervolgens verzamelde hij de paar persoonlijke bezittingen van zijn kameraden, vastbesloten die zelf aan hun familie te overhandigen, wanneer en als hij thuiskwam. Toen ging hij achter de tank – zodat hij de dode lichamen van zijn vrienden niet hoefde te zien – zitten wachten tot er hulp zou komen en zong zachtjes in zichzelf:

> Jürgen met een umlaut
> Geber met een G
> Woont in Friedrichstrasse
> In appartement C
> Op nummer 80 moet je zijn
> In Duitsland, in Berlijn.

Hij bedacht dat het regiment van Jürgen waarschijnlijk verantwoordelijk was voor de dood van zijn vrienden en was getroffen door de bittere ironie van het lot dat ons allemaal in zijn kwellende greep houdt.

Toen de oorlog voorbij was en Jürgen en Bertie beiden weer veilig thuis waren, hielden ze contact met elkaar en volgden elkaars levenspad via brieven en foto's. Maar ze hebben elkaar nooit meer echt gezien, uit angst de magie van die twee dagen samen kapot te maken. Jürgen werd schilder en slaagde erin uit Oost-Berlijn te vluchten naar het westen van die stad, vlak voor de Muur in 1961 opgetrokken werd. Bertie werd componist. En Sammy en ik hadden als kind 'Jürgen met een umlaut, Geber met een G' gezongen, zoals andere kinderen 'Witte zwanen zwarte zwanen' zongen.

Pap boog zich naar voren en pakte mijn hand. 'Nu zal ik je de rest van dat verhaal vertellen,' zei hij. Ik moet verbaasd hebben gekeken, want pap klopte geruststellend op mijn hand en glimlachte. Hij vertelde me hoe in de herfst van 1973 de weduwe van Jürgen, Helga, naar Londen was gekomen met het droeve bericht dat Jürgen aan kanker overleden was. Ze kwam pap een van Jürgens schilderijen brengen. Een schilderij van een jonge man in uniform, slapend onder een boom. Het was Bertie zoals Jürgen hem voor het eerst had gezien, al die jaren geleden in dat bos in Italië, en de gelijkenis was verbazingwekkend. Ik kende het schilderij goed; het hing in paps werkkamer aan de muur, naast een foto van Sammy en mij waar we stralend op staan: kinderen van wie gehouden wordt. Pap voelde zich aangetrokken tot Helga, alsof hij de jongeman was die hij eens was geweest in dat bos ver van huis, en ze werden al snel minnaars. Verenigd in hun verdriet deden ze hun jeugd herleven en hielden de gedachte aan Jürgen levend in hun koortsachtige liefde. Helga was Joods; Jürgen had schertsend tegen Bertie gezegd dat dit zijn manier was om de wandaden van zijn landgenoten goed te maken. Met zijn huwelijk had hij ongeschreven regels aan zijn laars gelapt en zijn familie van zich vervreemd, maar het was geen opoffering geweest. Helga was een schoonheid. Toen pap haar voor het eerst zag was ze begin veertig, een lange vrouw met rood haar, een volle boezem en een gulle mond, die hem aan Rita Hayworth deed denken. Ze sprak perfect Engels, alleen de zorgvuldigheid en de manier waarop ze de klinkers kort uitsprak, verried haar moedertaal.

'We zien elkaar vier keer per jaar in Parijs,' zei pap.

'Nog steeds?'

'Ja, nog steeds. Al dertig jaar. Ik hou van haar. Houden van de weduwe van Jürgen is voor mij een manier om hem te bedanken dat hij mijn leven al die jaren geleden gespaard heeft. *Geber*, dat betekent "iemand die geeft". Als Jürgen niet gegeven had, dan was ik er niet geweest, en jij niet en Sammy ook niet.'

'En mam?'

Pap stond op, liep naar het raam en keek uit over de donkere tuin. Hij zuchtte. Het koude glas van de ruit besloeg onder zijn warme adem en hij streek met zijn hand door zijn haar. Het was nog steeds dik en golvend, maar met het verstrijken van de jaren was het zilvergrijs geworden. Dat doet de ouderdom: hij zuigt de kleur uit je weg, hij maakt de scherpe kantjes zachter en waziger, tot je steeds meer vervaagt en uiteindelijk helemaal verdwijnt.

'Ze is erachter gekomen. Ik ging zo op in mijn liefde voor Helga

94

dat ik de voorzichtigheid uit het oog verloor. Ik heb haar ontzettend veel verdriet gedaan en heb moeten zweren dat ik Helga op zou geven. Dat heb ik ook geprobeerd, maar ik kon het niet. Mam dacht dat ik haar wel had opgegeven, ze heeft me officieel vergeven en wraak genomen door zelf een verhouding te beginnen. Boontje komt om zijn loontje, zo heeft je moeder het altijd aangepakt, en ik kan haar dat niet kwalijk nemen.'

De verwarring waaraan ikzelf de laatste dagen ten prooi was kwam me opeens banaal voor. Ik wilde een vent die ik op een feestje was tegengekomen neuken, en daar had je mijn vader, in een borrelende kookpot van het leven, de liefde, eer en dood. Zijn leven leek heroïsch, het mijne alleen maar banaal.

Zijn verhaal had me getroffen en ik zag mijn vader, zoals kinderen dat zelden doen, als een individu, een man met herinneringen waarvan ik geen deel uitmaakte, een mens, met een eigen persoonlijkheid, met een eigen leven en eigen geheimen. Nu ik hem als een afzonderlijk wezen zag, maakte dat op de een of andere manier dat ik hem nog nader kwam.

'Waarom wonen Helga en jij niet samen?' vroeg ik.

'We hebben ons eigen leven, in ons eigen land,' zei pap. 'Maar er is meer: we willen onze tijd samen niet bederven met alledaagse beslommeringen. We vinden het prettig, op deze manier. De schrijfster Helen Rowland heeft gezegd: "Na een paar jaar huwelijk kan een man naar een vrouw kijken zonder haar te zien, en een vrouw kan een man doorzien zonder naar hem te kijken." Ik wil niet dat dat Helga en mij overkomt.'

We hoorden dat de voordeur boven openging en toen de stem van Greg. Hij was terug van zijn huisbezoek.

'Ik moet ervandoor,' zei pap. Hij kuste me zoals altijd drie keer, een kus op mijn mond, een op mijn neus en een op mijn voorhoofd. Ik deed de restjes voor hem in Tupperware-bakjes – ik vond het een naar idee dat hij alleen moest koken en eten. Nu ik wist van Helga en hem merkte ik dat ik wilde dat ze samenwoonden. Hij nam mijn hand en hield die tussen die van hem.

'Omdat hij jou wil, wil dat nog niet zeggen dat je jezelf aan hem moet geven,' zei hij.

Ik bloosde, begreep dat hij het over Ivan had en vroeg me af of het voor iedereen zo zonneklaar was geweest.

'Dat heeft Ruthie ook zo ongeveer gezegd.'

'Verstandige meid, die Ruthie. Heb ik altijd al gevonden.'

7

Soepkip, als piepkuiken opgediend

1 vrouw boven de veertig	1 deel Mango
1 goedgevulde portemonnee en/of creditcard	1 deel Zara
1 deel Top Shop	Snufje Accessorize en cosmetica

Meng vrouw met Top Shop, Mango en Zara. Sta keur aan te jonge kleding toe. Leuk op met namaaksieraden van Accessorize en beschilder met cosmetica. Als het klaar is: werp steelse en onzekere blik in spiegels, etalageruiten en de ogen van ieder die je tegenkomt (vooral die van mannen).

Ik werd de volgende ochtend vroeg gewekt door bonkende geluiden. Toen ik probeerde uit te zoeken waar die vandaan kwamen, trof ik Sammy aan, die met veel lawaai haringen in ons grasveld timmerde. Zijn haar viel in slordige krullen over zijn gezicht en hij zag eruit alsof de inspanning hem goeddeed.

'Veel te benauwd in huis,' zei hij. 'Ik kon niet slapen door de cv. Is het goed als Leo, Kitty en ik hier een paar nachten slapen?'

Ik klopte hem op zijn schouder, ging weer naar binnen en begon het slagveld van de vorige avond op te ruimen. Tussen de verfrommelde stembriefjes trof ik het raadseltje van Ivan aan. Ik was zo slordig geweest het op tafel te laten liggen; ik had duidelijk nog het een en ander te leren op bedroggebied. Mijn vaste voornemen – gemaakt voor ik de avond daarvoor in slaap was gevallen – om Ivan uit mijn hoofd te zetten, werd snel terzijde geschoven en ik pijnigde mijn hersens om iemand te bedenken die Russisch sprak.

Later, toen ik tussen twee cliënten door even naar buiten liep, botste ik bijna tegen het Duivenvrouwtje op. 'Hou haar in de gaten, dames,' zei ze tegen de duiven die aan haar voeten hipten of rondfladderden. 'Die gaat het moeilijk krijgen. Die stevent op haar ongeluk af.' Ze stak haar hand naar me uit. Ik pakte hem: hij was verrassend zacht, wit en fijn. Ze trok me naar zich toe en bekeek mijn gezicht aandachtig. 'Dat dacht ik al,' mompelde ze raadselachtig. Ze draaide zich om en, in een wirwar van gefladder en voetstappen, bewogen de duiven en zij zich kordaat de straat uit. Ik was van mijn stuk gebracht en voelde me wonderlijk te kijk gezet, en ik bleef haar nakijken tot de vogels en zij al lang uit het zicht verdwenen waren.

Opeens kreeg ik een idee. 'Ach natuurlijk, de delicatessenwinkel!' De Wolga was een Russische winkel vlakbij, op Salisbury Road. Ik nam de snelste weg, door het park. De speelplaats was verlaten, op een moeder met een tweeling na. Een van de jongetjes zat op de schommel en ze duwde hem mistroostig. Op een bank zat een eenzame dronkenlap, blikje bier in de hand, die met gesloten ogen heen en weer deinde op een melodie die alleen hij kon horen. De meeste bomen waren nu kaal, en zwaaiden als skeletten heen en weer onder de grijze lucht, alsof de botten door de kou van het vlees ontdaan waren. Ik trok mijn jas dichter om me heen. Toen ik langs Ruthies huis liep, ging haar voordeur open en kwam er een jonge, in leer geklede man haar stoep af gesprongen. Ik ving een glimp van haar op toen ze de deur dichtdeed. De man pakte zijn mobiel, die overging. Ik hoorde hem zeggen: 'Om vijf uur dan.' Toen sprong hij op zijn motor en racete weg. Ruthie werkte soms thuis, maar zelden op vrijdag. Misschien was ze ziek.

Ik was nog nooit in de Wolga geweest, hoewel ik een paar keer nieuwsgierig door de etalageruit naar binnen had gekeken. De winkel bevond zich vlak bij het Joodse Eethuis van onze vriend Abe

Green, waar we vaak naartoe gingen, vooral op de avonden dat de band van zijn broer Herbie er speelde. De Wolga was klein en schemerig, met zo'n winkelbelletje dat vrolijk rinkelt als je de deur openduwt. Ik liep door het gangpad, bekeek de vreemde blikjes en potten met hun cyrillische opschriften. Er waren ouderwetse, met de hand verpakte chocolaatjes met plaatjes van eekhoorns, zware, geurige, donkere broden, een vriezer vol noedels die op won ton leken en keurig opgestapelde flessen wodka.

'*Tsjem ja mogoe vam pomotsj?*' zei een man met een streng gezicht vanuit zijn hoekje in de winkel. Hij was in de vijftig en zat op een kruk voor een rij planken waarop slordige stapels Russische video's en kranten lagen. Een eigenaardige sigaret, die meer op een kartonnen kokertje leek, stak in zijn mondhoek.

'Sorry, ik spreek geen Russisch.'

'Wat kan ik voor u doen?'

Ik liet hem mijn papiertje zien. Hij glimlachte en de zon brak door: bijna al zijn kiezen waren van goud. Hij was jonger dan ik eerst gedacht had, eerder van mijn eigen leeftijd, hoewel hij het gezicht had van iemand die het zwaarder had gehad dan ik. Hij nam de sigaret uit zijn mond, plukte een vlokje ontsnapte tabak van zijn lip, kwam dichter bij me staan en porde me vertrouwelijk tussen de ribben. '*Noe-ka devoesjka,*' zei hij. 'Tjonge, jonge.'

'Wat staat erop?' vroeg ik, plotseling bang dat Ivan iets had opgeschreven wat te intiem was voor vreemde blikken.

'Je soep is een wonder, en jij ook. Maandag, 6 uur, Potter Lane nr. 23.' Hij keek me strak aan, zijn blik dwaalde af naar de ring aan mijn linkerhand en toen weer naar mijn gezicht, en ik vermoedde dat hij de hele situatie doorhad.

'Het leven is kort,' zei hij zachtjes. Ik bloosde, maar de ringtone van mijn mobiel bespaarde me een antwoord. Een enkel woord glansde me tegemoet: EN? Het was Ivan. Ik bedankte de man en verliet haastig de winkel. Mijn hart klopte in mijn keel en zonder mezelf tijd te gunnen om na te denken sms'te ik terug: CODE GEKRAAKT. tot dan. De teerling was geworpen.

Ruthie nam niet op, niet haar vaste telefoon en ook niet haar mobiel, dus belde ik op weg naar huis bij haar aan. Daar reageerde ze ook niet op. Het was raar: niets voor haar. We zorgden er voor dat we altijd bereikbaar voor elkaar waren. Ik voelde me ongemakkelijk, maar omdat ik snel terug moest voor Sombere Sheila, besloot ik Ruthie later op te sporen.

Sheila voelde zich kennelijk wat beter over de ophanden zijnde bruiloft.

'Het is in orde, hoor. Ik hou van hem en ik heb tenslotte met genoeg mannen geslapen. Ze zijn toch allemaal hetzelfde. Nou ja, Jim natuurlijk niet, hij is beter dan alle anderen. Ik bedoel, ik hou van hem. En daar gaat het om, toch? *Love is all you need.*'

Ze was duidelijk een Beatle-liedje binnengestapt. Maar dat gebeurt er nu eenmaal als je verliefd bent: ieder liedje is veelzeggend, ieder cliché treft je als oneindig waar. Greg en ik hadden twee liedjes. 'Feel for You' van Chaka Khan en 'I Just Called to Say I Love You' van Stevie Wonder. Sentimenteel, ik weet het, maar het waren twee grote hits in 1984, het jaar dat we elkaar leerden kennen. Ik vroeg me af wat het liedje van Ivan en mij zou worden. 'Duplicity'? Mijn gedachten dwaalden af: wat zou ik maandag aantrekken? Ik keek naar Gina, bewonderde haar zigeunerrok, die ze met een truitje met rolkraag, een brede leren riem en cowboylaarzen droeg. Het was een leuke look, misschien kon ze me iets lenen. Ik deed mijn mond al open om het haar te vragen, maar hield me nog net op tijd in. Jezus, ik was haar therapeut, niet haar vriendin. Ik was mijn greep op de dingen aan het kwijtraken. Ik was altijd trots op mijn werk geweest en had het altijd goed gedaan. Ik had zelfs een wachtlijst van mensen die graag bij mij in therapie wilden. Ik was ontdaan over de laksheid waarmee ik tegenwoordig mijn 'behandelingen' uitvoerde. Misschien moest ik een paar weken vakantie nemen.

Zoiets zei ik later ook tegen Greg, nadat we Kitty, Leo en Sammy in hun ijskoude tent hadden ondergestopt en genoten van de bijna-vergeten luxe van een huiskamer waarin de tv op een net stond dat we zelf hadden uitgekozen.

Greg wuifde het weg. 'Welnee, Chlo, met jou is er niks mis. Je kunt beter aan het werk zijn,' zei hij.

Ik zocht naar woorden om hem te vertellen dat ik zo rusteloos was en naar iets nieuws verlangde zonder mijn geheim te verklappen. Ik wilde hem ook vragen waarom hij me niet meer aanraakte. Maar voor ik mijn mond kon opendoen begon hij me te vertellen hoe hij Mrs Mayfair de avond daarvoor in blakende gezondheid had aangetroffen.

'Volgens mij is ze volkomen geschift. Ik kan haar het beste doorverwijzen naar een collega van jou. Nou ja, een echte dan, een psychiater.'

Het ergerde me altijd als hij dat deed: psychotherapie afkraken door alleen psychiatrie als waardevol te erkennen.

'Psychiaters zijn artsen met een medische opleiding,' zei hij nu, zoals hij maar al te vaak deed, op die overdreven geduldige toon van iemand die gewend is de dingen eenvoudig uit te leggen aan kleine kinderen. 'En het is concreet bewezen dat geneesmiddelen mensen kunnen genezen, maar het is heel wat minder zeker dat erover gaan zitten praten dat ook doet.'

'En dus heb ik hem vermoord, edelachtbare,' mompelde ik, in voorbereiding op mijn verdediging bij het proces waarbij ik voor moord terecht zou staan, terwijl ik woedend naar boven bonkte. Het zou Gregs eigen schuld zijn als ik een verhouding met Ivan had, hij zou me ertoe gedreven hebben. Voor ik ging slapen, sms'te ik Ruthie: WAAR BEN JE EN HOE IS HET MET JE? OM 11 UUR KOFFIE IN PARK? MAN IS KONING LUL VAN LULLENLAND. Ik was te kwaad om nog acroniemen te gebruiken.

Kitty en Leo moeten ergens tijdens die nacht de kou hebben ontvlucht en binnengekomen zijn. Ik trof ze de volgende ochtend in Kitty's bed aan, tegen elkaar aan gekropen als twee verweesde jonge hondjes. Ik was nog steeds boos op Greg. Weet je wat nu ons liedje is, dacht ik terwijl ik de wasmand leegde en de wasmachine aanzette, 'After The Love Has Gone'. Woedend at ik vier geroosterde boterhammen met Marmite. 'Ga die keuken uit!' riep ik tegen mezelf om te voorkomen dat ik nog meer zou eten, en ik ging naar het souterrain voor mijn twee vroege zaterdagochtendafspraken. In mijn wiek geschoten door Gregs geringschattende houding jegens mijn beroep, dwong ik mezelf me te concentreren. Woedende Walter was mijn eerste cliënt. Hij verontschuldigde zich dat hij te laat was en vertelde dat dat kwam doordat hij een paar klachtenbrieven had moeten schrijven aan verschillende overheidsinstellingen die nog met de eerste post weg moesten. Het trof me opeens hoeveel hij op Greg leek. Wat raar dat dat me niet eerder opgevallen was. Hij hield een woededagboek bij en ik merkte dat ik vandaag instemmend knikte bij een aantal dingen die hem echt razend maakten: telefoonbeantwoorders met keuzemenu's; het absurde prijsbeleid bij de spoorwegen, waarbij retourtjes goedkoper waren dan enkele reizen; automobilisten die op de inhaalstrook van snelwegen bleven hangen. Ik moest hem gelijk geven: soms is withete woede het enige juiste antwoord.

Ruthie stond al in de rij voor de koffie toen ik het café binnenkwam. Ze zag er moe uit. Ze had donkere kringen onder haar ogen, haar haar hing slap omlaag en ze droeg een monsterlijke knalgroene trainingsbroek en een paars sweatshirt. Ik haalde met veel misbaar een zonnebril uit mijn handtas en zette hem op. Ze lachte.

'Croissantje, Chlo?' Ik schudde mijn hoofd, alsof ze me een bekertje gif had aangeboden. Ik had nog vierenvijftig uur te gaan voor mijn afspraakje met Ivan en na het fiasco die ochtend met het geroosterd brood had ik me voorgenomen om tot dan te vasten om de maximale slankheid te bereiken.

We liepen naar het enige vrije tafeltje. Naast ons zat een vader met dezelfde tweeling die ik de dag daarvoor in het park had gezien. Ze doopten hun kleverige vingers eerst in de suikerpot en vervolgens in de beker warme chocolademelk die voor hen op tafel stond en daarna likten ze eraan en veegden ze ze af aan elkaars gezicht, haar en kleding. Tegelijkertijd sloegen ze met hun lepel op de tafel. Het geluid dat de lepels produceerden bevredigde hun auditieve behoeftes kennelijk niet, dus riepen ze ook nog eens keihard:

'Beng, beng, beng!' 'Freddie, Charlie, ophouden,' zei hun vader. Hij haalde vruchteloos naar ze uit, als naar een lastige vlieg, met een opgerolde *Financial Times*. Toen hij mij zag kijken haalde hij zijn schouders op alsof hij wilde zeggen: 'Het zijn nu eenmaal kinderen, hè? Maar vind je mij niet geweldig dat ik ze voor mijn vrouw mee uit neem?' Ongetwijfeld gunde hij zijn vrouw een ochtendje uitslapen, op die zelfbewuste gulle manier die kostwinners met een vrouw thuis eigen is.

Dat gebeurt er als je kinderen krijgt: als je uit het ziekenhuis thuiskomt met dat kostbare bundeltje angstig tegen je borst geklemd, merk je dat iemand tijdens jouw afwezigheid een gigantisch scorebord in je huis heeft opgesteld. Alle dingen die je partner en jij daarvoor zonder erover na te denken deden, staan zorgvuldig genoteerd: wie het laatste kopje thee voor wie zette, wie het dekbed op bed gelegd heeft, wie de meeste luiers verschoonde, wie de boodschappen heeft gedaan, wie de vaatwasser heeft uitgeruimd... Er wordt voortdurend verwezen naar de notities op deze imaginaire lijst ('Ik heb afgelopen week vijf keer het badje gedaan'). Hoewel vrouwen de score net zo nauwgezet bijhouden als mannen, eisen mannen ook nog eens voortdurend erkenning en lof voor wat ze doen, omdat ze het 'voor ons' doen. 'Ik zet de vuilnis wel even buiten voor je', 'Kijk, ik heb de bladeren in de tuin voor je opgeveegd'. Ongetwijfeld zei de man aan het tafeltje naast ons: 'Ik neem de kinderen iedere zaterdagochtend voor je mee uit', zonder acht te slaan op het feit dat zijn vrouw iedere dag met ze thuiszat, die vermoeide vrouw die gisteren haar zoontje lusteloos op de schommel duwde op die speelplaats, zoals ze dat al talloze eerdere gisterens had gedaan en zoals ze dat nog net zo veel morgens zou doen.

'Ruthie, je ziet er niet zo denderend uit. Alles goed?' vroeg ik aan haar.

'Ik heb gewoon schoon genoeg van mijn werk. Het lijkt wel of ik alleen maar bezig ben met andermans problemen oplossen. Ik voel me als een vogelmoeder die uitgekauwd voedsel in die gulzige, onverzadigbare bekjes propt. Mensen kunnen tegenwoordig niets meer zelf. En als ik daar niet mee bezig ben, dan zit ik vast in een of andere stomme vergadering waarin de tijd lijkt stil te staan. Ik zou net zo goed bij de Shell kunnen werken, of in een koekjesfabriek. Het lijkt wel of ik nooit meer iets leuks en creatiefs doe.'

'Dat krijg je als je ergens een tijd zit,' zei ik. 'Dan kom je in het management terecht, en dat lijkt overal op elkaar.'

'Het hangt me de keel uit,' zei Ruthie, en ze snoot haar neus. 'Vergaderingen met pretentieuze types die zichzelf erg graag horen praten en die elke zin beginnen met: "Dit klinkt misschien een beetje raar, maar als we nu eens..." of zinnetjes als: "Laten we onze gedachten een beetje de vrije loop laten." En dan komt er een tut die Wendee heet, met onnodig veel e's gespeld, en die maakt dan een banale opmerking met dat kleinemeisjesstemmetje van haar en alle mannen kijken naar haar alsof ze Einstein is, terwijl je weet dat ze zich eigenlijk alleen maar afvragen hoe ze haar kunnen neuken zonder dat hun vrouw erachter komt.' Ze trok vermoeid haar haar naar achteren, rolde het op tot een knotje en stak er een plastic mes doorheen om het op zijn plaats te houden. 'Misschien moet ik ermee ophouden en freelance gaan werken. Maar het probleem is dat ik geloof ik geen zin heb om een of andere stomme wannabe te interviewen die haar bekendheid dankt aan het feit dat haar tieten uit haar designerjurk rollen. Ik weet eigenlijk niet of ik überhaupt nog wel trek heb in tijdschriften...'

Dat is het probleem van volwassen worden: je hebt al die jaren je best gedaan om de ladder op te klauteren, en dan kom je erachter dat je het uitzicht boven helemaal niet leuk vindt. Je kunt dan uit drie dingen kiezen: boven blijven en het toch maar bewonderen, helemaal weer naar beneden glijden, of een andere ladder zoeken om langs omhoog te klimmen.

'Nog één klaagzang, en dan stop ik, goed?' ging Ruthie door. 'Ik heb ook ontzettend last van WHITEHAMM. Alles aan Richard stoort me; dat gewichtige maniertje waarop hij zijn keel schraapt als hij iets gaat zeggen, dat hij me niet aankijkt als ik tegen hem praat, dat hij nooit naar me luistert, en vooral de manier waarop hij zijn floss pakt om zijn tanden te flossen als het nieuws van tien uur begint.'

Ze keek me opgewekt aan. 'Zo, klaar met *kvetchen*.'

(Kvetch is een bijzonder nuttig Jiddisch woordje, dat 'zeuren' of 'klagen' betekent. Ik snap niet goed hoe iemand zich door het leven slaat zonder dat woordje. Ruthie en ik hadden lang geleden al een virtueel kvechatorium gebouwd, dat ons carte blanche gaf om onze klachten op ieder moment van de dag eruit te gooien; het mooie aan het kvechatorium was dat het altijd open was.)

Aan de andere kant van ons zaten een man en een vrouw van onze leeftijd die elkaars hand vasthielden. Hij stopte stukjes croissant in haar mond en ze giechelden ergens over.

'Moet je die zien,' fluisterde ik. 'Zouden die getrouwd zijn?'

'O ja,' zei Ruthie. Ze zweeg even. 'Maar niet met elkaar.' Ze likte het schuim van de rand van haar kopje en voegde eraan toe: 'En, wanneer heb jij je rendez-vous?'

Ik hield mijn ogen neergeslagen en occupeerde me met het opvegen van gemorste koffie met een van de vele verfrommelde tissues die in mijn handtas wegrotten.

'Het staat op je gezicht te lezen,' zei ze zelfvoldaan.

'Maandag.' Het had geen zin het te ontkennen, ze kende me te goed. 'Wat moet ik aan?'

'Je ongesteldheidsonderbroek, zodat je niet op je eerste afspraakje al met hem het bed in duikt.'

Ik moet geschrokken hebben gekeken, want ze voegde er aan toe: 'Kijk maar niet zo schuldbewust. Je hoeft echt geen man die je slaat te hebben om je belangstelling voor een andere man te rechtvaardigen. Totale afwezigheid van seks is reden genoeg. Als je maar voorzichtig en discreet bent.'

Het bleef me bespaard daarop te antwoorden omdat Sephy en Kitty in een wolk van koude lucht en gretige verwachting binnenstapten. Weken geleden had ik beloofd hen mee uit winkelen te nemen.

'Verre olifant,' mompelde ik tegen Ruthie terwijl ik me schikte in mijn lot. Olifanten zien er aan de horizon klein uit, en pas als ze vlak bij je zijn besef je hoe groot en overweldigend ze zijn: ik zeg altijd 'ja' op dingen die nog weken in het verschiet liggen, ik heb te weinig verbeeldingskracht om te geloven dat de afgesproken dag ooit echt zal aanbreken.

'Omigod, het was zo komisch…'

'Het is zo'n bitch, ze vroeg Molly en Anna voor haar feestje waar ik bij stond.' Kitty en Sephy zaten op de achterbank van de auto te kwebbelen, waarbij iedere zin eindigde in een opwaartse cadans. Ze keken te veel Amerikaanse televisieseries. Was het nog toegestaan dat ouders kinderen hun mond lieten spoelen met zeep, vroeg ik me af, en als dat niet zo was, mocht je ze dan nog wel met de koppen tegen elkaar slaan?

We gingen met de roltrap naar beneden, naar wat voor hen de meisjeshemel was, en voor mij de brandende hel. Top Shop op een zaterdagmiddag… hoe had ik zo stom kunnen zijn? Ik was in het allerergste soort slechte bui, het soort waarin je alleen jezelf de schuld kunt geven. Ik liet het verder aan de meisjes over en plofte neer in het café met weer een kop koffie en een artikel over 'Hoe om te gaan met adolescenten' dat ik voor de *Psychotherapy Today* moest schrijven. Af en toe kwamen Sephy en Kitty hun prachtige meisjeslijven in outfitje zus of zo aan me tonen. Ik keek langs hen heen en zag de rok van Gina hangen. Als zij hem droeg, kon ik dat ook. Ze was maar een paar jaar jonger dan ik… Nou ja, vijftien. Opstandig zocht ik de ingrediënten voor Gina's outfit uit verschillende hoeken van de winkel bij elkaar en ging ze passen. Een verveeld, kauwgumkauwend meisje dat bij de paskamers was opgesteld bekeek me van top tot teen. Even vreesde ik dat ze de beveiliging erbij zou roepen om me de winkel uit te gooien omdat ik het waagde kleren te passen die niet geschikt waren voor mijn leeftijd.

Ze droeg het allerlaagste model lage heupbroek en toen ze zich omdraaide, kwam haar dikke, erbovenuit puilende kont in het zicht. Sinds wanneer was het bouwvakkersdecolleté alomtegenwoordig à la mode? Ik wilde haar bij de lusjes voor de riem vastgrijpen, de broek opsjorren en in haar oor roepen: 'Ik zie je reet.' Ik bekeek mezelf in de spiegel. Ik zag er prachtig boho uit, zonder dat het doorsloeg en ik het soort vrouw leek die veel te veel katten heeft en stapels kranten op zolder heeft liggen.

'Ik dacht: zo piep is ze niet meer, ze is veel te oud voor die kleren, maar ze staan haar wel,' hoorde ik het meisje van de paskamers tegen haar collega zeggen terwijl ze haar kauwgum van haar tongpiercing lospeuterde.

'Ik sta vlak achter je,' zei ik, en ik liep uit de hoogte langs hen heen.

Leuk was het hier in de Top Shop. Ik ging op in laarzen en riemen, sjaals en make-up. Het meisje achter de kassa keek alsof ze om mijn identiteitsbewijs wilde vragen om te bewijzen dat ik onder de eenentwintig was, maar in plaats daarvan glimlachte ze, stopte mijn aankopen in een tas, en zei: 'Uw dochter zal er dolblij mee zijn.' Sephy en Kitty stonden ongeduldig te wachten bij de draaideur, hun eigen koophonger was al lang gestild. Ik had voor Kitty's scherpe ogen mijn Top Shop-tas in een andere tas verstopt.

'Kom op, mam. We staan al uren te wachten en we vergaan van de honger.'

'In mijn jeugd, Kitty, deden ouders wat ze wilden en hadden de kinderen zich maar aan te passen.' Kitty rolde met haar ogen.

'Laat dat,' zei ik. 'Ik heb vroeger uren in auto's gezeten terwijl mijn moeder haar saaie gesprekjes met saaie mensen op saaie stoepen afdraaide, of ik werd meegesleept om thee te drinken bij de saaie vrienden van mijn ouders die niets in huis hadden waarmee Sammy en ik konden spelen, terwijl die volwassenen maar bleven doorbeppen. Leo en jij doen nooit iets wat jullie niet willen. Sterker nog: het grootste deel van de tijd ben ík bezig met dingen die jíj wilt.'

'Zoals?'

'Kijken naar eindeloze afleveringen van die waardeloze reality tv-show waarin stellen elkaar voor rotte vis uitmaken.'

'Bedoel je *Bit of a Barney*? Schei uit, mam, daar smul je van. Je wilt altijd kijken om te zien of ze elkaar gaan slaan. Dat telt niet. Nog meer?'

'Dat ik moet toezien hoe Leo en jij computerspelletjes spelen waarin het er alleen maar om lijkt te gaan hoeveel hoofden je er zo snel mogelijk met steeds dodelijker wapens af kunt schieten. Het is gewoon niet eerlijk, ik ben nooit aan de beurt geweest om te doen wat ík wil.'

'En het was in eerste instantie ook míjn idee om naar de Top Shop te gaan,' zei Kitty. Ze had de zwakke plek in mijn redenering gevonden: we waren helemaal niet bezig met iets wat ík wilde, zíj had naar de Top Shop gewild.

'Tijd om te gaan,' mompelde ik terwijl ik ze de deur uit duwde.

'Wacht eens eventjes…' zei ze. 'Wat zit er in die tas?'

Shit. 'Ach, een paar kleine dingetjes. Kom op, we gaan.' Gelukkig werd ze op dat moment afgeleid door een jongen die langsliep.

'Wat een hunkie,' zei Kitty, terwijl ze Sephy aanstootte.

Het onbegrip moet op mijn gezicht te lezen hebben gestaan.

'Een hunkie, een lekker ding,' legde ze uit.

'O, je bedoelt wat wij in een grijs verleden een spetter noemden?' Het werd me duidelijk dat ik ondanks mijn nieuwe kleren een stokoude vrouw was.

8

Ruthie Zimmers recept voor overspel

1 Begin nooit een verhouding met iemand die minder te verliezen heeft als het uitkomt dan jij.

2 Biecht nooit op: als je niet op de blaren wilt zitten, moet je je billen niet branden.

3 Vertel het aan niemand: jouw vrienden hebben ook weer vrienden. Vertel het ze niet.

4 Betaal nooit met een creditcard.

5 Word nooit verliefd op je minnaar als je niet van plan bent weg te gaan bij je man.

6 Ontken en lieg.

7 Begin er alleen aan als je weet dat je sterk genoeg bent om het schuldgevoel te dragen.

8 Laat geen zichtbare sporen achter.

9 Slik alleen maar de eerste keer door. Dan hoef je dat nooit meer te doen, maar denken ze altijd dat je het misschien wel weer doet. (NB: Dit gaat op in alle verhoudingen met mannen, niet alleen in overspelige.)

10 Stem nooit in met een DNA-test.

Ik werd maandagochtend wakker met een warme tinteling van spanning gevolgd door een warm golfje bloed. Ik was ongesteld geworden. Natuurlijk. Nu moest ik inderdaad een degelijke onderbroek aantrekken en niet het erotische kanten niemendalletje dat ik, in weerwil van Ruthies advies, van plan was geweest aan te doen.

Het leven van vrouwen kun je afmeten aan hun onderbroekje. Ongesteld, niet ongesteld geworden, candida, miskraam – het ligt allemaal in ons ondergoed op de loer om ons beentje te lichten. Ik geloof zo sterk in de kracht van het onderbroekje dat ik zelfs een geluksbroekje heb: een roodsatijnen bikinimodelletje met strikjes opzij. Ik voelde de vertrouwde doffe pijn in mijn onderbuik en zag toen ik naar beneden keek de onwelkome zwelling van de bolle menstruele buik. 'Bedankt, makker,' zei ik tegen de God in wie ik alleen geloof als de dingen fout lopen.

Kitty sprong betrapt weg van haar ladekast toen ik haar kamer binnenkwam. 'Wat verstop je daar?' vroeg ik.

'Niets,' loog ze. Ze moet die sombere geheimzinnigheid, het verjaardagscadeautje van de natuur voor iedere dertienjarige, nog krijgen. Aan Kitty's gezicht kun je nog meteen zien dat ze liegt, alsof ze op een bergtop met vlaggen staat te zwaaien.

Ik keek haar strak aan met mijn strenge 'voor mij houd je niets verborgen'-blik.

'Ik heb een beha gekocht,' biechtte ze meteen op. Echt, ze zou geen cent waard zijn als ze gemarteld werd.

Het was een klein roze gevalletje met geborduurde rode roosjes rond de cups. Ik keek naar haar smalle kinderlijf met de platte borstkas en toen naar haar gezichtje. De tranen stonden in haar ogen toen ik haar in mijn armen nam.

'Je hoeft niet zo'n haast te hebben, liefie,' zei ik.

'Alle anderen hebben er een en ik vind het verschrikkelijk dat ik zo klein ben en geen borsten heb.'

'Weet ik, lieverd. Bij mij was het net zo. Mijn eerste behaatje was een Lucky Check. Die hadden we allemaal. Ze waren van katoen en je kon ze in heel kleine maatjes krijgen. Die van mij was paars met wit, een AA met een driehoekig uitsparinkje in het midden waarin je je duim kon steken om hem naar beneden te trekken.'

We trokken onze beha voortdurend demonstratief naar beneden, zowel om te laten zien dat we er een hadden als om te verhinderen dat het ding tot onze nek omhoogkroop, aangezien hij niet op zijn plaats werd gehouden door de daadwerkelijke aanwezigheid van borsten. De zeven stadia in het leven van de vrouw: beha's, ongesteld worden, ontharen, seks, huwelijk, kinderen en de menopauze. Gevolgd door een achtste stadium uiteraard: dat ouwe succesnummer, de dood.

Ik kuste Kitty, zei tegen haar dat ze die beha mocht houden en bracht haar naar school. Zoals gewoonlijk negeerden de andere moeders bij het schoolhek me. Ik heb zo langzamerhand het gevoel gekregen dat ik door een soort magische kracht letterlijk onzichtbaar word gemaakt zodra ik het schoolterrein betreed. Of ik ben het dikke lelijke meisje op de speelplaats waar niemand mee wil spelen, een van beide. Ik zie al die andere moeders staan lachen en praten, in groepjes waar ik met geen mogelijkheid tussen kan komen, en ze roepen naar elkaar: 'Drinken we nog koffie straks?' Of: 'Jij neemt Molly vanmiddag mee, hè?' Het is een club waarvan ik geen lid ben, en ik ben er nog steeds niet achter waarom.

'Je vindt sommige mensen nu eenmaal leuk en andere niet, dat weet je toch?' zei Ruthie een keer toen we het uitgebreid hadden over de ouders van andere kinderen en waarom we ons zo weinig op ons gemak bij hen voelden. Ik knikte.

'Nou, zij hebben dus gewoon een enorme hekel aan ons. Waarom dat zo is, weet ik niet. Het is gewoon zo.'

'Maar we zijn toch best aardig?'

'Jawel, maar we zijn anders. We maken ons om andere zaken druk dan of het verkleedpakje van de kleine Jimmy wel op tijd klaar is, of dat we Sophie wel of niet een vestje moeten laten aantrekken, want ze hoest een beetje. We moederen gewoon anders.'

'Liefdevolle verwaarlozing bedoel je, versus als een kloek erbovenop zitten?'

'Ja, ik denk dat ze zich erdoor bedreigd voelen. Het ouderschap is een wedstrijd, en als zij het goed doen, moeten wij het wel fout doen.'

Ik bleef willen dat ze me aardig vonden en probeerde nog steeds bij ze in het gevlij te komen. Maar ik schepte er ook een pervers genoegen in om te tellen hoeveel moeders me straal negeerden. Deze ochtend was ik zo onzichtbaar dat Molly's moeder letterlijk tegen me opbotste in haar poging om door me heen te lopen. Anna's moeder was onwillekeurig aan een glimlach in mijn richting begonnen, maar haar mondhoeken waren nog maar amper opgetrokken toen ze tot bezinning kwam en ermee stopte voor hij aan die lange koude weg naar haar ogen kon beginnen.

Toen ik bijna thuis was, zag ik Sammy met het Duivenvrouwtje. Ze zaten samen op de trap voor haar woning in het souterrain alsof ze elkaar al jaren kenden. Sammy heeft de gave om met de meest onwaarschijnlijke types vriendschap te sluiten. De trapleuning was versierd met felgekleurde lappen en ze zat als altijd, alsof ze er iets mee wilde zeggen, met haar benen wijd zodat ze haar verbazingwekkend witte onderbroek toonde. Misschien bespaarde haar gekte haar de vlekken die bij het normale vrouwenleven horen? Het beeld van het Duivenvrouwtje op de trap bleef me bij, als een beschuldiging.

'Die rooie Ivan is niet echt mijn type,' zei BV toen ze me later die dag opbelde. 'Meer het type spaghettivreter waar jij op valt.' BV en politieke correctheid hebben niets met elkaar van doen.

'Waarom nam je hem dan mee? En hoe zit het met Jeremy, Jeremy, Jeremy?'

'Die is een paar dagen de stad uit, en een meisje moet toch eten.'

'Dus je hebt met hem geneukt?' Ik deed mijn best onverschillig te klinken.

'Met Ivan? Neuh. Hij is getrouwd.' BV sliep niet met getrouwde mannen. Dat was de enige regel waaraan ze zich hield, nogal onlogisch in het licht van haar verder zo slechte gedrag, maar in dit geval was ik er dankbaar voor. Want Ivan had wel met haar naar bed gemoeten als zij dat gewild had, daarvoor was ze tenslotte heks.

'Ik heb vanavond met Jeremy afgesproken,' zei ze. 'We gaan naar een première, film. O, tussen haakjes: Jessie komt een paar dagen bij je logeren, dus wil je Bea vragen haar mee te nemen als ze Kitty uit school haalt? Ik moet ervandoor maar ik bel je nog wel.'

'Ik kan niet wachten,' mompelde ik terwijl ik de telefoon wegzette.

Ik moest nog één ding doen voor ik naar mijn afspraakje met Ivan vertrok: namelijk beslissen welke leugen ik zou vertellen. Ik wilde er geen vriendin bij betrekken, maar waar zou ik anders om zes uur naartoe gaan op maandagavond? Ik was in de badkamer en legde net de laatste hand aan mijn make-up toen Greg binnenkwam. Ik voelde me slank en sexy, en ook een beetje duizelig en slap van de honger.

'Je ziet er leuk uit, Chloe,' zei hij. Ik deed alsof ik flauwviel.

'Ha, ha, heel geestig,' zei Greg. 'Ik kijk dus echt wel naar je.'

Hij deed de wc-bril omhoog om te plassen. Ik heb zo genoeg gekregen van het slordige richten van Leo en hem dat ik een roos achter in de pot heb geschilderd. Als je een jongetje een doel geeft, dan richt hij erop. *Pipi partout* is dus gelukkig verleden tijd in ons huis.

Leo kwam binnen om een puistje uit te drukken. 'Je ziet er cool uit, mam,' schreeuwde de iPodiaan in mijn oor.

'Heel sexy rok,' zei Zuzi. Ze knikte goedkeurend terwijl ze nog even een blik in de badkamerspiegel wierp voor ze naar haar werk ging. Bea stond in de deuropening en wierp een jaloerse blik op haar.

'Waar heb je die kleren gekocht?' vroeg Kitty. 'Bij de Top Shop natuurlijk. Dat zat er in die tas. Hoor eens, je bent geen tiener meer! Pap, zo laat je haar toch niet de deur uit gaan?'

'Ze ziet er heel leuk uit,' zei Greg.

'Waar ga je heen, mam?' vroeg Kitty achterdochtig. Ze ging op het nu dichtgeklapte wc-deksel zitten en haar blik boorde zich in de spiegel in de mijne.

'Wil er nog iemand bij?' ontweek ik de vraag terwijl Janet op Kitty's schoot sprong en Sammy op de badrand ging zitten en aan een banaan begon. Het werd een beetje krap in de badkamer.

'Ik ga wat drinken met de uitgever van *Psychotherapy Today* om over een artikel dat ik voor ze schrijf te praten, ik ben om negen uur weer thuis.' Kijk, ik flapte het er zo uit, helemaal kant-en-klaar, als een in cadeaupapier verpakt leugentje uit de doos *Leugens voor iedere gelegenheid*. Ik was kennelijk toch dubbelhartig van nature.

Ik deed snel mijn huiswerk voor Latijn en Engels (het was niet echt mijn huiswerk, maar het leek er toch verdomd veel op) zei nog even tegen Bea dat ze niet moest vergeten de kinderen eten te geven en vertrok.

Trouwens, zei ik tegen mezelf terwijl ik naar de metro liep, ik ga alleen maar wat met hem drinken. Als een vrouw met een andere man iets gaat drinken, wil dat nog niet zeggen dat ze een verhouding met hem heeft.

Raindrop stond op zijn eigen plekje voor het station de daklozenkrant uit te venten. Zijn persoonlijke verkooptruc was dat hij zong onder het werk; hij brulde zonder wijs te houden: 'Raindrops Keep Falling on My Head', ongeacht de weersomstandigheden. Verder ging zijn repertoire niet. Hij knipoogde in herkenning naar me met zijn treurige bruine ogen terwijl ik mijn schuldgevoelbelasting voldeed. *It won't be long till happiness steps up to greet me.* Vandaag leek hij alleen voor mij te zingen.

Potter Lane was een donker smal zijsteegje van Beak Street. Ik kon me niet aan de indruk onttrekken dat dit net het soort plekje was waar Jack de Ripper zich thuis zou voelen. Ik duwde de zware eikenhouten deur van nummer 23 open en bleek me in een van de vele besloten clubs in Soho te bevinden. Deze ademde de sfeer van verlopen chic. De vloer liep scheef, er stonden sjofele leunstoelen en kasten vol boeken. Overal hingen ingelijste cartoons, door elkaar, van het plafond tot de vloer. Ik dacht dat ik er eerder was dan hij en wilde net naar de wc gaan voor een laatste controle toen zijn hoofd opdook vanachter een leunstoel met een hoge rugleuning die voor een laaiend haardvuur stond. Hij stond op en liep op me af, nam mijn hand en drukte hem ouderwets galant tegen zijn lippen, terwijl hij me diep in de ogen keek.

'Wat leuk is het hier. Wat is het eigenlijk? Waarom hangen al die cartoons er? Mag iedereen erin of moet je lid zijn? Ik heb nooit geweten dat dit hier zat,' rebbelde ik. Ivan legde een vinger op mijn lippen en trok me op een bank. God, wat een sexy man. Ik haalde diep adem om mezelf in de hand te krijgen.

'Ik ben zenuwachtig,' zei ik toen gewoon.

'Weet ik,' zei hij. 'Ik ook.'

Hij droeg een fraai gesneden donker pak, en een wit T-shirt in plaats van een overhemd en das. Zijn gezicht was glad geschoren en voor het eerst viel me een littekentje in zijn linkerwenkbrauw op. Hij streek zijn donkere haar steeds weer naar achteren met zijn rechterhand. Aan de slapen werd hij subtiel grijs: Vadertje Tijd klopte hem vriendelijk op de schouder. Hij boog voorover, haalde een pakje uit het koffertje dat naast hem stond en gaf het aan mij. Er zat een Russisch-Engels woordenboek in.

'Om je bij toekomstige raadsels te helpen,' zei hij. En toen begonnen we elkaar onze geschiedenis te vertellen en ik merkte dat ik me te buiten ging aan dat leuke flirterige gedoe, waarbij je anekdotes vertelt die laten zien hoe interessant en schattig je bent, als een chef-kok die met een keur aan *amuses* de eetlust van zijn gast prikkelt.

'En toen ik vijf was,' hoorde ik mezelf zeggen, 'dacht ik dat ik een koningskind was, een geheime liefdesbaby die bij mijn ouders op de stoep te vondeling was gelegd. Ik lag 's avonds wakker te wachten tot mijn echte ouders me op kwamen eisen.'

Ivan maakte cartoons. Dat verklaarde waarom we, zoals ik nu te horen kreeg, op de te stijf opgevulde bank in de London Cartoonists' Club zaten. Hij had zijn vrouw Becky leren kennen toen hij een postdoctoraalstudie deed in wat vroeger Leningrad heette en nu weer Sint-Petersburg. Zij studeerde Russisch en kwam een jaar aan de universiteit daar studeren. Ivan maakte cartoons voor het satirische blad de *Krokodil*, maar hij kwam in conflict met het systeem omdat hij een cartoon had gemaakt van Brezjnev als hond aan de riem bij Margaret Thatcher. 'Het was gekkenwerk om zoiets te tekenen, maar ik had geen illusies meer over mijn vaderland en geloofde de leugens die we te horen kregen niet langer.'

Om aan de onvermijdelijke represailles te ontkomen trouwde hij snel met Becky en ontvluchtte het land.

'Toen ik jong was, was ik niet zo'n Rus die ervan droomt naar het Westen te gaan,' zei hij. 'Ik had altijd ontzettend veel medelijden met mensen die geen Sovjetburgers waren. Ik geloofde echt dat ons land het beste ter wereld was. Nu begrijp ik natuurlijk wel waarom ze het ons zo lastig maakten om naar het buitenland te reizen. Dan hadden we direct gezien hoe moeilijk wij het in vergelijking hadden en wat voor leugens we te horen kregen.' Tegenwoordig maakte hij cartoons voor de *Times* en hij had BV leren kennen omdat zij hem gevraagd had de illustraties bij haar boek over het celibaat te maken.

Hij nam mijn hand in de zijne, zijn huid voelde warm en opwindend in de mijne.

'Chloe, ik wil het je niet moeilijk maken. Je hebt nog jonge kinderen, die van mij zijn het huis al uit.' Met iedere minuut die voorbijging werd het terrein gevaarlijker, en het had me niet verbaasd als er een neonlicht achter zijn hoofd was aangeflitst met de woorden: PAS OP. Ik knikte en keek zenuwachtig op mijn horloge. Het was halfnegen. Ik zou me moeten haasten om voor mijn zelfopgelegde avondklok van negen uur binnen te zijn.

'Zullen we deze week een keer samen gaan eten?' stelde Ivan voor terwijl hij me in mijn jas hielp. Ik wilde hem op zijn wang kussen en merkte toen dat zijn lippen zich op de mijne drukten. Ik verloor mezelf in zijn mond en mijn hele lichaam voelde warm aan, zoals een haardvuur je verwarmt als je uit de kou binnenkomt. Ik had me in geen jaren zo gevoeld, zo gretig om me over te geven, zo hunkerend naar lichamelijke intimiteit, me zo bewust van het feit dat ieder cliché over liefde en aantrekkingskracht de gevoelens waaraan ik ten prooi was volmaakt beschreef. Toen we uit elkaar gingen, zag ik mijn eigen verlangen in zijn ogen weerspiegeld en hij drukte een papiertje in mijn hand, met de krabbels die ik weliswaar nog niet begreep maar die me wel vertrouwd voorkwamen: *Ty mne otsjen i otsjen nravitsa. Prichodi ko mne na oezjin, v pjatnitsoe v vosem tsjasov, St. Petersburg Plejs 125.*

Ik popelde om in de metro met mijn nieuwe woordenboekje de boodschap te ontcijferen, maar ik kwam er algauw achter dat het hopeloos was. Ik moest terug naar mijn mannetje van de Wolga. Ik stond niet langer op de rand van een afgrond, mijn tenen staken er al gevaarlijk overheen.

'*And if this ain't love, why does it feel, why, why does it feel so good?*' neuriede ik terwijl ik over het perron liep. Toen, zoals dat zo vaak gebeurt met stemmingen, sloeg die van mij plotseling om van uitgelatenheid in een diepe vermoeidheid. In de metro zag ik een stel dat ruziemaakte, zo te horen in het Portugees. Hoewel ik ze niet verstond, vertelden hun lichamen hun verhaal maar al te goed. Zij zat zo ver mogelijk van hem vandaan, ineengedoken in een hoekje, terwijl hij naar haar overboog en haar om vergeving smeekte. Ze staarde uit het raam het donker in, haar ogen waren koud, haar blik bikkelhard, en haar afgewende lichaam weerspiegelde de afstand tussen hen tweeën, die groter leek te worden bij iedere meter die de metro aflegde. Hij praatte steeds harder, maar ze sloeg geen acht op zijn smeekbeden en de volgende halte ging hij eruit. Haar ogen volgden hem, ze strekte haar hals voor een laatste blik toen de metro zich in beweging zette, en toen draaide ze haar gezicht weer naar het koude glas waarin ik de tranen die over haar wangen naar beneden rolden weerspiegeld zag. Het begint met een kus, en hier eindigt het mee.

Ik dacht eraan hoe Greg en ik elkaar hadden leren kennen. In 1984, op een koude novemberavond. Ik had kort daarvoor de bons gekregen van mijn vriendje van de universiteit, Geoff, met wie ik drie jaar was gegaan, en ik was nog in het stadium dat ik naar oude foto's van ons tweeën wilde kijken met een vochtige tissue tegen mijn ogen gedrukt, en ik me wentelde in zelfmedelijden en periodiek alcoholisme, die zo vaak met een verloren liefde samengaan. Het was natuurlijk meer een kwestie van gekwetste trots dan een gebroken hart. Ik had al lang genoeg van Geoff, maar die klootzak was me voor geweest en had het uitgemaakt. Mijn vriendinnen kregen genoeg van mijn gezeur en BV, die af en toe met een jazzsaxofonist sliep, had me meegetroond naar Ronnie Scott. Ik had een hekel aan jazz, vooral aan de free jazz die die avond gespeeld werd; die klonk als het gezoem van een kamer vol vliegen. Ik was net op weg naar buiten, weg uit die warme, rokerige ruimte, toen ik Greg met een biertje bij de bar zag staan: lang warrig haar, strakke zwarte spijkerbroek. Hij had lange benen, een kuiltje in zijn linkerwang en een lekker kontje. We begonnen met elkaar te praten, zoals dat gaat in een jazzcafé: hard, om boven de muziek uit te komen.

'Ik heb altijd gedacht dat ik een te vondeling gelegd koningskind was,' tetterde ik. Een langslopende serveerster legde ons het zwijgen op.

'Laten we hier weggaan,' zei Greg. Hij pakte me bij mijn hand en trok me mee de regen in. We kwamen erachter dat we het allebei heerlijk vonden om in de regen te lopen en we werden doornat, stonden alleen stil in een portiek om te zoenen tot de behoefte aan privacy ons naar zijn etage dreef, waar we de hele nacht met elkaar vrijden.

'Ik heb me nog nooit zo gevoeld,' zei hij toen hij tijdens een korte onderbreking naast me lag. 'Ik heb er alleen altijd op gehoopt.'

Hij voelde helemaal goed en ik legde mijn hoofd op zijn borst alsof ik eindelijk thuisgekomen was. We bleven een week in bed, de gordijnen dicht, gingen er alleen maar uit om in de keuken wat te eten te halen wat een van ons dan op een blad naar de ander in bed bracht.

Eindelijk – met tegenzin – moesten we wel opstaan en ons leven weer in de hand nemen. Ik was toentertijd met mijn postdoctoraal bezig en zat in therapie bij ene meneer Jolly – van naam dan, niet van karakter. (In het begin van mijn puberteit was ik al eens met hem in aanraking gekomen, toen ik door mijn ouders naar hem toe werd gestuurd. Dat was in het jaar dat oma Bella stierf, en ik iedere keer als mijn vader wegging een angstaanval kreeg en begon te huilen. Bij mijn eerste bezoek liet meneer Jolly me op een stoeltje voor een formica tafeltje plaatsnemen en legde hij me het ene na het andere vel inktvlekken voor. Ik overwoog wat ik zou zeggen – 'vlinder', 'gehoornd monster', 'twee mensen die elkaar kussen' –, afhankelijk van hoe gestoord ik op hem wilde overkomen. Later maakte ik een keer een tekening voor hem van een man op de maan. 'Aha,' knikte hij wijs. 'Pappa maan gaat naar mamma maan om een kindje te maken.' Ik weet nog dat ik dacht, hoewel ik het niet zei: nee, sukkel, het is een man op de maan. Als pap en mam willen neuken, dan kunnen ze dat gewoon thuis doen. Dus na dit weinig veelbelovende begin van onze relatie was het nogal ironisch dat ik zo veel jaar later bij hem bleek te zijn ingedeeld toen ik met mijn opleiding psychotherapie begon.

'Dat iets je vertrouwd voorkomt, wil nog niet zeggen dat het noodzakelijkerwijs goed is,' had hij gezegd toen Greg en ik nog in onze eerste roes verkeerden. Hij sprak zijn klinkers rollend uit, alsof hij een snoepje over zijn tong liet gaan. Hij tuurde irritant over zijn bril met hoornmontuur, zijn glanzend gewreven schoenen netjes naast elkaar alsof hun plekjes zorgvuldig waren opgemeten en aangegeven. Mamma schoen en pappa schoen liggen naast elkaar om kindjes te maken, dacht ik boosaardig. Ik kwam tot de conclusie dat ik een hekel aan hem had. Dus zei ik hem op en ging in zee met Mrs Kleinmann, die veel beter bij me paste. Greg en ik trouwden drie jaar later.

Toen ik uit het station kwam, botste ik tegen Lou op. Ze had twee flessen wijn bij zich, die ze snel in een tas stopte toen ze mij in het oog kreeg. We hadden elkaar sinds James en zij uit elkaar waren over de telefoon gesproken, maar dit was de eerste keer dat ik haar weer zag. In overeenstemming met de regels die het gedrag sturen van vrouwen wier relatie net is afgelopen, had ze haar haar in een radicaal nieuw kapsel laten knippen.

'Je denkt dat je alles hebt en dan kom je erachter dat je niets hebt,' zei ze, terwijl ze de ring aan haar pink steeds maar ronddraaide. 'Ik heb het gevoel dat ik alles kwijt ben.'

Alles, daar kon ik me geen oordeel over vormen, maar ze was in ieder geval een hoop gewicht kwijt. Ze zag er fantastisch uit, haar lichaam in ieder geval. Haar gezicht wat minder. Laat Atkins maar zitten, het scheidingsdieet zou als het meest succesvolle afslankmiddel ter wereld op de kaart gezet moeten worden. Alleen al hierom had ik zin om naar huis te rennen en tegen Greg te zeggen dat hij verleden tijd was.

'Het ergste is dat het verdomme allemaal zo'n cliché is. Maree lijkt zelfs op mij, of op de mij van twintig jaar geleden. Ik wist niet dat hij een ander had. Ik dacht dat we elkaar wat meer ruimte zouden geven,' ging Lou door. Ik sloeg mijn armen om haar heen en knuffelde haar; ik wist niet wat ik moest zeggen.

'Over een tijdje gaat het weer beter met je, Lou,' zei ik. 'En wie weet is dit niet meer dan een dipje.'

'Hij is bij haar ingetrokken en heeft een motor gekocht. Die klootzak. We hadden een leven samen, Chloe. Het was misschien niet volmaakt, maar het was ons leven.'

'Hoe is het met de kinderen?'

'Die zijn woedend.' Ze haalde haar schouders op. 'Waarom heeft hij alles kapotgemaakt? Waarom gaat hij niet gewoon stilletjes af en toe vreemd?'

Ik liet haar achter voor het huis dat eens haar thuis was geweest en dat nu haar gevangenis was geworden. Het huis dat haar aan het verleden vastketende; elk boek, elk schilderij, iedere koffiekop was een herinnering aan het leven dat James en zij gedeeld hadden, alle vier kinderen de belichaming van wat hun liefde had geschapen.

'Waar het om gaat,' zei Ruthie wijs toen ik haar de volgende dag tijdens een snelle lunch sprak, 'is dat mensen altijd de belachelijke behoefte voelen om alles op te biechten, alsof het allemaal weer in orde is als je je schuld inlost en het tot iemand anders zijn ellende maakt. Als je ontrouw wilt zijn, houd dan je bek en leef met de gevolgen. *Biecht nooit op: als je niet op de blaren wilt zitten, moet je je billen niet branden.*'

We hadden het over Lou en James.

'Is dat Regel Twee?' vroeg ik.

Ze lachte. 'Moet ik een handleiding schrijven? Regel Twee leidt regelrecht naar Regel Drie.'

'En Regel Drie is?'

'*Vertel het aan niemand.* Er is een Joods spreekwoord dat het beter verwoordt: *jouw vrienden hebben ook weer vrienden. Vertel het ze niet.*'

'Maar dat geldt toch niet voor jou? Als ik het niet aan jou vertel, is het alsof ik het niet aan mezelf vertel.'

Maar in wezen had ik haar niet zo veel over mijn afspraakje met Ivan verteld. Ik probeerde sterk te zijn en hem te weerstaan. Het was niet gemakkelijk. Ik dacht voortdurend aan hem en zijn laatste sms'je was geweest: IK KAN NIET WACHTEN OM JE IN MIJN ARMEN TE NEMEN.

Greg was in een goede bui toen ik de avond daarvoor was thuisgekomen.

'Ik heb ze tuk,' zei hij en hij duwde me een brief onder mijn neus. 'De gemeenteraad. Ze weten niet wat ze moeten doen, ze weten dat ze de wet tegen zich hebben.'

In bed begon ik over ons gebrek aan seks en ons onvermogen om een normaal gesprek te voeren, in plaats van die onpersoonlijke communicatie die je eerder bij zakenpartners verwacht. Heb jij de loodgieter gebeld? Weet jij het nummer van de tandarts? Maar al snel hoorde ik aan zijn gelijkmatige ademhaling dat hij in slaap was gevallen. 'En ik zeg je…' mompelde hij nog. Toen knorde hij even en zweeg.

9

Volodja's Siberische pel'meni

2 koppen bloem	3 eieren
1 kop melk of water	500 g half-om-half gehakt
½ theelepel zout	1 ui
1 eetlepel plantaardige olie	Peper en zout naar smaak

Doe het vlees in een kom. Voeg gesnipperde ui, peper en zout toe. Voeg om het mengsel wat smeuïger te maken een beetje melk toe. Zet weg. Meng de bloem met de eieren, de melk, zout en olie tot een zacht deeg. Kneed op een bestoven werkblad tot het deeg elastisch is. Neem het deeg en rol er een 'worst' van (2½ cm doorsnede). Verdeel in stukken (2½ cm dik). Rol ieder stuk uit tot het 1½ mm dik is. Neem een glas of een kopje (doorsnede 5 cm) en steek rondjes uit het deeg. Vul ieder rondje met een theelepel gehakt en vouw tot halvemaantjes. Duw de randjes vast en plak de puntjes tegen elkaar. Pel'meni kunnen ingevroren worden om later te gebruiken of ogenblikkelijk bereid worden. Om pel'meni te koken zet je een grote pan water met wat zout op. Laat de pel'meni voorzichtig in het kokende water zakken. Kook 20 minuten en roer af en toe. Dien op met boter, zure room of azijn.

Volodja, mijn nieuwe vriend van de Wolga, had zijn poging mij het Russische alfabet te leren opgegeven en vertelde me in plaats daarvan hoe ik Siberische *pel'meni* moest maken. Dat waren die op won ton lijkende met rund- en varkensvlees gevulde noedels die ik bij mijn eerste bezoek in de vriezer had gezien.

'Bij ons in Tomsk,' zei hij, 'komen alle vrouwen aan het einde van de zomer samen en maken ze een heleboel pel'meni. Mijn moeder zette me toen ik klein was op een stoel, gaf me een dampend glas thee met een lepel jam en dan mocht ik toekijken terwijl zij met rode wangen van inspanning aan het werk waren. Daar zat ik dan. Ik nam kleine slokjes thee en luisterde naar het geroddel en het gezang. Het was een wedstrijdje wie de meeste pel'meni kon maken. Als ze klaar waren, werden de pel'meni in papier gewikkeld en in de sneeuw bewaard. In de winter was onze hele achtertuin een vriezer. Als je honger had, pakte je een handje, kookte je ze en at ze op met zure room of azijn. Heerlijk. Hier, neem deze maar mee om thuis te proeven.'

Hij maakte een pakje voor me, stopte het in een boodschappennetje en zei: 'Ze zijn natuurlijk lekkerder als je ze zelf maakt.'

'Grappig dat elke cultuur zijn eigen noedels heeft,' merkte ik op.

'Ze geven troost en ze vullen de maag, hè. Soulfood.'

'Eten kan een hele troost zijn,' zei ik terwijl ik dacht aan oma Bella die die heerlijke stukjes brood in mijn mond stopte terwijl ze me zachte klopjes gaf. 'Mijn dochter Kitty noemt het "je gevoelens eten".'

Toen ik de winkel was binnengekomen, had ik een onaangename verrassing gehad: Volodja zat thee te drinken met Bea en Zuzi, met z'n drieën aan een tafeltje achterin terwijl ze zaten te ruziën in het Engels met een zwaar accent.

'Ik wist niet dat jullie elkaar kenden,' zei ik, van mijn stuk gebracht.

'We werken aan de Tsjechisch-Russische betrekkingen,' zei Volodja met een glimlach. 'Dit doen we door over de boeken die we gelezen hebben tegen elkaar te schreeuwen.'

'Dit is onze leesclub,' zei Bea.

'Ja,' zei Volodja. 'We hebben nu ruzie over *Anna Karenina*.' Hij wees naar Zuzi. 'Zij zegt dat het Anna's verdiende loon was dat ze stierf omdat ze haar echtgenoot bedrogen had, maar ik denk dat mensen weerloos zijn tegenover passie en dat iedereen de liefde moet plukken waar hij hem ziet.'

'Jullie Russen zijn altijd zo heethoofdig met jullie passie hier en passie daar,' ging Zuzi ertegenin, haar mooie gezichtje rood van woede. 'Die passie, die doet andere mensen verdriet.'

'Anna Karenina's fout was dat ze haar liefde voor Wronski niet geheim heeft gehouden. Ze had stilletjes een relatie met hem kunnen hebben zonder iemand verdriet te doen,' deed ik tot mijn eigen verrassing een duit in het zakje. Volodja wierp me een veelbetekenende blik toe.

'Maar goed,' zei hij, 'met dit boek zijn we klaar.' Hij pakte een boek op van het tafeltje voor hem. 'Laten we dit nu gaan lezen.'

Het was *Dokter Zjivago*. Heel toepasselijk.

'Dat kennen jullie toch allemaal wel?' vroeg ik. (Op mijn achttiende heb ik me een zomer lang op de Russische klassieken gestort, verteerd door het tienerverlangen om het antwoord op de grote levensvragen te vinden, en bovendien op zoek naar mijn roots. Uiteraard stond *Dokter Zjivago* boven aan de lijst.)

'Ik niet,' zei Volodja. 'En zij doen net alsof ze het niet gelezen hebben, net zoals ze net doen alsof ze geen Russisch verstaan.' Hij keek hen uitdagend aan en voegde eraan toe: '*Na samom dele, vy vsjo ponimajete.*'

Bea en Zuzi keken kwaad.

'Wat betekent dat?' vroeg ik.

'Hij zegt: eigenlijk verstaan jullie alles,' zei Zuzi, en toen drong het tot haar door dat ze daarmee zijn gelijk bewees. Ze klakte geërgerd met haar tong.

'Echt, wij hebben *Dokter Zjivago* niet gelezen,' zei Bea, 'dus vertel ons alsjeblieft niet hoe het verhaal gaat.' Ze nam Zuzi bij de arm en ze vertrokken. Het was duidelijk dat Zuzi zich niet alleen in mijn huis had geïnstalleerd, maar ook in de buurt.

'Heb je weer een briefje om te vertalen?' vroeg Volodja toen ze weg waren. 'Maak je geen zorgen,' voegde hij eraan toe toen hij mijn bezorgde gezicht zag, 'ik roddel niet.'

'Het spijt me dat ik je weer lastig moet vallen, Volodja.'

'Onzin, wij Russen zijn dol op samenzweringen.' Hij keek naar Ivans briefje en lachte.

'Wat staat erin?'

'"Ik mag je heel erg graag. Eten bij mij thuis, vrijdag om 8 uur, St. Petersburgh Place 125". Pas op, Chloe, Russische mannen doen alles om te krijgen wat ze willen, vooral als het om de liefde gaat.'

'Ik vraag me af wat hij gaat klaarmaken,' peinsde ik. Toen bedacht ik dat het hier niet om het eten ging: als ik erheen ging, zou ik met hem naar bed gaan.

Op een *carpe diem*-momentje sms'te ik naar Ivan dat ik zou komen. Ik had nog minder dan twee dagen, dus was het tijd om me voor te bereiden. Eerst ging ik langs Absolutely Gorgeous voor een drastische ontharing. Er zaten vier of vijf andere vrouwen bij de receptie, allemaal aan het begin van de middelbare leeftijd, en allemaal in het edele gevecht verwikkeld om hun tanende schoonheid vast te houden. Maar ik vroeg me af of dat de enige reden was dat we daar waren. De definitie van een goede echtgenoot was vroeger 'een man die je met rust liet', maar wat eens een compliment was geweest, was nu een klacht. Verstoken van lichamelijke liefde moesten we onze toevlucht nemen tot betaalde massages en gezichtsverzorging. Op deze manier werden we tenminste aangeraakt, al wisten we heel goed dat het maar een armzalig surrogaat was voor de intieme aanraking van een man die jou begeert en door jou begeerd wordt. Als schoonheidsbehandelingen niet langer voldoen, neem je een minnaar, dat is de volgende stap.

Mijn schoonheidsspecialiste had een zwaar Zuid-Afrikaans accent en droeg een strak wit uniform met een badge op haar linkerborst die verkondigde dat ze 'Jaquee' heette. Ze had de irritante gewoonte om 'O ja?' te zeggen, als antwoord op alles wat ik opmerkte.

'Ik wil mijn wenkbrauwen ook graag laten doen.'

'O ja?'

Ik zei dus zo min mogelijk en knikte toen ze me vroeg of ik de speciale bikiniwax wilde, zonder te beseffen dat dit een 'Brazilian' betekende. Ze wreef me doortastend af, als een moeder die haar kind verschoonde, goot hete wax over mijn allerintiemste delen, en trok bijna iedere haar *daar beneden* eruit, zodat ik niet meer dan een landingsbaantje middenvoor overhield. 'O ja?' Ik was te overrompeld om het uit te schreeuwen van de pijn en gaf me zwijgend over aan de verdere behandeling: wenkbrauwen fatsoeneren, benen waxen en zo. Ik voelde me net een kip, geplukt en panklaar. Godzijdank had mijn huid nog twee dagen om die rode gloed kwijt te raken en weer gewoon wintergeel te worden.

Ik verheugde me al op een klein slaapje om bij te komen van het trauma, maar trof thuis BV en Jessie in de keuken aan. BV deed de ijskast open, nam de inhoud door, sloot zonder er iets uit te nemen de deur weer en ging zitten. We hebben allemaal de dwangmatige behoefte elkaars ijskast door te nemen. Dat doen we al dertig en nog wat jaar. Vroeger propten we de inhoud naar binnen met de overgave die eigen is aan jonge meisjes in de groei. Nu we niet langer meer wilden groeien, namen we plaatsvervangend genoegen met gewoon onze ogen de kost te geven.

'Wat zie je er leuk uit,' zei ik tegen Jessie, die een nieuw truitje droeg en een minder gekwelde indruk maakte dan gewoonlijk.

'Let maar niet op haar, kijk naar mij,' zei BV. Ze duwde Jessie opzij om zichzelf in mijn gezichtsveld te posteren. 'Zie ik er niet fantastisch uit? Ik heb het vet uit mijn kont laten wegzuigen en het in mijn lippen en wangen laten spuiten.'

Haar mond was getuit tot een gekunstelde O. Het zag eruit als een soort mond die alleen maar gelukkig kon zijn als er een flinke pik tussen de lippen geplaatst werd. Maar, bedacht ik, dat was waarschijnlijk de uitstraling waar ze op uit was, nu ze zo vastbesloten terug was in het zadel met Jeremy.

'Hmm, mooi ja,' zei ik plichtmatig. 'Maar kun je na dat vet wegzuigen nog wel met Jeremy aan de gang?'

'Jawel,' zei ze. 'Ze zijn heel knap tegenwoordig. Ik heb twee piepkleine incisies, op iedere bil een, en die kan ik makkelijk bedekken met een kruisloos slipje.'

Ik had er spijt van dat ik het gevraagd had.

'Ik ga naar mijn kamer,' zei Jessie haastig. 'Ik bedoel, naar boven,' verbeterde ze zichzelf. We konden het extra kamertje boven net zo goed haar kamer noemen. Ze had er de afgelopen week vrijwel iedere nacht doorgebracht, en elke keer dat ze kwam pakte ze de tas die ze mee had genomen helemaal uit, zodat de kasten inmiddels vol lagen met haar bezittingen. Een paar dagen eerder had ik Sammy en haar samen aangetroffen, gebogen over een kleurenstaal. Hij had aangeboden de kamer voor haar te schilderen. Ze hadden er niet aan gedacht om te vragen of ik dat goedvond, en het kwam pas later in me op dat ze dat wel hadden moeten doen. Hoe kon ik verwachten dat anderen rekening hielden met mijn grenzen als ik me er zelf amper van bewust was?

BV leuterde door over celtherapie, een nieuwe behandeling die ze overwoog, waarbij ze je eigen cellen in een laboratorium op kweek zetten en ze daarna weer terug injecteren, waardoor je tot de volle glorie van je vergane jeugd wordt teruggebracht.

'Je moet echt eens naar Rasa Rastumfari,' zei BV. 'Weet je wat, je krijgt voor je verjaardag van mij een sessie met hem cadeau. Hij komt uit Afghanistan en hij heeft een wachtlijst van twee jaar.'

'Waarom? Zal hij het vet in mijn lichaam kunnen verplaatsen?' vroeg ik met geveinsde belangstelling.

'Hij is dé expert op het gebied van colonspoelingen. Echt top. Als je bij hem geweest bent, voel je je helemaal fris, vanbinnen en vanbuiten. Het is misdadig om geen anale seks te hebben.'

'Klinkt als een goede reden om niet naar hem toe te gaan,' zei ik. 'Trouwens,' voegde ik eraan toe, 'voor 1967 was het juist een misdaad om wél anale seks te hebben.'

'Wat ben je toch preuts,' zei ze. Haar ogen kregen de dromerige blik die samengaat met herinneringen. 'Gisteren wilde Jeremy me net penetreren toen...'

Ik stak mijn vingers in mijn oren en zong luid om de intieme details niet te hoeven horen. BV mepte naar me met haar *Celebrity*

Today, die ze listig zodanig had gevouwen dat ik de foto van haar die een hele pagina in beslag nam wel móést zien.

'Je ziet er anders uit, Chlo. Wat heb je gedaan?' Ze bekeek me nieuwsgierig.

Ik bloosde: zelfs BV was de gloed van het voorgenomen overspel die me verlichtte opgevallen. Gelukkig duurde het niet lang voor ze het gesprek weer op zichzelf had gebracht.

Ik kon die nacht amper in slaap komen. De opwinding van een kind, op de avond voor kerst, vermengd met de zorg van een volwassene voor hij of zij iets verkeerds gaat doen. Ik lag daar en mijn eigen versie van 'Aquarius' speelde constant door mijn hoofd terwijl Greg naast me lag te woelen in zijn slaap:

This is the dawning of the day of Adultery
The day of Adultery
Adultery!
Adultery!

En inderdaad brak een paar uur later die Dag aan. Ik sloot me op in de badkamer en inspecteerde uitgebreid mijn bikinilijn. De roodheid was grotendeels weg en ik zag er min of meer normaal uit, zij het een beetje kaal. Gelukkig dat mijn man zo weinig belangstelling voor mijn naakte lichaam had; een oplettender echtgenoot had zich wellicht afgevraagd wat ik van plan was. Ik bekeek mijn gezicht kritisch en draaide de dop van een potje oogcrème af (voor een gram betaalde je de goudprijs). Het dekseltje glipte uit mijn handen en viel op de vloer. Toen ik er op handen en knieën naar zocht haalde ik verschillende artikelen onder een kastje vandaan: een verdwaalde sok, drie pennen, twee stofballetjes, een knoop en... een doosje Grey Away. Op het retro jaren-vijftigblikje stond een vrouw met rode lippen die bewonderend naar een man met glad, zwart haar keek.

Gebruik Grey Away om uw natuurlijke haarkleur te herstellen en de man te worden die u eens was. Dit vervangend melaninepreparaat

geeft u in één makkelijke stap uw jeugd terug: geen handschoenen,
geen verf, geen gedoe. Roep Vadertje Tijd een halt toe en voel u weer
jong.

Ik had Gregs geheim ontdekt. Ik was kennelijk niet de enige die
in een midlifecrisis zat. Wie zou gedacht hebben dat mijn nuchtere
echtgenoot het vervelend vond om grijs te worden? Was melanine
de bron van zijn potentie en verlangens, net als Samsons haren de
bron van zijn legendarische kracht waren geweest? Was het verlies
aan melanine er de oorzaak van dat hij zijn belangstelling voor seks
verloren had? Ik legde het blikje zorgvuldig terug op de plek waar
ik het had aangetroffen.

Later, toen Greg al met één in een nieuwe, knalrode dodeman-
nenschoen gestoken voet buiten de deur stond om naar de praktijk
te gaan, zei ik tegen hem dat ik die avond een vergadering had van
de Koninklijke Vereniging van Psychotherapeuten. De leugen gleed
als honing van een lepel van mijn tong af. 'Het zou wel eens laat
kunnen worden,' voegde ik er voor de zekerheid nog aan toe, behoorlijk onder de indruk van mijn eigen slechtheid.

Woedende Walter bracht een doos mee met zijn correspondentie
met het gasbedrijf om te rechtvaardigen waarom hij de meterop-
nemer de dag daarvoor een dreun had verkocht. Het was een ingewikkeld, maar bekend verhaal van gemaakte en gemiste afspraken
en dubbelbetaalde en niet-teruggestorte rekeningen.

'Ik ben tot het uiterste gedreven, tot voorbij de grenzen van wat
een mens kan verdragen. Iedereen zou hetzelfde gedaan hebben,'
zei hij.

Er hing hem een veroordeling wegens geweldpleging boven het
hoofd, en dat maakte hem alleen maar nog woedender.

Gentleman Joe bracht het grootste deel van zijn consult in tranen door. 'Ik wil gewoon een gezinnetje stichten met een lieve
vrouw,' zei hij. 'Is dat te veel gevraagd?'

Ik had zo veel medelijden met hem dat ik even overwoog of het
ethisch verantwoord was hem met een vrijgezelle vriendin van me
in kennis te brengen die de afgelopen twintig jaar tevergeefs naar

de Ware Jacob had gezocht. Ik probeerde hem er zachtzinnig op te wijzen dat het beter was niet te duidelijk met je bedoelingen te koop te lopen als het om verhoudingen ging. Mogelijke partners ruiken de zware lucht van de wanhoop op een kilometer afstand en nemen de benen alsof het om antrax gaat.

Ik stond op het punt om me klaar te maken voor mijn vertrek toen pap me belde om me te vertellen dat er ter ere van hem een gala-avond gehouden werd in de Royal Albert Hall.

'Geweldig, pap. Ik ben trots op je.'

'Ze denken vast dat ik binnenkort de pijp uit ga,' zei hij opgewekt.

Ik zocht angstig naar ongeverfd hout om het op af te kloppen. Ik vond niets, dus klopte ik in plaats daarvan met beide handen op mijn hoofd (in onze familie is het hoofd tot een passend houtsubstituut verklaard als het erom gaat kwade geesten te verdrijven en het geluk te waarborgen). Ik had er een hekel aan als pap grappen over de dood maakte.

'Helga komt ervoor over. Misschien kunnen zij en jij eens met elkaar kennismaken.'

'Dat lijkt me fijn, pap. Ongelooflijk dat je haar zo lang verborgen hebt gehouden.'

Hij ging in de tegenaanval. 'Hoe zit het met die Rus van je?'

'Niks aan de hand,' loog ik.

'Ha, mij hou je niet voor de gek. Volgens Shakespeare ben ik een wijze vader.'

'Hoe bedoel je?'

'Hij heeft gezegd: "Het is een wijze vader die zijn eigen kind kent".'

Bij wijze van antwoord zong ik mijn versie van 'Aquarius' voor hem.

Ik besloot een spijkerbroek aan te trekken. Ik wilde er niet uitzien alsof ik te erg mijn best had gedaan. Het feit dat ik die spijkerbroek speciaal voor de gelegenheid had aangeschaft en dat het ding ontstellend genoeg honderdvijftig pond kostte, doet er nu even niet toe. Gezien de rekening van de schoonheidsspecialiste en al die nieuwe kleren bleek dat overspelgedoe een kostbare aangelegenheid. En dan was ik aan het overspel zelf nog niet eens toegekomen. Het zou stom zijn om nu geen waar voor mijn geld te krijgen, maar ik worstelde nog steeds met mijn geweten. Zou ik wel of zou ik niet? Ik probeerde er met mezelf 'papier steen schaar' om te spelen, maar ik besefte al snel dat je rechterhand wel degelijk weet hoe je linkerhand van plan is zich te manifesteren. Greg en ik doen gewoonlijk vijf potjes, en als de inzet echt belangrijk is eenentwintig. Op deze manier nemen we zowel grote als kleine beslissingen, en we hebben jaren geleden een overeenkomst getekend dat de uitkomst van 'papier steen schaar' nooit, onder geen enkel beding, aangevochten kan worden. Zodoende wonen we in Queen's Park en hebben we twee kinderen, en het is zelfs de reden geweest waarom Greg een keer een week lang een halve snor heeft gehad.

Kitty bleef die avond bij een vriendinnetje eten, dus kon ik het huis verlaten zonder haar kritische blik te hoeven ondergaan, hoewel Sammy, die op het muurtje van de voortuin zat en naar de avondlucht keek, langdurig floot toen hij me in de auto zag stappen. St. Petersburgh Place is een zijstraat van Moscow Road in Bayswater. Ik vond het nogal slim dat Ivan een manier had gevonden om net te doen of hij nog in Rusland was, maar ik wist niet of ik wel in London Road in Moskou zou gaan wonen, als die al bestond. Maar ik heb me altijd stateloos gevoeld en vind het prettig te denken dat mijn thuis de plek is waar ik mijn jas ophang. Ik zag dat de Grieken zich de voormalige Russisch-orthodoxe kerk op Moscow Road hadden toegeëigend om er een Grieks-orthodoxe kathedraal van te maken. De geschiedenis van Byzantium herhaalde zich. Het was een wonder dat de straat niet omgedoopt was in Athens Road.

Maar al te snel stond ik voor Ivans donkergroene voordeur. Ik kon amper ademhalen, mijn hart klopte in mijn keel en ik had het gevoel dat ik over moest geven. Kon iets wat me zo'n rot gevoel gaf wel goed zijn? Ik rende de paar treden die naar de straat voerden weer af, vroeg aan een passerende roker om een sigaret en rookte hem op terwijl ik voor Ivans huis op en neer liep. Ik was definitief gestopt tijdens mijn zwangerschap van Kitty en de nicotine, waaraan ik niet meer gewend was, steeg me direct naar het hoofd. Het voelde alsof ik na lange afwezigheid een oude vriend tegenkwam, maar na nog wat trekjes wist ik weer dat die vriend eigenlijk een vijand was. Ik trapte de peuk op de stoep uit, en moest gedwongen door deze zondeval op zoek naar een krantenkiosk om menthol-snoepjes te kopen.

Mijn mobiel ging. Het was Kitty, ze was net thuis.

'Ik voel me niet lekker, mamma,' zei ze. Ze werd weer heel klein nu ze ziek was. 'Ik heb hoofdpijn en ik ben misselijk.'

'Doet je nek pijn? En als je in het licht kijkt, doet dat zeer? Heb je vlekken op je lichaam?' De dreiging van meningitis, die steels en stilletjes als een huurmoordenaar levens tot zich neemt, hing in de lucht.

'Nee, dat is allemaal in orde. Maar ik heb buikpijn. Hoe laat ben je thuis?'

'Dat duurt nog wel een tijdje. Waar is pappa? Geef hem even, dan zorgt hij voor je.'

Greg beloofde me dat hij lief en zorgzaam zou zijn – met andere woorden, dat hij Kitty als dochter zou behandelen en niet als patiënt.

De groene deur verhief zich weer tussen mijn toekomst en mij. Ik belde aan. Ivan deed open, gekleed in kamerjas. Hij was van zijde met een paisleymotief, het soort kamerjas dat je in winkels als Harrods vindt, een kamerjas voor een gentleman die hem draagt als hij de krant leest bij het ontbijt dat door een butler is opgediend. Ik zag dat hij prachtige voeten had, in tegenstelling tot Gregs eigenaardige pootjes. Ik trok mijn jas stevig om mijn lichaam; ik was geschokt. Wat aanmatigend, hij had de avond toch in ieder geval gekleed kunnen beginnen! We wisten allebei waar het op uit zou draaien, maar het zou toch beleefder zijn geweest niet te doen of het resultaat van deze avond al vaststond voor hij überhaupt begonnen was. Ik draaide me om en rende weg. Ik hoorde zijn stem die me nariep.

'Wacht, Chloe.' En toen zijn voetstappen toen hij me op blote voeten achternarende. 'Waarom ren je weg?'

'Ochtendjas,' zei ik, terwijl ik wees.

'Nou en? Ik rende toch ook niet weg toen jij de deur opendeed met alleen een handdoek om?' Hij sprong op en neer om niet op de ijskoude stoeptegels te hoeven staan.

'Dat was iets anders. Ik wist niet dat je zou komen.'

'Hoor eens, het spijt me. Ik ben na mijn bad in slaap gevallen. Ik was van plan om je geheel aangekleed te ontvangen. Kom je nu weer mee naar binnen, en wil je iets drinken terwijl ik me aankleed?'

Gedwee liep ik achter hem aan het huis in. Hij liet me een huiskamer met een hoog plafond binnen, waar een fles wodka in een ijsemmer koel werd gehouden. Aan één muur hing een groot Perzisch tapijt en de andere wanden waren bedekt met boeken en Ivans cartoons. De zware nachtblauwe fluwelen gordijnen waren dichtgetrokken en in de haard brandde een knappend vuur. Een scène klaar voor verleiding.

'Dit heb je eerder gedaan,' zei ik beschuldigend.

'Ik ben negenenveertig, Chloe. Het is misschien een schok voor je, maar ik ben geen maagd meer.'

'Vooruit, ga je aankleden.' Ik maakte het wegjaaggebaar toen hij te dicht bij me kwam. Toen hij weg was, voelde ik me eenzaam en wilde ik dat ik hem niet weg had gestuurd. Ik liep de kamer door, pakte dingetjes op en zette ze weer neer, als een hond die een rondje maakt voor hij kan gaan liggen. Ik had niet verwacht dat ik geïnteresseerd zou zijn in Becky. Haar belangrijkste functie was wat mij betreft gewoon dat ze bestond om aan het criterium van Regel Eén te voldoen. Nu werd ik overvallen door de behoefte alles over haar te weten te komen. Was ze slanker dan ik? Mooier, langer of korter, ouder of jonger? Een foto op de schoorsteenmantel gaf op een paar vragen antwoord. Ik vermeed het opzettelijk om naar de twee tieners te kijken en richtte me in plaats daarvan op de kleine vrouw die me aankeek. Ze had het voorkomen van iemand wier knappe uiterlijk niet meer was geweest dan het vluchtige geschenk van haar jeugd. De jaren die voorbijgegaan waren hadden alle eventuele eerder aanwezige schoonheid doen vervagen en er was niet meer over dan een gewone vrouw met een wat teleurgestelde blik. Bruin haar, lichtbruine ogen, een onopvallend figuur. Naast haar stond een enigszins jongere Ivan. Anders dan zij, op die irritante manier waarop mannen er bij het ouder worden knapper op worden, was hij nu nog aantrekkelijker dan hij toen was geweest. De rimpels hadden zijn gezicht karakter gegeven en gaven hem die sexy doorleefde uitstraling die ik zo onweerstaanbaar vond.

Ik voelde zijn handen op mijn schouders toen hij me omdraaide. Zijn outfit had nog steeds iets onmiskenbaar tijdelijks: een kaki broek en een T-shirt met Bob Dylan erop. Bovendien was hij blootsvoets. Hij gaf me een whiskyglas met ijskoude wodka en hief zijn eigen glas.

'Laten we op z'n Russisch drinken. De eerste toost is op *znakomstvo*, de kennismaking, of in ons geval: op het elkaar beter leren kennen.' Hij hield mijn blik in de zijne gevangen en het was alsof hij mijn naakte lichaam met het zijne aanraakte. 'Hier,' zei hij, terwijl hij me een stukje zwart brood gaf.

'Eerst neem je een slok wodka en dan ruik je goed aan het brood voor je het opeet.'

Het had een doordringende geur, dat het vuur van de wodka temperde en mijn zintuigen met een opwekkende warmte vervulde. Ivan had het uit Moskou over laten komen. 'Je kunt het hier wel kopen, maar het lukt ze niet om de smaak en de textuur echt goed te krijgen.' We gingen op de bank voor het vuur zitten.

'De volgende toost is *Za krasivych zjensjtsjin*: op mooie vrouwen, en in het bijzonder op jou.'

Hij streek mijn haar uit mijn gezicht en de manier waarop hij naar me keek deed me blozen als een meisje dat op het punt staat haar eerste zoen te krijgen. Ik rook iets heel lekkers: hij had gekookt, maar het was duidelijk dat we niet zouden eten. Het was voorbestemd dat we ons in plaats daarvan aan elkaar te goed zouden doen.

Hij raakte me aan; zijn vinger volgde zachtjes de ronding van mijn wang en bleef toen op mijn lippen rusten, alsof hij me vriendelijk tot stilte maande. Hij volgde de contour van mijn mond en tilde mijn kin op terwijl hij zich vooroverboog om me te kussen. Ik snoof hem op, de opwindende onbekende geur van een man wiens lichaam ik nog niet kende. Mijn hart klopte met een mengeling van schuld, verraad en opwinding. God, wat rook hij lekker: muskusachtig en mannelijk als verboden vruchten. Zijn lippen waren zacht en hij zoende heerlijk. (Iemand die slecht zoent, daar ben ik wel achter gekomen, neukt vrijwel altijd ook slecht. Maar al te vaak ben ik in mijn vergooide jeugd uit beleefdheid doorgegaan op de schijnbaar onverbreekbare lijn van slecht zoenen naar slecht neuken: als je je na de kus terugtrok, kon je het ergste etiket opgeplakt krijgen dat er was: een *cock teaser*.) Mijn hele lichaam gaf zich over aan die kus, boog zich naar hem toe en probeerde zo dicht mogelijk bij hem te komen. Ik wilde me in zijn lichaam begraven. Ik hou van een man die weet hoe hij een vrouw moet uitkleden. Geen onhandige ellebogen in je ogen, of haren die tussen ritsen of knopen verward raken. Ivan ontdeed me binnen een paar seconden van al mijn kleding. Voor het eerst in zeventien jaar stond ik volkomen en griezelig naakt voor een man die niet mijn echtgenoot was. Vervolgens verwijderde hij langzaam alle sieraden die deel uitmaakten van mijn gewone wapenrusting: ringen, armbanden, horloge, oorbellen, zelfs het fijne kettinkje om mijn hals; het moest er allemaal af.

'Sieraden staan voor de ketens van de andere mannen die je gekend hebben,' zei hij, 'en ik wil je voor mezelf, onaangetast door je verleden.'

'Maar hoe weet je dat nou? Ik kan ze toch ook voor mezelf gekocht hebben?'

'Is dat zo?'

'Nee.'

Ik was te verlegen om hem aan te kijken toen ik hem begon uit te kleden. Mijn vingers trilden toen ik zijn broek losknoopte, maar toen ik zijn warme huid voelde nam de begeerte het over. Toen hij zijn hoofd naar mijn borst boog, kwamen mijn emoties in een vrije val terecht. Ik sloeg mijn armen en benen om hem heen, mijn zachte huid wreef aangenaam tegen de zijne, die ruwer en behaard was. Zijn mond begon aan zijn weg langs mijn lichaam. Ik gaf me over aan het gevoel, en eindelijk verstomden al die drukke, lawaaierige stemmen in mijn hoofd. Ik bestond alleen voor dit moment, om te kussen en gekust te worden, om te fluisteren, aan te raken en het nieuwe gebied dat hij was met mijn handen, mijn huid en mijn mond te verkennen. Hij lachte hardop toen hij klaarkwam en ik klemde mijn benen steviger om zijn middel omdat ik hem voor altijd in me wilde houden.

Later lagen we in elkaars armen, tevreden en lui nagenietend, wat ik zo lang niet meer had meegemaakt.

'Je bent precies zoals ik me voorgesteld had,' zei Ivan, terwijl hij zorgvuldig een appel schilde met een mesje met een benen heft, en plakjes in mijn mond stopte. Het mesje deed me aan het mes denken waarmee oma Bella vroeger schmalz op brood smeerde. (Hij was vergeten de oven uit te zetten en het eten was uren geleden verkoold.)

'Hoe bedoel je?'

'Zacht, zijdeachtig en sexy. Ik wil de hele nacht met je vrijen.'

We moeten weggedommeld zijn, maar wij werden niet zoals Romeo en Julia gewekt door de zon die door de gordijnen scheen; ik schrok wakker van de oorverdovende sirene en het blauwe zwaailicht van een politieauto. Ik keek op mijn horloge. Het was twee uur in de nacht. Ivan lag naast me te slapen. Het vuur in de haard was bijna uit, op een paar gloeiende kolen na, een echo van de flikkerende resten van opgebrande passie.

'Het woord voor passie en voor lijden heeft in het Russisch dezelfde oorsprong,' had Ivan eerder tegen me gezegd.

Ik hoopte maar dat het een niet noodzakelijkerwijs op het ander zou volgen, hoewel als ik niet snel thuis zou zijn, het lijden er dik in zat. Ik raapte mijn kleren bij elkaar en verdween stilletjes de nacht in, na een zachte kus op de schouder van de slapende Ivan gedrukt te hebben.

Een sensueel bewustzijn van mijn eigen wezen vulde me, omdat ik aangeraakt had en was aangeraakt. De fysieke intimiteit van mijn samenzijn met Ivan had iets in me wakker gemaakt en ervoor gezorgd dat ik kwetsbaar was. Ik besefte hoe lang ik me afzijdig had gehouden en opgesloten had gezeten, alleen maar ziedend in mijn eigen hoofd, terwijl mijn lichaam weinig meer was geweest dan het vaartuig voor mijn geest. Ik besefte hoezeer Greg me gekwetst had door me lichamelijk te verwaarlozen. Het is helemaal niet raar dat ik in het bed van een ander terecht ben gekomen, dacht ik om mijn gedrag voor mezelf te rechtvaardigen: het was veel makkelijker en minder pijnlijk om iemand anders de schuld in de schoenen te schuiven. Ik liep haastig naar mijn auto, stapte in en reed naar huis.

Onderweg repeteerde ik mijn excuses voor het feit dat ik zo onvergeeflijk laat was. Ik was een oude vriendin tegengekomen, we waren naar haar huis gegaan, hadden uren gepraat en waren de tijd helemaal vergeten. Zou dat volstaan? Toen ik langsreed, zag ik het Duivenvrouwtje uit haar raam kijken. Een lamp verlichtte haar witte gezicht en haar lange grijze haar. Ze leek haar hoofd te schudden, draaide zich toen om, trok het gordijn dicht en verdween uit mijn gezichtsveld. Ik had het gevoel alsof ik een ondeugend kind was dat te laat thuiskwam, en dat zij de moeder was die ongerust had zitten wachten.

Mijn eigen huis was in duisternis gehuld: het sliep. Ik voelde me anders dan anders omdat ik ontrouw was geweest, een vreemdelinge, alsof ik mijn plekje verbeurd had in dat huis dat verwarmd werd door de leugen van een gelukkig gezin. Ik trof Sammy roerloos en met gekruiste benen op de vloer van de zitkamer aan. Hij mediteerde met gesloten ogen, zijn ademhaling was diep en regelmatig. Ik ging tegenover hem zitten en keek naar hem. Hij deed zijn ogen langzaam open en keek me aan zonder iets te zeggen. Na een paar seconden stond hij rustig op, nam me bij mijn hand en bracht me naar de keuken.

'Waar ben je geweest, Chlo?'

Ik begon met het conferentie-oude-vriendin-tegengekomen-verhaal, maar hij trapte er niet in. Hij schudde zijn hoofd. 'Dat is nou de reden waarom ik nooit getrouwd ben: ik geloof gewoon niet dat mensen monogaam kunnen zijn. In onze maatschappij in ieder geval niet. Het is het Syndroom van de Honderdste Aap.'

'Wat bedoel je?'

'Je weet toch dat het menselijk lichaam is opgebouwd uit afzonderlijke cellen?' Ik knikte. 'Nou, wij zijn zelf allemaal, stuk voor stuk, afzonderlijke cellen in het lichaam van de mensheid. Dus wat we individueel doen of denken, heeft invloed op ons allemaal. Jij weet daar alles van, Chloe, dat is wat Jung het collectieve bewustzijn noemt, een "eenheid" waarvan we allemaal deel uitmaken.'

'Jawel, maar ik begrijp nog steeds niet wat dat met apen en met monogamie te maken heeft.'

'Het Syndroom van de Honderdste Aap is een spontane verandering in het collectieve bewustzijn, die veroorzaakt wordt als er een kritisch punt is bereikt.'

'En dat betekent…?'

Sammy vouwde zijn benen onder zich en boog zich aandachtig naar me toe, zijn vertellersgezicht dicht bij het mijne.

'In de jaren vijftig van de vorige eeuw leefde er een groep apen op een eilandje voor de kust van Japan. Jarenlang werden ze misselijk als ze een bepaalde soort zoete aardappel aten: die waren te zanderig. Toen bedacht een van de apen dat als je de aardappel waste voor je hem opat, je niet misselijk werd. Al snel wasten alle apen op het eiland de aardappel. En niet lang daarna gingen andere apen op andere eilanden overal ter wereld, die geen contact hadden met de oorspronkelijke aardappelswassende apen, hetzelfde doen. Dus is de theorie dat toen de honderdste aap op het eerste eiland zijn aardappels ging wassen voor hij ze opat, er een kritisch punt bereikt was en het collectieve bewustzijn van alle apen ter wereld beïnvloed werd. Zo is het precies met de huwelijksbeloften:

niemand houdt zich er meer aan. Ik heb het idee dat toen het honderdste stel ze niet meer nakwam en in de rondte ging neuken, het onvermijdelijk werd dat alle andere stellen dat ook zouden doen.'

'Tjee, een interessante theorie!'

'Je begrijpt dus dat het er echt toe doet wat ieder individu doet, omdat het het gedrag van alle andere mensen op de wereld kan beïnvloeden. Ghandi heeft gezegd: "Je moet zelf de verandering zijn die je in de wereld wilt zien." Ik wil niet trouwen, want ik weet niet zeker of ik mijn huwelijksbelofte wel kan houden.'

'Maar het gaat er toch juist om dat als jij trouwt en trouw blijft en als anderen dat ook doen, dat jullie de trend kunnen keren? Het zou het Syndroom van de Honderdste Sammy kunnen zijn.'

'Sari,' verbeterde hij me. Hij schudde zijn hoofd. 'De trend de andere kant op lijkt op het ogenblik te sterk. Neem jou nou, bijvoorbeeld.' '

Ik bloosde; ik schaamde me dat het zo duidelijk aan me te zien was. 'Ghandi heeft toch ook gezegd: "Leef alsof je morgen zou sterven"?' ging ik in de verdediging.

'Maar je zoekt iets bij iemand anders, Chloe, het gevoel compleet te zijn, dat je alleen maar bij jezelf kunt vinden.'

Eerst Ruthie, toen pap en nu Sammy: iedereen leek verdomme wel filosoof annex psychotherapeut.

'Mag een meisje niet een beetje pret maken?' jammerde ik.

'Maar dit heeft ook invloed op anderen, Chloe, niet alleen op jou.'

Hij had natuurlijk gelijk. Dat was het lastige van opgroeien, trouwen en een gezin stichten: je had een collectieve verantwoordelijkheid en alles wat je deed had invloed op de mensen om je heen. Je had geen honderd apen nodig. Jijzelf kon als je de aap uithing alles kapotmaken. Het was alleen raar dat dit besef niet voldoende was om me tegen te houden. Ik had het gevoel dat ik al veel te lang braaf en verantwoordelijk was geweest, en ik kon niet wachten tot ik Ivan weer zag. Ik pelde een banaan en at hem uitdagend op. Sammy lachte.

'Wat je ook doet, je weet dat ik altijd van je hou,' zei hij.

'Ik ook. Ik bedoel, ik hou ook altijd van jou.'

Sammy zat met een mes een stukje hout te bewerken. Zijn tipi in Spanje stond vol met wonderlijke creaties die hij van drijfhout had gemaakt.

'En als je nu eens gelukkig getrouwd bent?' zei hij plotseling.

'Hoe bedoel je?'

'Nou, als een gelukkig huwelijk nu gewoon zo hoort te voelen.' Hij spreidde zijn armen om de keuken, het huis, mijn hele leven te omhelzen. 'Ik bedoel, je bent op zoek naar iets beters, je bent ontevreden met wat je hebt, terwijl je in wezen datgene bezit waarnaar andere mensen op zoek zijn.'

Ik haalde mijn schouders op. 'Iedereen heeft een andere definitie van geluk. Het is zoiets subjectiefs.'

'Je hebt gelijk,' zei hij, terwijl hij me van top tot teen opnam. 'Maar zal ik jou eens wat zeggen? Ook als je objectief bent, kun je duidelijk zien dat jij geweldige seks hebt gehad.'

'Inderdaad. Om je vingers bij af te likken.'

Hij ging naar buiten, de tuin in en liep naar zijn tent. In het duister was zijn gestalte al snel niet meer te zien. Ik kwam in de verleiding met hem mee te gaan, maar de novemberkou schrikte me af. In plaats daarvan douchte ik zo stil mogelijk in de badkamer in het souterrain om het loon der zonde van mijn lichaam te wassen, voor ik naar boven ging en als een adder in het echtelijke bed kroop. Wat zouden mijn daden tot gevolg hebben? Op dat moment was ik gewoon te gelukkig om me er zorgen om te maken.

10

Bea's halupki
(Gevulde koolrolletjes)

1 savooiekool
550 g runder- of lamsgehakt
Peper en zout naar smaak
1 ei
1 theelepel peterselie
½ kop gehakte ui

1 teen knoflook, gehakt
½ kop gekookte rijst
2 blikken tomaat in stukjes
1 eetlepel suiker
1 eetlepel azijn
1 ¾ kop water

Kook de kool 10 tot 15 minuten.
Haal voorzichtig de bladeren los. Meng het vlees, peper en zout, ei, peterselie, knoflook, ui en rijst door elkaar.
Maak balletjes van het mengsel en vouw ze als een pakje in de koolbladeren.
Bedek de bodem van een braadpan met koolbladeren.
Leg de koolrolletjes erop (met de gevouwen kant naar beneden).
Meng de stukjes tomaat, suiker, azijn en water door elkaar.
Giet het mengsel over de koolrolletjes, doe er een deksel op en laat 1½ uur op matig vuur stoven.
Voor 4 tot 6 personen.

God, wat voelde ik me de volgende ochtend lekker! Zelfs schuldgevoel kon de heerlijke sensatie niet bederven: het gevoel dat ik in een lichaam woonde dat onlangs weer eens gebruikt was voor de liefde. Deze benen, armen, lippen en handen hadden gedaan waarvoor ze bedoeld waren. Eindelijk, leken ze te zeggen, weet je weer waarvoor wij er zijn. Voor het eerst in tijden voelde het alsof mijn lichaam van mij was. Ik wilde dat ik een van Kitty's prachtige verliefde prinsessen kon uitbeelden, als ze wakker werden en zich dansend uitrekten. In plaats daarvan neuriede ik 'I Feel Pretty' terwijl ik het ontbijt klaarmaakte, en sloeg geen acht op de verbaasde blikken die door mijn ongewoon opgewekte ochtendstemming werden uitgelokt.

'Je hebt een sms'je, Chloe,' zei Greg, terwijl hij mijn mobiel oppakte.

Ik weerhield mezelf ervan om als een rugbyspeler op hem te duiken om de telefoon te pakken. Met gespeelde onverschilligheid slaagde ik erin te zeggen: 'Geef 'm eventjes,' en liet hem veilig in mijn zak glijden.

'Hoe laat was je gisteren thuis?' vroeg Greg.

Hij, Bea, Zuzi, Kitty en Leo keken me allemaal afwachtend aan. Sammy, die net uit de tuin kwam, bleef op de drempel staan, en zelfs Janet wachtte met een pootje in de lucht op mijn antwoord.

'Een uur of een,' loog ik.

'Nee, dat klopt niet,' zei Bea. 'Ik ben om halftwee naar de keuken gegaan om voor mijn Zuzi een glas sinaasappelsap te halen. Toen was jij er nog niet.'

Zuzi en zij wisselden een samenzweerderige blik en giechelden bij de herinnering aan de activiteiten die die nachtelijke dorst veroorzaakt hadden.

'Sorry, Torquemada, dan was het even na halftwee,' zei ik, en ik liep naar het souterrain om te ontkomen aan de grootinquisiteurs die hun intrek in mijn keuken genomen hadden.

IK MIS JE. Het leek wel of Ivans bericht me streelde. Ik vroeg me af hoe mensen er voor de komst van de mobiel en internet in geslaagd waren vreemd te gaan. Die zaken waren zo volmaakt afgestemd op de behoeften van de buitenechtelijke verhouding dat je je amper voor kon stellen dat ze voor een ander doel waren uitgevonden. De informatiesnelweg, het zakenleven: m'n hoela! Het kwam waarschijnlijk allemaal door een vent die goed met computers was en buiten de pot piste.

Ik bekeek mijn gezicht in de spiegel. Mijn voorhoofd zag eruit als een scheefgezakt HULDE VOOR HET BRUIDSPAAR-bord: PAS GENEUKT, stond erop. Ik zag er stralend uit: heldere ogen, roze wangen, een volle, voldane mond. Ik was tot leven gekomen. Ik had dagenlang amper gegeten en die koppige zeven pond die al jarenlang niet van mijn taille af hadden gewild, leken gewoonweg weggesmolten. Vergeet die celtherapie maar, alles wat een vrouw nodig heeft is een goede beurt.

De lucht was nog nooit zo blauw geweest en de vogels hadden nog nooit zo mooi gezongen! Toen ik na mijn eerste patiënten door het park liep, zag ik Ruthie in de verte. Ze stond onder een boom te praten met dezelfde jongeman in het leer die ik een paar dagen geleden nog uit haar huis had zien komen. Waarom was ze niet op haar werk? Er was iets aan de hand. Ik moest haar straks maar eens genadeloos ondervragen. We zouden allemaal naar een quizavond op de school van Kitty en Sephy gaan. Dit was het enige schoolavondje waar Greg bereid was mee naartoe te gaan omdat het een uitstekende manier was om zijn geheugen op zijn spreekwoordelijke tenen te laten staan: al die Triviant-vragen, al die algemene ontwikkeling. Was hij erin geslaagd die kennis vast te houden, of lag de beginnende alzheimer op de loer om de antwoorden een voor een uit zijn degenererende hersenen te wissen? Ik had hem die ochtend in bad betrapt, terwijl hij met zijn eigenaardige tenen de warme kraan opendraaide en ondertussen vochtig door een druipnat boek bladerde met de titel: *Kent u alle antwoorden?* Als hij die inderdaad kende, dacht ik onwillekeurig, kon hij me misschien vertellen wat ik met Ivan aan moest, en met mijn leven in het algemeen.

Ik vroeg me af wat er zo ongewoon voelde in de keuken die avond toen ik op het punt stond de deur uit te gaan, en toen drong het opeens tot me door: het was de aanblik van Bea die iets deed wat overeenkwam met haar taakomschrijving. Ze was bezig *halup-ki* te maken, een Tsjechische specialiteit van gevulde kool, voor het avondeten van de kinderen. Het was waarschijnlijk eerder voor Zuzi's avondeten, de kinderen nam ze op de koop toe.

De kinderen vonden het nooit leuk als Greg en ik uitgingen. Leo hoefde niet zo nodig met ons te communiceren, maar hij vond het prettig te weten dat we thuis waren en beschikbaar, voor het geval dat hij ervoor in de stemming zou zijn, en Kitty wilde nog steeds ondergestopt worden. 'Het is jullie ouderplicht om voor me te zorgen,' zei ze altijd, 'dus is het jullie plicht me onder te stoppen.' Het was moeilijk om die logica te weerleggen, maar ik had toch het gevoel dat ik vastzat in de bankschroefgreep van een supermanipulator, wier vaardigheden door de generaties heen vervolmaakt waren. Deze keer slaagden we erin onopgemerkt te vertrekken. Kitty werd in beslag genomen door de choreografie van de Dans van de Kool voor Zuzi, en Leo had zichzelf met de telefoon in de badkamer opgesloten. Hoewel hij Kitty had laten zweren het geheim te houden, had ze toch aan mij verklapt dat hij vond dat het tijd was voor een vriendin. Met dat doel werkte hij de meisjes in zijn klas alfabetisch door en degenen die op zijn shortlist beland waren belde hij nu om ze een sollicitatiegesprek af te nemen.

Greg en ik liepen zwijgend naar de school. Het had geregend en de avondkou had de stoep in een ijsbaan veranderd. Ik moest zijn arm vasthouden om niet uit te glijden. We liepen precies in de maat, onze voeten gingen nog steeds synchroon, hoewel de rest van ons lichaam dat niet meer deed. Hoewel we lichamelijk vlak bij elkaar waren, voelde ik me geestelijk steeds verder van hem af staan. Dat is het echte probleem bij overspel, besefte ik. Het was niet zozeer dat je seks met een ander had, het ging om wat dat symboliseerde: de overbrenging van de intimiteit met je man naar een ander. Daarom was seks zo belangrijk in een relatie; die houdt de betrokkenheid in stand, het gevoel dat je bij elkaar hoort en van elkaar bent. Nu er geen seks meer was, was ik in de verleiding gekomen het ergens anders te zoeken.

Ik sloeg alle records: zes moeders negeerden me voor ik zelfs maar in de hal van de school was.

'Gefeliciteerd,' zei Ruthie toen ik het tegen haar zei. 'Wacht eens even,' zei ze beschuldigend terwijl ze me meetrok naar een rustig hoekje en me nauwlettend bekeek. 'Jij hebt geneukt.'

Ik bloosde.

'Mijn god. Hoe was het?'

'Zalig,' zei ik.

'Ik wil het van a tot z horen, later.'

We hadden met z'n vieren een tafeltje. Niemand wilde kennelijk bij ons in de ploeg. Een quizavond was een serieuze aangelegenheid, en het leek erop dat een paar deelnemers heel wat ijveriger geoefend hadden dan Greg. Ik hoorde de mensen aan het tafeltje naast ons warmdraaien. De een stelde de ander vragen over de huidige regering.

'Ze vatten het wel erg serieus op,' zei ik met een knikje in de richting van het tafeltje, waar degene die ondervraagd werd was gaan staan en sprongetjes maakte terwijl hij razendsnel antwoord gaf, alsof hij door zich fysiek voor te bereiden het er straks beter van af zou brengen. Ruthie fluisterde: 'Sommige types hebben er echt alles voor over om te winnen.'

'Inderdaad,' zei Richard die op de zijn eigen nauwgezette wijze papier en potlood voor ons neerlegde.

Ik boog me samenzweerderig naar voren. 'Pas op voor Stiekeme Sean, die loopt rond om bij iedereen de antwoorden af te luisteren en ze door te brieven aan zijn eigen team.'

'Ik heb gehoord dat hij heeft leren liplezen afgelopen jaar,' zei Greg.

De quiz begon en al snel verveelde het Ruthie en mij en begonnen we elkaar briefjes te schrijven en te giechelen, net zoals we dertig jaar geleden onder een dubbeluur scheikunde deden. Mensen aan de andere tafeltjes maakten afkeurende geluidjes en wisselden blikken, dus probeerden we ons te gedragen.

Globe en Romagna zijn soorten…? Stiekeme Sean moest mijn tevreden gezichtsuitdrukking zijn opgevallen, want hij hield me nauwlettend in de gaten. Ik schreef *artisjok* op een stukje papier en liet het aan de anderen zien. De volgende vraag was een inkoppertje voor Richard: *Ze gaf haar naam aan een wereldmerk. Wie was de Griekse godin van de Overwinning?* Hij was zo opgewonden dat hij hardop Nike zei. Ik zag dat Stiekeme Sean een handlanger had: een man aan de andere kant van het lokaal die, met zijn blik op Richard, als een bookie op de racebaan iets naar Sean gebaarde. We moesten voorzichtiger zijn. Greg kwam met de volgende twee vragen aan zijn trekken: *Welke vergunning kostte 37 pence toen hij in 1988 werd afgeschaft?* Hij lachte, zo makkelijk vond hij hem, en noteerde: *hondenpenning.* En: *Wat is de betekenis van het woord Hypocaust?* Een vrouw aan het tafeltje naast ons keek even naar Ruthie en mij, bedekte haar mond met haar hand en fluisterde keihard: 'Dat weet ik, dat is toen Hitler in de oorlog al die Joden vermoordde.' Ruthie en ik keken elkaar ongelovig aan.

'Ze hebben een onderzoek onder Amerikaanse schoolkinderen gehouden waarbij gevraagd werd of ze wisten wat de Holocaust was, en ongeveer veertig procent zei dat het een Joodse feestdag was,' zei Ruthie hard genoeg om gehoord te worden. 'Zij weet tenminste wat de Holocaust is, ook al denkt ze dat het de Hypocaust wordt genoemd.' (Greg wist het juiste antwoord op de vraag: *vloerverwarming.*)

Ik wist alle antwoorden op de kookvragen, Ruthie deed de beroemdheden, en Greg en Richard regelden samen de rest. We wonnen. De afkeer stroomde vanuit alle hoeken van het lokaal naar ons toe, en culmineerde in een kolkende zee van haat toen hij ons tafeltje bereikte. Ik stond op om de prijs op te halen: een fles wijn. Vijanden of niet, ik vond het per slot van rekening erg leuk om te winnen.

Phil, de vader van Kitty's vriendin Molly, stond achter de schragentafel. Hij nam me van top tot teen op. 'Die man van jou heeft geluk. Hij moet je maar goed in de gaten houden.' Ik glimlachte zwakjes. Kennelijk gaf ik feromonen af die invloed hadden op de mensen om me heen. Phil was kalend en te dik, en had een wonderlijk glad rood gezicht. Hij droeg een donkerblauwe blazer met gouden knopen en een gestreepte das met insignes die aangaven dat hij een heel belangrijk lid van een heel belangrijke club was. In de weekends, volgens Kitty en Sephy, die een keer bij Molly waren blijven slapen, gaf Phil – of 'Kwadraat', zoals hij inmiddels door ons genoemd werd – Molly en haar broer Fred extra wiskundehuiswerk op. Als ze het af hadden, zette hij de datum en de tijd op de bladen en corrigeerde ze met een rode pen. Als ze te veel opgaven fout hadden, kregen ze geen snoep op zondag, de enige dag waarop die traktatie toegestaan was. Kitty en Sephy hadden de opgaven ook moeten maken, en sindsdien hadden ze, uiteraard, daar geen uitnodigingen meer aangenomen. Als gevolg daarvan had Molly met Anna, een andere vriendin, een pact tegen hen gesloten.

'Kwadraat kan zijn ogen niet van je afhouden,' zei Ruthie. Ze was achter me komen staan en knikte in de richting van Phil.

'Weet ik. Hangt er soms een briefje op mijn rug met de tekst *Beschikbaar voor een potje vreemdgaan*?'

Ruthie draaide me om en knikte. 'Nu je het zegt, inderdaad.'

Ze trok me mee een hoekje in. 'En, hoe was Ivan?'

'Heerlijk.'

'Je hebt toch wel een condoom gebruikt?' zei Ruthie.

Ik zweeg.

'Jezus, Chloe, je weet niet wat hij allemaal gedaan heeft, afgezien van de rest.'

'Hij is voor het zingen de kerk uit gegaan,' loog ik.

'Ja, nou ja, je weet toch hoe ze mensen noemen die die methode gebruiken?'

Ik keek haar wezenloos aan.

'Pappa en mamma.'

'Ja, ja, heel grappig. Maar daar maak ik me geen zorgen over. Ik ben zo onregelmatig ongesteld, ik denk dat ik vroeg in de overgang zit.'

Ze keek me streng aan.

'Goed, ik beloof je dat ik van nu af aan een condoom gebruik. Ik bedoel, als we het nog eens doen.'

'Dat gaat er heus wel van komen,' zei Ruthie, terwijl ze mijn gezicht bestudeerde.

Ik bekeek van de weeromstuit het hare. Ze zag er slecht uit.

'Ben je verkouden?' vroeg ik.

'Nee, het zal wel een allergie zijn. Ik ga even naar de plee. Tot zo.'

Toen ze weg was zei ik vleierig tegen de moeder van Molly dat ik haar outfit fantastisch vond. Het was die veilige maar best leuke Monsoon-look, waar de wat oudere vrouw zo dol op is. Wel modieus, maar passend voor een vrouw van in de veertig. Een lange donkerbruine fluwelen rok, een bijpassend truitje met een V-hals die een uiterst discreet decolleté onthulde, een bijpassend sjaaltje dat losjes om haar hals was geknoopt en donkerbruine laarzen met een lage hak. Het paste allemaal net iets te goed bij elkaar. Haar make-up was zorgvuldig aangebracht maar erg bescheiden, en haar haar was goed geknipt en geföhnd. Ik keek naar beneden, naar mijn eigen te korte spijkerrok, mijn cowboylaarzen en mijn spijkerjasje met de scheur. Mijn hand ging onwillekeurig omhoog naar het potlood waarmee ik mijn haar in een slordige knot had vastgestoken. Mijn lippen waren helderrood gestift, mijn wimpers zaten dik in de mascara en ik had een gat in mijn panty. De moeder van Molly mimede een amper hoorbaar 'dank je wel' terwijl ze doorliep – snel, alsof ze bang was een besmettelijke ziekte op te lopen – en ze begroette de moeder van Anna met een demonstratief: 'We gaan dinsdag na school allemaal koffiedrinken bij Janice.'

Ik zag Greg en Richard bij het podium in de hal staan praten met Claire en Ian, de enige andere ouders die met ons spraken omdat ook zij, net zoals wij, hier geen vrienden hadden. Bij hen in de buurt stond een ander groepje. Een van de vrouwen stond met een zorgelijk gezicht vlak naast haar man. Iedere keer als ze iets wilde zeggen legde hij haar het zwijgen op, ofwel door te zeggen 'Jij haalt altijd alles door elkaar, laat mij het maar vertellen', ofwel door alleen maar een hand op te steken om haar te onderbreken en zijn ogen geïrriteerd te sluiten. Bij iedere afwijzing leek ze ineen te krimpen, alsof ze wenste dat ze zich klein genoeg kon maken om uiteindelijk voor altijd te verdwijnen naar een plek waar ze niet langer tot stilte gemaand kon worden. Terwijl ik naar hen keek, kwam de gedachte bij me op dat het huwelijk de individualiteit kan opslokken, vooral wanneer de ene partner veel sterker is dan de andere. Een buitenechtelijke verhouding haalt een stel uit elkaar en geeft de overspelige de gelegenheid zichzelf terug te vorderen. Mijn ontmoeting met Ivan gaf me het gevoel dat ik bevrijd was van Greg en mijn eigen identiteit nog bezat; maar deels verlangde ik juist naar dat gevoel van *eenheid* dat bij een huwelijk zonder geheimen hoort.

Ruthie kwam terug van de wc en lachte toen ik verslag deed van mijn vergeefse poging om bij de moeder van Molly in de smaak te vallen. Ze gaf ontwijkend antwoord toen ik haar naar de man in het leer vroeg, zei dat het gewoon een koerier was die iets van haar werk was komen brengen en dat ze op het ogenblik zo veel mogelijk thuis werkte. Het was allemaal heel aannemelijk, maar hoewel ik er niet echt de vinger op kon leggen, had haar manier van doen iets wat me zorgen baarde. Ze leek ongewoon levendig en praatgraag en het viel me op dat ze nogal veel dronk.

'God, wat saai hier,' zei ze iets te hard. 'Kom mee, dan gaan we ergens anders wat drinken.' Ze liep naar Richard en Greg. 'Kom op, mannen, we gaan.'

Richard noch Greg reageerde. De wonderlijke alchemie die ons onzichtbaar maakte voor de andere moeders had zich uitgestrekt tot onze eigen echtgenoten.

'Zie je wel?' zei Ruthie, terwijl ze zich weer naar mij toe draaide. 'Hij luistert nooit naar me, nooit!' Ik dacht nog dat ze een grapje maakte, maar haar stem klonk vreemd. Richard moest het ook gehoord hebben, want hij draaide zich snel naar haar om, zijn gezicht een mengeling van bezorgdheid en verbazing.

'Waarom luister je godverdomme nooit naar me?' vroeg Ruthie. Ze gilde nu bijna. Andere ouders keken naar ons en kwamen, als haaien die bloed hebben geroken, voorzichtig dichterbij. Richard sloeg zijn arm om Ruthie heen.

'Ik luister echt wel naar je, liefje. Dat weet je best,' zei hij zachtjes. Hij keek zenuwachtig om zich heen en probeerde haar naar een hoekje mee te tronen.

'Heb ik wat van je aan?' riep Ruthie naar een vrouw die haar hals strekte om niets te missen. 'Luistert jouw man wel naar jou? Die van mij luistert niet,' ging ze verder zonder de vrouw de tijd te geven te antwoorden. 'Als ik thuiskom uit mijn werk, is hij verdiept in een boek. Hij kijkt niet eens op om me te begroeten of om me te vragen hoe ik het gehad heb. Als ik hem zou vertellen dat ik net te horen had gekregen dat ik kanker had, zou hij nog niet de moeite nemen op te kijken.' De vrouw keek gegeneerd weg en iedereen werd stil. Richard en ik wisselden een bezorgde blik en toen sloeg ik mijn arm om Ruthie heen en nam haar mee. Dit keer stribbelde ze niet tegen; ze legde haar hoofd op mijn schouder en snikte zachtjes. Buiten bleven we in het donker staan, onzichtbaar in een zij-ingang, en luisterden naar de stemmen van mensen die afscheid namen en naar de auto's die gestart werden. Het licht van de koplampen zwaaide langs ons toen de auto's langzaam wegreden, hun banden knerpend over het koude grind van de oprit.

'Ik wou gewoon dat hij een keertje naar me luisterde en met me praatte,' zei Ruthie zachtjes.

'Niet huilen, lieverd. Ik ben bij je. Waarom ben je zo van streek?' vroeg ik.

Ik zag Richard en Greg in de hoofdingang staan en naar buiten turen, het donker in.

Ze schudde haar hoofd. De levendigheid van zonet was verdwenen en ze leek uitgeput. Voor het eerst zag ze er zo oud uit als ze was; dat krijg je van teleurstellingen.

'Ik ben moe, Chloe.'

'We praten morgen wel,' zei ik. Ze knikte.

We stapten de portiek uit en liepen naar onze mannen. Richard kwam op ons af, nam Ruthie bij de arm en liep met haar naar hun auto.

'Wat was er nou?' vroeg Greg onderweg naar huis.

'Dat weet ik niet. De eenzaamheid binnen het huwelijk, denk ik.' Ik drukte me tegen hem aan en voelde dat hij zich inhield om niet opzij te stappen.

'Waarom vrijen we nooit meer?' vroeg ik zachtjes.

'Hè?' zei hij, alsof hij me niet gehoord had.
'Niets,' zei ik.

11

Greg McTernans diabetische appelhasjcake

250 g zelfrijzend bakmeel
1 theelepel bakpoeder
1 theelepel zuiveringszout
Snufje gemalen kaneel
Snufje gemalen nootmuskaat
Snufje zout
3,55 dl ongezoete appelmoes

15 ml Natrena of andere
    suikervervanger
2 eieren
1 theelepel vanille-extract
70 g rozijnen
Een dessertlepel geraspte hasj
    (of meer, afhankelijk van
    hoe stoned je wilt worden)

Verwarm de oven voor op 190 °C (gasovenstand 5). Spuit een broodblik van 20 bij 10 centimeter in met antiaanbakspray. Meng het meel met de kruiden en het zout. Zet dit apart. Klop de eieren tot ze lichtgeel zijn en voeg Natrena of andere suikervervanger toe. Voeg de appelmoes, de vanille en de hasj toe. Voeg het meel eraan toe en klop tot het glad is. Meng de rozijnen erdoorheen. Stort het beslag in het broodblik. Bak ongeveer een uur, of tot een tandenstoker die je in de cake steekt er schoon uit komt.

De volgende dag zei Ruthie bij een kopje koffie in het café: 'We zullen het straks wel over mijn gedrag van gisteravond hebben. Eerst wil ik alles over Ivan horen. Je gaat hem weer zien, toch?'

'God ja, het was te heerlijk voor één keertje.' Ik keek naar haar: ze leek weer min of meer de oude.

'Pas maar op,' zei ze. 'Je bent getrouwd, je hebt een gezin.'

'Denk je dat er echt gelukkig getrouwde mensen bestaan, Ruthie?'

'Het hangt ervan af wat je onder gelukkig verstaat,' zei ze.

'Als het de bedoeling is dat het is zoals het nu is, dan vind ik dat best, dat accepteer ik dan. Maar als het mogelijk is een echt gelukkig huwelijk te hebben, een meeslepend huwelijk, een blootsvoets-op-het-strand soort huwelijk, dan wil ik dat. Ik kan de gedachte niet verdragen dat er iemand is die zo'n soort huwelijk heeft en dat ik dat niet ben.'

Ruthie legde haar hand op mijn arm, als een moeder die een onredelijk kind troost. Ze zag er moe uit. 'Ik zou al blij zijn als mijn man me af en toe eens zág.' We zwegen even.

'Het gaat misschien beter als je met iemand getrouwd bent die vaak weg is,' zei ik, denkend aan de relatie van pap met Helga. 'Dat is het beste huwelijk: als de man afwezig is. Dan hoef je je niet lullig te voelen dat je geen man hebt, maar je hebt thuis geen last van hem.'

'Ja, we hadden met iemand uit het leger moeten trouwen. Weet je nog wat John geschreven had in *Honderd jaar eenzaamheid*, dat hij me voor m'n achttiende verjaardag gegeven heeft?' vroeg ze.

Ik knikte. We hadden jaren geprobeerd er onze mantra van te maken, maar dat was niet gelukt. John was Ruthies eerste echte liefde, tien jaar ouder en wijzer dan wij. Hij had geschreven: *Als je het leven als een cadeautje opvatte, zou je misschien minder veeleisend zijn.*

'Wie was die koerier nu eigenlijk?' vroeg ik, terugkomend op het mysterie van de man in het leer. Ik voelde instinctief aan dat hij de sleutel tot alles was.

Ruthie keek me aan. 'Hij heet Carlos.'

'Waar komt hij vandaan?'

'Clapham.'

'Nee, dat bedoel ik niet.' Het viel allemaal opeens met een klap op zijn plaats. 'Waarvandaan levert hij? Colombia?' vroeg ik. Dat ik dat niet eerder begrepen had!

'Ach, ik ben een beetje met coke begonnen met een paar vrouwen op kantoor om de dodelijke saaiheid van het werk te doorbreken. Het stelt weinig voor. Trouwens, de oude Egyptenaren snoven ook.'

'Waar heb je het over?'

'Een of andere Russische forensisch wetenschapper heeft een paar jaar geleden sporen cocaïne aangetroffen in Egyptische mummies; die stonden dus kennelijk niet afwijzend tegenover wat recreatief drugsgebruik.'

'Wat zijn die Russen toch knap,' zei ik dromerig.

'Dus heb ik, net zoals de oude Egyptenaren, de smaak te pakken gekregen. Een beetje, meer niet.'

Maar het was wel meer. Ze leek dankbaar voor de gelegenheid om eindelijk schoon schip te maken en vertelde me dat het lijntje af en toe op kantoor zich ontwikkeld had tot bijna een gram per dag, beginnend met een 'voor ik aan het werk ga'-lijntje om halfnegen, gevolgd door een, 'om het vol te houden tot de lunch'-lijntje, en ga zo maar door, de hele dag, tot het bedtijd was.

'Jezus, Ruthie,' zei ik. 'Het is niet de bedoeling dat je op je veertigste een drugsprobleem krijgt. Dat moet je in je tienertijd hebben, of als je twintig of zo bent. Ik bedoel, ik weet wel dat jij een laatbloeier bent, maar dit is belachelijk en als je niet oppast valt je neus eraf.'

'Weet ik, weet ik. Maar ik heb kennelijk mijn eigen *Valley of the Dolls*-situatie geschapen. Ik neem coke om mezelf op te peppen en aan de verschrikkelijke saaiheid van mijn leven te ontsnappen. En dan ben ik zo hyper dat ik niet kan slapen en moet ik Xanax nemen om tot rust te komen. Maar goed,' ging ze verder, 'hoe zat het dan met al die vrouwen in de jaren vijftig en zestig die aan de valium waren? Ik zet gewoon de nobele traditie voort van de neurose op middelbare leeftijd en de daarmee samengaande drugs- of alcoholverslaving.'

'Ja,' zei ik. 'Maar bij hen ging het er toch juist om dat ze zich kapot verveelden omdat ze thuiszaten en niet de voldoening van een baan hadden? Wij hebben dat wel, zegt men.'

'Maar waarom voelt het dan zo vaak alsof we helemaal niets hebben?'

Daar wist ik geen antwoord op, dus stak ik in plaats daarvan mijn hand uit om haar drugs in beslag te nemen.

'Ik heb niets bij me,' zei ze terwijl ze haar zakken leeghaalde.

'Ik hou je in de gaten,' waarschuwde ik.

Ruthies onthulling had me uit mijn evenwicht gebracht, alsof de grond onder mijn voeten steeds verder verschoof. Hoewel ik de therapeut was, was Ruthie altijd degene geweest die me een anker bood. Ik bood aan samen met haar naar de Narcotics Anonymous te gaan.

'Dat is helemaal niet meer zo'n taboe,' verzekerde ik haar. 'Iedereen die er tegenwoordig iets toe doet zit bij de AA of de NA. Dankzij jou heb ik nu een prachtig excuus om er ook eens heen te gaan. Ik voelde me nogal buitengesloten.'

'Maar dat is het nu juist,' zei Ruthie. 'We komen waarschijnlijk allemaal bekenden tegen, dus dan slaat dat "anoniem" ook nergens meer op.'

Hoe dan ook, ik moest een manier vinden om haar te helpen. Ik hield te veel van haar om haar zo te laten doormodderen.

Toen ik naar huis liep om weer aan het werk te gaan, sms'te ik naar Ivan: KUNNEN WE BINNENKORT WEER WAT ZOENEN?

KUN JE PRATEN? antwoordde hij.

JA.

Hij belde me onmiddellijk. Ik bloosde toen ik zijn stem hoorde, mijn gedachten vol van de beelden van ons samen. Zijn donkere hoofd, bezig tussen mijn dijen, de zuchten van genot die aan mijn lippen waren ontsnapt. De intieme dingen die we samen en voor elkaar hadden gedaan en hoe slecht we elkaar nog maar kenden. Rillingen van genot, vermengd met gêne liepen langs mijn rug.

'*Tsjoedo*,' fluisterde hij.

'Wat betekent dat?'

'Wonder. Mijn koosnaampje voor jou.'

'O ja, dat stond in het eerste raadsel. Ik dacht dat mijn soep tsjoedo was.'

'Jij ook. Weet je niet meer? *Tvoj soep – tsjoedo kak i ty.*'

'Jij bent zelf ook wonderbaarlijk,' zei ik koket. Ik kon niet wachten hem weer te zien.

We zwegen. Wat moest er nu gebeuren? Onze aanvankelijke nieuwsgierigheid naar elkaar was bevredigd; moesten we nu kalmpjes terug naar onze respectieve partners?

'Ik krijg een stijve als ik met je praat,' zei Ivan.

Kalmpjes terug naar de respectieve partners stond kennelijk niet op de agenda. Ivan was goed in *dirty talk*. Af en toe sprak hij Russisch, dat was dus onbegrijpelijk, maar niettemin wonderlijk opwindend. Ik hou van mannen die smerige praatjes verkopen, als het maar leuk smerig is, met eerzame bedoelingen, en niet agressief en onaangenaam smerig. Daar loopt een heel dun lijntje tussen, maar Ivan, met zijn prachtige voeten, liep daar keurig langs.

Een ex-vriendje van me, Gus Fallic, was een meester geweest in het smerige praatjes verkopen. Zijn zilveren tong hoefde je lichaam niet aan te raken; hij bracht een meisje met het verbale voorspel al tot een orgasme. Het kwam goed uit dat hij zo goed van de tongriem gesneden was, want hij woonde in Glasgow en ik zat in Londen, en we zagen elkaar amper. Ik kijk nog steeds op die tijd met hem terug als een van de lekkerste seksuele relaties die ik ooit heb gehad. De verhouding ging als een nachtkaars uit toen ik naar Parijs ging en dus buiten gehoorsafstand kwam te zitten. Het was toentertijd te duur om te bellen. Het laatste wat ik van hem gehoord heb, is dat hij getrouwd is en kinderen heeft, maar ik heb altijd gehoopt dat hij een bedrijfje is begonnen met een sekschatline, en dat zijn verbale meesterschap op die manier voor iedereen bereikbaar is gebleven. Het zou zonde zijn als maar één paar oren van dat talent zou genieten. De hernieuwde seksuele activiteit leek mijn seksuele geheugen te reactiveren en gaf me een gul gevoel tegenover alle minnaars ter wereld.

Ik ging naar het souterrain. De enige wanklank in een verder volmaakte ochtend was de aanwezigheid van de naam van Godsgeschenk in mijn afsprakenboek. Hij was mijn eerste cliënt. Hij leunde achterover in zijn stoel, zijn armen achter zijn hoofd gevouwen, zijn benen voor zich uit gestrekt. Het was kennelijk zijn bedoeling zo veel mogelijk fysieke ruimte in te nemen, zodat hij zijn aanwezigheid volledig kon doen gelden. Voor hetzelfde geld had hij in iedere hoek gepist.

'Chloe,' zei hij, zijn stem doelbewust laag en hees. 'Hoe lang gaan we hier nog tegen vechten?'

'Tja, ik heb het idee dat je toch wat vooruitgaat. Je moet alleen meer nadenken over wat mensen in feite zeggen, in plaats van over wat jij denkt dat ze zeggen…'

'Nee, nee, nee, Chloe, kijk me aan.' Hij boog zich voorover en keek me recht in de ogen.

'Pardon?' Ik kronkelde me als een worm om een stokje.

'We kunnen de passie tussen ons niet blijven negeren,' zei hij, terwijl hij mijn hand probeerde te pakken. 'Je bent een heel bijzonder vrouwtje.' Dat banale zinnetje werd uitgesproken met iets wat ongetwijfeld bedoeld was als een zwaarmoedige, gloedvolle blik, maar meer leek op de blik van iemand die aan de ziekte van Parkinson leed.

'Ik ben je therapeut. Dit is ongepast gedrag,' zei ik vinnig.

Godsgeschenk was al uit zijn stoel opgesprongen en knielde nu bij de mijne neer. Hij probeerde me te kussen, zijn natte mond drukte zich zuigend op de mijne. Ik ontsnapte aan de zuigkracht, sprong op en vouwde mijn armen voor mijn borst. Ik had ontzettend zin hem een knietje te geven.

'Ik denk dat het onverstandig is dat je nog langer bij mij in therapie blijft.'

Hij knikte begrijpend. 'Ja, schat, we moeten elkaar buiten deze kamer ontmoeten en elkaar beter leren kennen. Begrijp je me? Kom op, je weet dat je me wilt.'

'Nee, echt niet,' zei ik. Maar hij viel niet te overtuigen. Dit was een man die een apparaatje in zijn brein had dat alles wat de mensen tegen hem zeiden vertaalde in wat hij wilde horen. Mijn enige kans was om zijn taal te spreken.

'We moeten hiertegen vechten,' beaamde ik. 'Het is beter om elkaar niet meer te zien. We moeten sterk zijn.' Ik beloofde een nieuwe therapeut voor hem te regelen en duwde hem naar buiten.

Boven trof ik Greg aan, die in zijn la met ondergoed naar iets op zoek was. Net een hond die op zoek naar een begraven bot fanatiek aarde achter zich opwerpt.

'Hebbes,' zei hij, terwijl hij een klein, in plasticfolie gewikkeld voorwerp triomfantelijk omhooghield.

Hij droeg een rood-wit gestippelde boxershort en een T-shirt. Ik bekeek hem taxerend. Hij was een knappe man, nog steeds slank, met mooie benen en een klein, gespierd kontje.

'Wat is dat?'

'Hasj. Een paar dagen geleden van Leo in beslag genomen. Ik ga een hasjcake maken.'

'Waarom?'

'Sammy wil het niet roken omdat hij gestopt is en John komt straks.' John was een oude studievriend van Greg, die totaal ongeschikt voor het vak was gebleken. Hij viel flauw als hij bloed zag, en toen ze kikkers of muizen moesten doorsnijden om bepaalde aders bloot te leggen, had hij ze tussen twee flauwtes door in stukjes gesneden, alsof hij knoflook hakte. Hij was aan het eind van het tweede trimester gestopt en aan een loopbaan begonnen die veel beter bij hem paste, die van bon vivant, maar de excessen daarvan hadden helaas tot een scala aan gezondheidsproblemen geleid.

'Je kunt geen cake voor John bakken, gek, hij heeft diabetes! En jouw cholesterol zal het ook geen goeddoen.'

'En daarom maak ik een vetarme diabetische appelhasjcake.' Greg leek uiterst tevreden met zichzelf. 'Zo, die kun je in je kippensoepzak steken,' voegde hij eraan toe. De nederlaag deed duidelijk nog steeds pijn.

'Is het dan nooit bij je opgekomen dat wanneer iedereen gestopt is met roken en bovendien aan allerlei ziektes lijdt, het misschien tijd is om ook met drugs te stoppen?'

Greg keek niet-begrijpend. 'Je kunt een paar medische problempjes toch niet in de weg laten staan van recreatief drugsgebruik? Marihuana is trouwens een medicijn, ik schrijf het een aantal patiënten voor om de pijn te verlichten.'

'Welke pijn moet er bij Sammy, John en jou dan verlicht worden?'

'De gebruikelijke pijnstoten van de existentiële angst.'

Er stoomde een golf liefde vanwege dit absurde antwoord door me heen en ik omhelsde hem, genietend van zijn vertrouwde geur en de veilige contouren van zijn omhelzing. Dit keer trok hij zich niet terug maar omhelsde mij ook.

'Geef me het recept maar,' zei ik.

WAT DACHT JE VAN MORGEN TUSSEN 2 EN 4? Ik was, bleek, zeer goed in staat warme gevoelens voor mijn echtgenoot te koesteren en tegelijkertijd een afspraakje met mijn minnaar te maken. Ik stond versteld van mijn eigen verraderlijkheid. Zo doen ze het dus, die mannen met die dubbellevens die er twee gezinnen op na houden. Het was sociopathisch hokjesgedrag: het vermogen om delen van je leven in geïsoleerde doosjes in je geest op te slaan, zonder dat de inhoud van die doosjes door elkaar gaat lopen. Ik had nooit geloofd dat het mogelijk was zoiets te doen, maar nu zag ik dat het wel kon. Gemakkelijk. Ik kon het doosje van Greg dichtdoen en dat van Ivan openen, in één moeite door. KAN NIET WACHTEN TOT IK WEER IN JE BEN, sms'te Ivan terug. Raar dat een man in het lichaam van een vrouw kan zijn, maar niet in haar hoofd, en dat vrouwen al helemaal niet in mannen kunnen zijn.

Kitty en Leo waren die nacht uit logeren en Greg, Sammy en John hadden plaatsgenomen rond de keukentafel. Ze waren al halverwege hun hasjcake en lachten luidruchtig om iets wat alleen zij begrepen. Er werd op dijen gekletst, de tranen rolden hun over de wangen en iedere keer als een van hen probeerde iets te zeggen, grepen de anderen naar hun zij in een gebaar van opperste vrolijkheid. Ik liet ze alleen en maakte me net klaar om weg te gaan toen BV me belde om me over de hartstochtelijke seks van Jeremy en haar te vertellen. Normaliter zou ik mijn oren dichtgestopt hebben, maar bij deze gelegenheid luisterde ik, met het idee dat, nu ikzelf terug in het zadel was, ik wellicht een paar tips kon oppikken. Het leek altijd alsof zij betere seks had dan wie ook en ze gaf je het gevoel dat jij een beginnend violist was die een paar dissonerende klanken aan de viool ontlokte terwijl zij het instrument vol zelfvertrouwen onder haar kin legde en haar strijkstok erlangs haalde met de schwung van een virtuoos.

'We neukten, ik zat bovenop. Gelukkig had ik mijn haar in een hoge paardenstaart…'

'Wacht eens eventjes, hoe bedoel je dat, met die paardenstaart?'

'Dan hangt je gezicht niet naar beneden als je je over hem heen buigt, domoor. Daar moet je op letten als je de veertig voorbij bent, engel. Als je je hoofd naar beneden houdt, druipt je hele gezicht van je af, als overgaar vlees dat van het bot loskomt.'

Gatver! Omigod (soms is het vocabulaire van Kitty het enige dat voldoet), had ik mijn gezicht over Ivan laten druipen? Ik meende me te herinneren dat ik het godzijdank uit verlegenheid tegen zijn schouder gelegd had. Wat moest ik in de toekomst doen? Een badmuts in bed dragen? Mijn kaken met secondelijm achter mijn oren kitten? Het pad voor me lag vol met gevaarlijke obstakels. Ik brak het gesprek zo snel mogelijk af en haastte me voor mijn afspraak met pap.

Eén keer per maand spraken pap en ik samen af, met z'n tweetjes. Een ritueel waar we na de dood van mam mee waren begonnen, toen Sammy nog in zijn zelfopgelegde verbanning in Amerika zat. In het begin spraken we op zijn club af, een beruchte sjofele tent in Bloomsbury waar acteurs en musici kwamen. Ik merkte dat ik het na de dood van mijn moeder moeilijk vond om in ons oude huis te komen. De herinneringen waren benauwend, de geest van ons vroegere gezinsleven leek van de muren terug te kaatsen en in het huis te weergalmen. Pap moest dat gevoel ook gehad hebben, want na een paar jaar verkocht hij het en trok in een lichte, ruime flat in Primrose Hill met hoge openslaande ramen. Na de verhuizing spraken we altijd daar af.

Hij zat in zijn werkkamer. Overal lagen papieren, en thee- en koffiekopjes stonden op alle beschikbare plekken. Hij liep heen en weer. Zijn gezicht leek op een overwoekerde tuin: zijn haar stond overeind, zijn wenkbrauwen hingen naar beneden en ontmoetten elkaar ergens halverwege zijn wimpers. Pap was achtenzeventig en vandaag zag hij er ook echt zo oud uit. Ik voelde weer die scherpe angststoot die ik altijd voelde als ik dacht aan de dag die er onvermijdelijk zat aan te komen, waarop ik het leven zonder hem onder ogen zou moeten zien.

Ik keek naar het slordige vel bladmuziek, bedekt met zijn kenmerkende merels, en luisterde terwijl hij me het nieuwe arrangement voor een van zijn beroemde nummers voorspeelde. Hij was bezig met de galavoorstelling van zijn meest befaamde musical, gebaseerd op *The Prince and the Pauper* van Mark Twain, dat zijn lievelingsboek was geweest toen hij klein was. Hij had op zijn tiende de film gezien en die had hem betoverd. Mijn moeder was een fan van Errol Flynn, en pap had haar drie maanden nadat ze elkaar in de lente van 1958 hadden leren kennen meegenomen naar de film in de Everyman-bioscoop in Hampstead. Ze dronken thee en aten cakejes bij wat toen nog Sherry's Patisserie heette, op Heath Street, een paar jaar voor Louis de bakker de zaak overnam en hem naar zichzelf vernoemde. Ze zaten zoals een verliefd stel past achter in de donkere zaal te zoenen en hielden elkaars hand vast. Toen aan het einde de aftiteling over het scherm rolde, zakte pap in het gangpad op een knie en vroeg haar publiekelijk ten huwelijk. De aanwezigen applaudisseerden enthousiast. Mijn moeder rende naar een telefooncel om het haar familie te vertellen. 'Ik zei gewoon tegen haar dat we wel eens zouden kunnen trouwen, en voor ik er erg in had hing ik al met haar ouders en ooms en tantes aan de lijn,' zei pap vaak plagend.

Ik vond het heerlijk om te horen hoe mijn ouders elkaar hadden leren kennen, hoe ze verliefd waren geworden en waren getrouwd, en net als alle andere kinderen had ik het gevoel dat hun verbond maar één reden had, namelijk om het wonder van mijn geboorte mogelijk te maken.

'Mis je mam?' Ik had de vraag al lang willen stellen, maar ik had het nooit gedurfd. Op een vreemde manier had ik het gevoel dat de dood van mijn moeder voor mijn vader een bevrijding was geweest, die hem een tweede leven had gegeven waarbij hij zijn identiteit had kunnen herwinnen. Het schuldgevoel dat met zo'n wedergeboorte gepaard ging, daar kon ik slechts naar gissen.

'Soms wel. Ik vind het jammer dat we niet samen van Kitty en Leo kunnen genieten. Vaak praat ik tegen haar foto over hen.'

Aan de muur achter hem hing een foto van mijn moeder in de rol van Odette in het *Zwanenmeer*, een jaar voor ze hem leerde kennen. Ze stond op haar tenen in een arabesque, het ene volmaakte been naar achteren gestrekt, haar bovenlichaam naar voren gebogen, haar armen voor haar borst gekruist. Ze droeg een kapje van zwanenveertjes en haar gezicht straalde dat geheime genot uit dat een artiest beleeft als hij optreedt. Iemand die iets uitmuntend doet is bijzonder aantrekkelijk, en je begreep meteen dat hij verliefd op haar was geworden, afgezien nog van haar opvallende schoonheid. Op de vleugel stond een foto die ik vijf jaar geleden van pap had genomen. Hij zat glimlachend toe te kijken hoe Kitty en Leo hun kerstcadeaus uitpakten, met een tedere uitdrukking op zijn gezicht. Die foto liet heel goed zien hoe lief hij was, en verried ook zijn humor en warmte.

Pap volgde mijn blik langs de foto's in de kamer.

'Als je al lang met iemand bent, is het moeilijk om je niet als broer en zus, of als goede vrienden die samen een huis delen te beschouwen, vind je niet?'

Ik dacht aan Greg en dat ik iedere nuance van hem kende. De manier waarop hij aan zijn wenkbrauw plukte als hij in een ernstige bui was, de manier waarop hij knikte als hij lachte, en hoe die vertrouwdheid, in plaats van dat het passie voortbracht, een mengeling van ergernis en affectie deed ontstaan.

'Zou dat het lot van ieder stel zijn?' vroeg ik.

'Ik denk dat je ontzettend je best moet doen om het te vermijden. Daarom hebben Helga en ik al die jaren onze relatie als een geheime verhouding voortgezet, ook toen het niet meer nodig was. Er is geen enkele reden waarom we niet samen zouden kunnen wonen, maar ook geen reden waarom wel. We hebben allebei een huwelijk met kinderen achter de rug, en we willen onze relatie niet tot iets vanzelfsprekends maken. Het begroeten en weer afscheid nemen houdt onze relatie fris en spannend. We vinden het altijd ontzettend fijn elkaar weer te zien.'

'Dat lijkt me heerlijk. Terwijl ik het gevoel heb van: dit is het dan, voor eeuwig en altijd de monotonie van de monogamie, amen. Als je jong bent, dan is de toekomst aan jou; als je ouder wordt, geldt dat alleen nog maar voor het verleden,' zei ik.

'Schei uit, Chloe, jij bent nog jong.'

'Maar ik kan geen astronaut meer worden.'

'Je hebt nooit ook maar de minste interesse in ruimtereizen gehad.'

'Daar gaat het niet om. Het gaat erom dat ik het niet meer kan worden, als ik dat zou willen.' Ik voelde de tranen in mijn ogen prikken. 'Ik kan ook geen popster meer worden,' zei ik dwaas.

'Ja, schat. Het is moeilijk om je erbij neer te leggen dat je mogelijkheden beperkt worden. Ik probeer nog steeds te bedenken wat ik ga doen als ik later groot ben, hoewel ik heel goed weet dat ik te oud ben om nog iets nieuws te ondernemen.' Hij trok me naar zich toe om me te omhelzen, en mijn hoofd vond het plekje van vroeger op zijn schouder. Ik schrok ervan, zo breekbaar voelde die aan.

'Heb die verhouding dan maar, als dat je goeddoet,' zei hij met het scherpe inzicht van een ouder die het altijd weet als zijn kind iets verkeerd heeft gedaan. 'Maar wees voorzichtig. Het betekent dat je de verschillende delen van je leven uit elkaar moet houden en ervoor moet zorgen dat ze niet in elkaar verward raken.'

'Je bedoelt dat ik alles in vakjes moet stoppen?' vroeg ik. Pap knikte. 'Dat lukt wel, daar ben ik goed in.'

'Het probleem is,' ging hij verder, 'dat de geheime vakjes een soort voorsteden worden, gebieden buiten het hoofdgebied, het gebied waar jij met je gezin woont. Je brengt algauw te veel tijd van je leven in die weelderig groene voorsteden door, terwijl je het hoofdgebied, je binnenstad, verwaarloost. En die gaat dan snel achteruit, omdat je het noodzakelijke onderhoud niet pleegt.'

'Ik snap wat je bedoelt, maar ik ben op het ogenblik erg gelukkig in mijn figuurlijke ligstoel in mijn zonnige voorstad. Mag ik daar niet even gewoon van genieten – *carpe diem* en zo?' Een deel van me vond het ongelooflijk dat ik mijn buitenechtelijke verhouding met mijn vader besprak, maar hij was zo niet-veroordelend en verstandig dat het heel gewoon leek.

Pap glimlachte. 'Goede fatsoenlijke mensen doen zelf soms dingen die ze bij anderen zouden veroordelen. Het is te makkelijk om je leven in bescheiden ellende voort te zetten om anderen niet te grieven – en natuurlijk moet je er alles aan doen om anderen niet te kwetsen –, maar het cliché is waar: het leven is kort. Soms vang ik het beeld van mezelf in de spiegel op en dan denk ik: wie is die oude man, voor ik besef dat ik het zelf ben. Je kunt er niets tegen doen dat je oud wordt.' Hij sloeg een arm om me heen en trok me tegen zich aan, streelde mijn achterhoofd. 'Je moet gewoon voor ogen houden dat het beter is dan het alternatief.'

'En dat is?'

'Dood zijn.'

O, ja. En dat, redeneerde ik, was absoluut de reden waarom ik zolang dat nog kon van mijn tijd met Ivan moest genieten. Om Andrew Marvell maar even aan te halen: het graf is een mooie besloten plek, maar omhelzen, ho maar!

12

Maanzaadbrood van de moeder van Volodja

Voor het deeg:
450 g bloem
Snufje zout
2 eetlepels basterdsuiker
2 theelepels droge gist
175 ml melk
Citroenrasp van 1 citroen
1 theelepel boter
1 dooier met een beetje water
opgeklopt om mee te
glazuren

Voor de vulling van maanzaad:
150 gram maanzaad
1 eetlepel suiker
1 eetlepel honing
1 theelepel boter
Sinaasappelrasp van
1 sinaasappel
Citroenrasp van 1 citroen
Eiwit van twee eieren

Zeef de bloem, het zout en de suiker in een kom. Meng er de droge gist doorheen. Maak een kuiltje in het midden. Verhit ondertussen de melk met de citroenrasp in een pannetje met de boter tot die gesmolten is. Laat enigszins afkoelen, voeg dan aan de droge ingrediënten toe en meng alles tot een deeg. Kneed het deeg tien minuten op een licht bestoven werkblad tot het glad en elastisch is. Leg het in een schone kom, bedek met een vochtige theedoek en laat op een warme plek rijzen tot het volume verdubbeld is (45-50 minuten).

De vulling:
Houd 1 eetlepel maanzaad achter. Maal de rest in een blender of foodprocessor. Smelt de boter in een pan en voeg er het gemalen maanzaad, de suiker, honing en citroen- en sinaasappelrasp aan toe. Laat 1 minuut op een gematigd vuur sudderen. Laat afkoelen. Voeg als het afgekoeld is de eiwitten toe en meng goed. Rol het deeg op een licht bestoven werkblad uit tot een lange rechthoek van ongeveer 2$^1/_2$ centimeter dikte. Verdeel de vulling gelijkmatig over het deeg, laat 2$^1/_2$ centimeter aan één lange kant vrij en rol het dan op. Zorg ervoor dat de vulling binnenblijft. Leg de rol met de naad naar beneden op een vel bakpapier. Laat 30 minuten rijzen. Smeer in met eierglazuur en strooi er het achtergehouden maanzaad overheen. Bak in een voorverwarmde oven van 190 °C (gasovenstand 5) gedurende 35 tot 40 minuten. Laat afkoelen op een rooster.

Ik zat in de huiskamer en sms'te naar Ivan om een tijd af te spreken toen ik voelde dat Greg achter me kwam staan. Ik vloog overeind, als een verschrikt paard dat op zijn pad een slang aantreft.

'Chloe, je bent lijkbleek.'

'Je hebt me laten schrikken,' zei ik zwakjes.

'Je bent de laatste tijd een beetje nerveus. Alles in orde?' Hij keek me vreemd aan, waardoor mijn hart als een razende tekeerging. Vermoedde hij iets?

'Jawel, een beetje moe misschien.'

'Heb je mijn stethoscoop ergens gezien?'

'Hè, zit die niet in je tas?' Hij schudde zijn hoofd. 'Greg, waar heb je hem verstopt?'

Hij boog schaapachtig zijn hoofd, als een kleine jongen die betrapt wordt op iets waarvan hij weet dat hij het niet moet doen.

'Jezus, hoe kan ik nu weten waar jij hem gelegd hebt?'

Greg keek de zitkamer door en plotseling lichtten zijn ogen op. Hij liep vastberaden naar het lage tafeltje waarop de tv stond, wierp zich op de grond en stak zijn arm eronder. 'Hebbes!' zei hij triomfantelijk.

Toen wierp hij me een sluwe blik toe. 'Ik weet wat je geheim is,' zei hij.

Mijn hart sloeg over en de adrenaline gierde door mijn lijf. 'Wat voor geheim?'

Hoe was hij erachter gekomen? Ik kon amper ademhalen terwijl ik een scherp beeld voor ogen kreeg van ons ineenstortende leven: dozen die ingepakt werden, het huis verkocht, de kinderen in tranen – en allemaal de schuld van egoïstische ikke.

'Jezus, Chlo.' Hij keek me verwonderd aan. 'Ik wist niet dat je zo veel om die kippensoep gaf.'

Waar had hij het over?'

'Het is dat vet in de ijskast, hè? Dat is je geheime ingrediënt.' Hij zwaaide triomfantelijk met een vel papier.

Ik was behoorlijk van mijn stuk gebracht en deed mijn best weer gewoon adem te halen en het angstige rijzen en dalen van mijn borst te onderdrukken. Schmalz! Het laboratorium had de aanwezigheid van kippenvet in de kneidlach aan het licht gebracht. Ik prees mezelf gelukkig dat hij mij er niet heen kon sturen om me te laten testen op de sporen van een andere man op of in me.

Later lagen Ivan en ik op de bank in zijn zitkamer. Hij was slaperig, maar ik was klaarwakker. Dat is het verschil tussen mannen en vrouwen: na het orgasme lijkt het wel of mannen hun kracht verliezen en alsof vrouwen die juist winnen. Becky was nog steeds weg. Ik vond het erg dat ik in hun huis met haar man sliep, maar ik vond het niet erg genoeg om het niet te doen. In ieder geval hadden we hun slaapkamer angstvallig gemeden, en in plaats daarvan gebruikgemaakt van de vele andere plekken in huis, en dat vonden we buitengewoon aardig en fijngevoelig van onszelf. Ik begon over de analyse van relaties van mijn vader, dat mensen te veel met elkaar op hun gemak raken, dat ze te veel als broer en zus worden en dat het incesttaboe hen er dan van weerhoudt met elkaar naar bed te gaan. Maar eerlijk gezegd begon ik daar alleen maar over omdat ik erachter wilde komen of Becky en hij het nog deden.

'Er is eind negentiende eeuw een boek in Rusland verschenen

over een socialistische utopie,' zei hij. Zoals pap voor iedere gelegenheid een gezegde had, zo had Ivan een boek. Dat kwam doordat er in Sovjet-Rusland niets anders te doen was dan lezen. En vrijen. Dat had hij ook veel gedaan, omdat het een van de weinige zaken was waarmee je niet in de problemen kwam bij de autoriteiten. Per saldo was ik daar blij mee, want hij was er daardoor ontzettend goed in geworden.

'Dit soort boeken waren toen heel populair,' ging hij verder. 'Maar goed, dit boek, van Tsjernysjevski, heette *Wat te doen?*'

'Ik dacht dat dat van Lenin was,' onderbrak ik hem, erop gebrand te laten zien dat ik ook best wel het een en ander wist. (Ik had Lenins pamflet gedurende mijn korte communistische fase in mijn studententijd gelezen, toen ik in Camden Town de *Socialist Worker* op straat uitventte. Dit onbetaalde werk had ik snel vervangen door een weekendbaantje als serveerster in een spelonkachtige bistro, om mijn toenemende Miss Selfridge-verslaving mee te financieren. Mijn inkopen waren de vruchten van mijn werk, en daarom, redeneerde ik, in overeenstemming met de marxistische ideologie. Niet lang daarna studeerde ik af en deed een aanbetaling op mijn eerste flatje, waarmee ik alle schijn van communisme opgaf en als volwaardig lid van de bezittende klasse van ganser harte het kapitalisme omhelsde.

'Jawel, maar Tsjernysjevski heeft de titel het eerst gebruikt; Lenin heeft hem willens en wetens overgenomen. Maar goed, het boek beschreef een huwelijk op grond van gelijkheid tussen twee mensen die hadden afgesproken elkaars privacy te respecteren. Ze gingen elkaars kamer alleen maar binnen als ze daartoe uitgenodigd werden en hadden een derde kamer aangewezen voor hun samenzijn. Ik heb altijd gevonden dat daar veel voor te zeggen is. Dat het wellicht een manier is om het mysterie en de seksuele interesse tussen twee mensen in stand te houden en te voorkomen dat ze elkaar als vanzelfsprekend gaan beschouwen.'

'Hmm, goed idee. Maar je moet er wel de ruimte voor hebben. Hoe is het gegaan met dat stel – werkte het?'

'Tja, het werd een beetje ingewikkeld, want zij werd verliefd op een vriend van haar man en toen hebben ze een tijdje in een *ménage à trois* samengewoond. Toen heeft de man zijn eigen dood in scène gezet, zodat zijn vrouw met zijn vriend kon trouwen, omdat ze meer van hém hield.'

'Wat altruïstisch van hem. Ik zie Greg dat nog niet doen, maar goed, hij is jouw vriend ook niet.' Ik dacht even na. 'Ik neem aan dat dat een van de dingen is waarom het zo spannend is voor jou en mij. Die gestolen momentjes en dat het zo anders is dan ons gewone leventje.'

'Misschien wel.' Hij zweeg even. We lagen een poosje stil bij elkaar. Hij gleed met zijn hand langs mijn arm op en neer, wat me kippenvel bezorgde. 'Weet je, ik had nooit bij de geboorte van onze kinderen aanwezig moeten zijn,' ging hij verder. 'Ik vond het moeilijk om Becky daarna nog als een seksueel wezen te zien. Ze werd in mijn ogen een moeder en het voelde ongepast om daarna nog seks met haar te hebben.'

'Hoe kun je dat nu zeggen? Het waren toch ook jouw kinderen?'

'Dat weet ik. Ik ben gewoon eerlijk en vertel je hoe ik me erdoor voelde. Het kwam niet alleen daardoor, het is ook het gedoe van "Waar heb je de zeep gelegd?" en "Wil je het dopje weer op de tandpasta doen?" dat het mysterie uitholt, toch? Ken je de Russische dichter Majakovski?'

Ik knikte.

'Die heeft het in een van zijn gedichten heel mooi gezegd: *Ljoebovnaja lodka razbilas o byt* – Het schip van de liefde is stukgelopen op de rots van het dagelijks leven.'

Ik vond het opwindend als hij Russisch sprak. 'En hoe vaart ons scheepje?' vroeg ik terwijl ik hem tussen zijn benen greep.

'Ons schip, lieveling, vaart net uit,' antwoordde hij, terwijl hij me naar zich toe trok en me kuste. 'Ik kan geen genoeg van je krijgen,' fluisterde hij, en hij bedreef opnieuw de liefde met me.

Ik zat in het café op de hoek en keek naar een vrouw die eieren met spek at en daarbij een hand bescheiden voor haar mond hield terwijl ze kauwde, alsof eten iets beschamends was, dat je voor de buitenwereld verborgen moest houden. Naast haar zat een man van in de zestig met dunner wordend haar in een paardenstaart. Ik moest me tot het uiterste inspannen om niet in zijn oor te toeteren dat hij er belachelijk uitzag en zijn paardenstaart met een plastic mes af te snijden. Ik was een beetje prikkelbaar. Ivan had onze afspraak af moeten zeggen omdat Becky eerder was teruggekomen dan afgesproken, en mijn slechte bui had geresulteerd in een stomme ruzie met Greg. Ieder stel danst keer op keer volmaakt in de maat de geoefende passen van ergernis en frustratie bij het uitvechten van eeuwig dezelfde ruzie. De onze was van het soort 'jij bent altijd chagrijnig en moe en je wilt nooit met mensen afspreken en jij hebt altijd gelijk en anderen hebben altijd ongelijk'. Als gevolg van onze ruzie had ik nu aan iedereen een hekel: aan Greg omdat hij saai was, aan Ivan omdat hij onze afspraak had afgezegd, aan Becky omdat ze onverwacht was thuisgekomen en mijn leven had verpest door te verhinderen dat ik seks had met haar man.

Door het raam zag ik Sammy en het Duivenvrouwtje samen op een bank zitten. Ik vroeg me af waarover ze het hadden. Sammy keek op, zag me en gebaarde dat ik bij hen moest komen zitten. Ik wist niet of ik daar wel voor in de stemming was, maar toen ving iets mijn blik. Het was Sammy's rechterhand, die op en neer bewoog. Ik keek wat beter en zag dat hij gitaar speelde. Voor zover ik wist had hij geen gitaar meer aangeraakt, laat staan erop gespeeld, sinds de dood van onze moeder en nu ik hem met een gitaar zag, betekende dat dat er een soort aardverschuiving had plaatsgevonden. De aanblik ontroerde me. Ik dronk mijn laatste restje koffie op, deed mijn jas al aan om naar ze toe te gaan, toen mijn mobiel ging. Was het Ivan om me te zeggen dat we elkaar toch konden zien? De hoop vlamde in me op, maar doofde na een korte flikkering. Het was Sheila, in staat van verwarring.

'Ik ga tegen Jim zeggen dat de bruiloft niet doorgaat.'

Mijn aandacht was nog bij Sammy en zijn gitaar. 'O, ja?' zei ik afwezig.

'Hoe kan ik de rest van mijn leven bij één man blijven?'

Ik concentreerde me op wat ze zei. 'Sheila, wacht hier nog even mee tot na je consult straks. Je moet dit goed overdenken. Het kan best angst zijn.'

'Hoe bedoel je?'

'Angst om je te binden en weerstand om jezelf toe te staan om gelukkig te zijn. Daar moeten we het vandaag over hebben.'

'Jim verdient een betere vrouw dan ik.'

Uiteindelijk beloofde ze geen stappen te ondernemen tot de afspraak van die middag. Ik ging net het café uit toen mijn mobiel weer ging. Het was BV.

'Heb jij Jessie gezien?' vroeg ze. 'Ik realiseerde me opeens dat ik haar in geen dagen gezien heb, dus ik dacht: ik controleer even of ze bij jou is.'

'Ja, het gaat prima, maar misschien is het niet zo'n slecht idee als je haar even belt en met haar praat.'

'Doe ik. Ik heb het alleen zo druk gehad, engel, je weet hoe het gaat. Ga je mee naar Eltons White Tie and Tiara Ball? Ik heb een kaartje over, Jeremy kan niet. Raar hè, ik vind het verschrikkelijk om niet bij hem te zijn.'

Maar je hebt er geen problemen mee om niet bij je dochter te zijn, dacht ik, maar ik zei het niet. 'Wat vind je dan zo leuk aan hem?' vroeg ik in plaats daarvan.

'Hij beft fantastisch. Greg en jij moeten gauw eens komen eten, om kennis te maken. Ik moet ervandoor.' En ze hing op.

Ik huiverde bij het beeld dat ze me opgedrongen had, zette mijn mobiel uit en liep naar Sammy.

Hij zat nog op het bankje met het Duivenvrouwtje en speelde 'It Had to be You' op zijn gitaar. Zij wiegde heen en weer en zong mee, zacht en zuiver, met een duif op haar schouder:

For nobody else gave me a thrill
With all your faults, I love you still…

Nu ze zong klonk ze als een jonge vrouw en even ving ik een glimp op van hoe ze eens geweest moest zijn: een jong meisje, een kind, iemands baby. Iedereen is ooit iemands baby geweest, vanuit de baarmoeder van de moeder de wereld in geperst. En nu was ze raar, eenzaam en alleen; was ze de dorpsgek van de buurt geworden die door de straten van Queen's Park zwierf en tegen duiven praatte. Hoe had het zover met haar kunnen komen? Wat voor streken had het leven haar geleverd? Toen ik dichterbij kwam, joeg ze de duiven die zich naast haar op de bank verdrongen weg om plaats voor mij te maken.

'Chloe, dit is Madge. Madge, Chloe,' stelde Sammy ons aan elkaar voor. Ik zag haar al ongeveer tien jaar in de buurt, maar had nooit de moeite genomen te vragen hoe ze heette. Ik schaamde me.

'Ja, ja,' zei ze. 'Chloe en ik zijn oude vrienden, ja toch, vrouwtje? Maar jij hebt het altijd maar druk, druk, druk. Je hebt nooit tijd voor een echt gesprek.'

Voor het eerst bekeek ik haar eens goed. Ze had verrassend heldere groene, amandelvormige ogen in haar door zorgen getekende, gerimpelde gezicht. Die ogen stonden vol verdriet en verlangen. Ze moest achter in de zestig zijn en iets in haar manier van doen deed vermoeden dat ze ooit een beter, gelukkiger leven had gehad. Aan haar voeten stonden de boodschappentassen die ze altijd bij zich had. Sommige zaten vol lappen stof, zoals de lappen die langs de trapleuning voor haar woning hingen; in andere zat brood voor de duiven.

'Madge was vroeger textielontwerpster,' zei Sammy.

Madge knikte, haar haar flapte wild op en neer. 'Ik heb kinderen,' zei ze. 'Een prachtig jongetje en een prachtig meisje, net zoals jij.'

'Je speelt weer,' zei ik tegen Sammy. Ik raakte het gladde hout van zijn gitaar aan.

'Ja, het werd tijd. Madge zegt dat iedereen de plicht heeft om datgene te doen waartoe hij voorbestemd is.' Madge klopte Sammy op zijn schouder. Hij keek naar zijn vingers alsof hij verbaasd was dat ze na zo'n lange tijd nog zo soepel over de snaren gleden. 'Net alsof ik na een heel lange tijd een oude vriend tegenkom.' Hij had tranen in zijn ogen.

'Sammy gaat me helpen mijn kinderen te zoeken,' zei Madge.

Ik keek enigszins verontrust naar Sammy. Intuïtief had ik de neiging terug te deinzen voor mensen die mijn hulp nodig hadden, tenzij ze voor mijn diensten betaalden. In dat geval had ik de zaak onder controle en was de relatie op duidelijk afgebakende professionele leest geschoeid. Sammy daarentegen stond altijd open voor daklozen en zwervers. Hij kon niet langs een bedelaar lopen zonder hem genoeg geld te geven om een kop thee te kopen, en dan ging hij die samen met hem opdrinken, gooide er een uitgebreid Engels ontbijt tegenaan en maakte ook nog eens plannen om elkaar de volgende dag weer te zien.

'Madge heeft haar kinderen in geen vijfendertig jaar gezien,' zei hij.

Madge leunde tegen de rugleuning van de bank; ze sloot haar ogen om het verleden helderder voor zich te zien en begon met haar verhaal.

Ze vertelde ons dat ze haar man, Reg, had leren kennen toen ze twintig was en dat ze na een verlovingsperiode van twee jaar in 1958 waren getrouwd. Zij was textielontwerpster in een fabriek, hij was daar ploegbaas. Zij had meer opleiding dan hij, ze was na de middelbare school naar de kunstacademie gegaan om ontwerpster te worden. 'Hij was ontzettend aantrekkelijk, alle meisjes wilden hem, maar hij koos mij,' zei ze trots. Ze had haar baan opgezegd toen ze in verwachting raakte van hun eerste kind, een meisje, dat in 1962 geboren werd, gevolgd door een jongetje in 1964. Dezelfde jaren waarin Sammy en ik geboren waren. Een parallel gezin in dezelfde stad, dat een parallel leven geleid had.

'In het begin waren we gelukkig,' vertelde Madge. Reg was tevreden met zijn rol van kostwinner en vader. Ze woonden in een klein rijtjeshuis in Kilburn en het beviel haar best om te koken en schoon te maken en de kinderen op te voeden. In het begin. Toen de kinderen allebei naar school gingen – Rosie was toen zeven, Jimmy vijf – werd Madge ongedurig. 'Als Reg het goed had gevonden dat ik weer aan het werk ging, had het heel anders kunnen lopen,' zei ze. Maar hij kwam uit de arbeidersklasse en had het idee dat een vrouw die werkte een aanklacht was, dat hij daarmee de wereld liet zien dat hij geen echte man was en dat hij zijn gezin niet kon onderhouden.

Madge had te weinig om handen gehad en te veel energie. 'Ik was eenzaam. Greg kwam thuis uit zijn werk en viel voor de tv op de bank in slaap. Ik was de hele dag alleen, en als de kinderen naar bed waren, zat ik de hele avond weer in mijn eentje. Ik had iemand nodig om mee te praten.' Armstrong (Armie), haar minnaar, was die iemand. Hij luisterde niet alleen, hij zei ook iets tegen haar. Ze hadden elkaar leren kennen toen Madge in de winter van 1969 op een gladde stoep in Kentish Town was uitgegleden en gevallen. Hij had haar overeind geholpen, haar geschaafde knieën gedept, en haar meegenomen voor een kop thee met suiker voor de schrik. Hij was vijf jaar jonger dan zij, had geleerd voor onderwijzer, maar had alleen maar een baantje als buschauffeur kunnen krijgen. Armie kwam kersvers uit Jamaica en was diep teleurgesteld in Engeland, dat zijn belofte niet na was gekomen.

Ze werden verliefd op elkaar en de dagen van Madge werden weer gevuld, dit keer met geheime afspraakjes en gestolen kussen. Na een tijdje had ze tegen Reg gezegd dat ze hem voor een ander verliet en dat ze de kinderen meenam. Toen Reg erachter kwam dat Armie zwart was, zei hij dat zijn kinderen niet bij een nikker gingen wonen, om de dooie dood niet. 'Ik weet niet wat er toen is gebeurd,' zei Madge droevig. 'Meer herinner ik me niet. Ik geloof dat ik een tijd ziek ben geweest en in het ziekenhuis heb gelegen.' Ze schudde haar hoofd, alsof ze een herinnering tevoorschijn probeerde te halen, waarvan ze zeker wist dat hij er was, maar waar ze niet bij kon.

Ze stond plotseling op. 'Ik moet nu naar huis. Jimmy en Rosie kunnen ieder moment thuiskomen voor het avondeten.' De heldere periode waarin Madge haar verhaal had kunnen doen, leek voorbij en ze was weer volkomen gedesoriënteerd. Ze rommelde in haar boodschappentassen en haastte zich toen weg, terwijl ze foeterde tegen de duiven omdat ze haar ophielden.

'Arme stakker,' zei Sammy. 'Ik móet gewoon proberen uit te zoeken wat er met haar kinderen is gebeurd.'

'Ze is ongeveer even oud als mamma nu zou zijn geweest,' zei ik.

De schemering viel in. Een dalmatiër en een chihuahua renden gezellig naast elkaar, bleven af en toe even staan en rolden dan door het gras. Hun baasjes liepen zwijgend achter hen aan, een stel dat slecht bij elkaar paste, maar dat door de vriendschap tussen hun honden tot elkaars gezelschap veroordeeld was. Een eindje verderop liep een man met een fraaie tulband rondjes langs de speelplaats, zoals hij iedere dag deed, zijn hoofd gebogen over een heilig boek.

'Je zou toch zeggen dat hij dat boek zo langzamerhand wel uit heeft,' fluisterde ik, terwijl ik Sammy aanstootte. We giechelden als kleine kinderen, waarna we in zwijgen vervielen. Hij tokkelde liefkozend op zijn gitaar, hij was thuisgekomen.

'Ik zit erover te denken terug te komen,' zei hij. 'Is het goed als ik bij jou logeer tot ik iets voor mezelf gevonden heb?'

Ik sloeg mijn armen om hem heen. 'Wat heerlijk. Blijf maar zo lang je wilt.'

De schrik was me om het hart geslagen door het verhaal van Madge en ik wilde Leo en Kitty heel graag zien. Maar het huis was stil en leeg toen ik terugkwam. Opeens had ik de behoefte om Gregs stem te horen.

'De dokter heeft spreekuur,' zei de receptioniste van de praktijk toen ik belde.

Marjorie kwam niet tegemoet aan het feit dat Greg mijn man was. Als ik op de praktijk langskwam, liet ze me vaak niet eens naar zijn kamer gaan. Dan trok ze haar vestje glad over haar keurige puntige boezem, tuitte haar perfect gestifte lippen en zei: 'De dokter heeft het druk. Ga maar in de wachtkamer zitten en wacht op je beurt.' Ik had van alles geprobeerd: haar bedolven onder attenties, extravagante kerstcadeaus, zelfgebakken taarten, hooghartig gedrag, bedreigingen, geweld. Niets werkte. Alsof ze de moeder van een van Kitty's klasgenotes was.

'Marjorie, met mij, Chloe. Verbind me meteen even door.' Er zal wel iets vreemds aan mijn stem zijn geweest, want ze zei deze ene keer verder niets en ik kreeg Greg direct aan de lijn.

'"It Had to Be You", schrijver en datum?' vroeg ik.

'Gus Kahn en Isham Jones, 1924.'

'Je bent geweldig.'
'Weet ik. Ik moet ophangen, schat. Volle bak vanmiddag.'

Het huis leek vol schaduwen. Zo zou het voelen als we zouden scheiden. Een leeg huis op de dagen dat de kinderen bij hun vader waren. De knagende eenzaamheid van kinderloze woensdagen en om de week het weekend. En voor de vader is het nog veel erger, want die zit het grootste deel van de week in zijn eentje. Tot dat lot konden we elkaar ieder moment veroordelen. Je hebt twee mensen nodig voor een relatie, maar slechts één om die kapot te maken. Hoe graag de een ook verder wil, als de ander ervoor kiest zijn biezen te pakken is het voorbij.

Het was een grijze, mistige dag en het motregende. Janet kwam binnen door haar kattenluikje. Ze leek te genieten van het gemak waarmee haar slanke gestalte erdoorheen glipte. De moeder van Volodja had op haar laatste bezoek uit Rusland een flinke hoeveelheid maanzaadbrood voor hem meegenomen, en hij had zodra ze weg was mij een broodje gegeven. Hij vond het verschrikkelijk vies, ik vond het heerlijk. Het deed me aan oma Bella denken, die het vroeger ook maakte. Aan hoe ze met haar zakdoek mijn mond afveegde, die kleverig en zwart was van de maanzaadvulling. Ik had tot zes uur 's avonds geen cliënten, dus sneed ik een dikke plak af en installeerde me op de bank voor een verboden tv-middagje met Richard en Judy. Ik keek hoe ze met elkaar omgingen. Ze leken gelukkig getrouwd; wat was hun geheim? Ik wilde ze een brief schrijven om het te vragen:

Lieve Richard en Judy,

Jullie wonen samen, jullie werken samen, en hoewel jullie soms wel eens kibbelen, lijken jullie heel gelukkig en zijn jullie lief voor elkaar. Hoe doen jullie dat?
Veel groeten, Chloe Zhivago, 43 jaar.
PS: Hoe vaak gaan jullie met elkaar naar bed?

De bel verscheurde de rust van mijn middagje alleen. Ruthie stond op de stoep. Het leek of ze gekrompen was en ze had donkere kringen onder haar ogen.

'Is het open?' vroeg ze.

'Het kvechatorium?'

Ze knikte.

'Altijd,' zei ik.

'Ik heb een vreselijk leven,' zei ze.

Ik trok haar naar binnen, zette thee en gaf haar een snee maanzaadbrood. Ze was behoorlijk afgevallen en ze zag er, al lijkt dat daarmee in tegenspraak, verschrikkelijk uit.

'Wat is er dan zo vreselijk?'

'Ik kan er niet meer tegen. De gedachte dat ik iedere ochtend weer wakker word en niet in staat ben onder ogen te zien wat de dag voor me in petto heeft, is onverdraaglijk. Ik lig in bed en loop in gedachten alle afspraken die ik heb door, en dan lijkt het vooruitzicht om op te staan, te douchen, mijn haar te wassen, te ontbijten, het huis uit te gaan en naar mijn werk te rijden, onoverkomelijk. En als ik dan eindelijk op mijn werk zit, dan heb je die klootzak van een David Gibson die tegen me zegt dat "we allemaal op een lijn zitten" en dat ik me meer moet "openstellen". Ik neem steeds vaker een vrije dag en ik voel me uitgeput, ellendig en depri.'

'Weet Richard dat?'

'Nee. Hij ziet nooit wat, tenzij het een kunstvoorwerp uit de Oudheid is, wat ik natuurlijk hard op weg ben te worden. Maar goed, het doet er allemaal niet meer toe, want ik moet afvloeien.'

'Hoe kan dat nou? Jij bent de hoofdredacteur.'

'Ze veranderen het format van het tijdschrift, en zeggen vervolgens dat het een andere baan is. Ik zou het aan kunnen vechten, maar ik denk dat het eigenlijk wel goed is. Een teken dat het tijd is dat ik mijn leven anders ga aanpakken.'

'Hou op met die cocaïne; dan krijg je er weer greep op.'

'Heb ik je gevraagd je mening te geven? Heb ik gezegd: "Chloe, wind er geen doekjes om?" Nee, ik ben hier gekomen om te kvetchen en jij moet zeggen "kom, kom" en "arme stakker" als dat nodig is.'

177

'Sorry, schat.' Ruthie ziet altijd de humor van de dingen in, hoe moeilijk ze het ook heeft. 'Fuck die thee, we trekken een fles wijn open.' Ik liep naar de ijskast waar ik achter wat overjarige groenten een fles champagne vond. 'Nog beter!' zei ik, terwijl ik hem omhooghield. 'Nu zijn we een stelletje wanhopige, maar chique oude zuipschuiten die 's middags al aan de champagne zitten. Ik vraag me af hoe lang het duurt voor we op een bankje in het park terechtkomen en met de duiven praten,' zei ik, denkend aan Madge.

'Die arme vrouw,' zei Ruthie toen ik haar het verhaal verteld had. 'Wat erg dat ik nooit de tijd genomen heb een praatje met haar te maken. Wat zou er gebeurd zijn, denk je?'

'Het moet verschrikkelijk zijn geweest, want ze kan het zich niet meer herinneren.'

We zwegen even; probeerden ons allebei voor te stellen wat Madge het zetje had gegeven waardoor ze gek was geworden en buiten de maatschappij was komen te staan.

'Kunnen we nu weer over mij praten?' vroeg Ruthie. Ik knikte en hief mijn glas.

'Onvoorstelbaar dat ik al die jaren zo hard gewerkt heb om hoofdredacteur te worden en dat het me nu nog maar zo weinig zegt,' zei Ruthie. 'Ik bedoel, het kan niemand toch een zak schelen of we openen met een stuk over een vrouw die andere vrouwen leert hoe ze een miljonair aan de haak kunnen slaan, of met een stuk over de strijd van een soapsterretje tegen de alcohol?' Ze schonk zichzelf met ironisch genoegen nog een glas champagne in. 'Ik bedoel, in het grote wereldplan kan het direct de kattenbak in. Nou ja, zelfs dat kan niet meer; iedereen gebruikt tegenwoordig kattengrit.' Ze bekeek me waarderend. 'Je ziet er geweldig uit, Chloe. Misschien moet ik ook een verhouding beginnen, als verslaving. Het is duidelijk veel beter voor je huid dan cocaïne.'

'Je moet er echt mee ophouden.'

'Ik ga stoppen. Dat beloof ik. Morgen. Ik heb gewoon een beetje hulp nodig om aan het idee van ontslag te wennen.' Haar mobiel ging over. 'Oeps, missie volbracht. Ik ga even naar buiten, naar Carlos. Tot straks.'

Het was waar. Mijn obsessie met Ivan verschilde niet zo heel veel van Ruthies cocaïneverslaving: hij werd steeds sterker en de relatie verstoorde mijn evenwicht en maakte me tot een manisch-depressieveling. Je denkt dat je er wel mee om kunt gaan, maar de verslaving loopt al snel uit de hand en je gaat het bevredigen van je behoefte boven belangrijker dingen in je leven stellen. Ik was prikkelbaar en teruggetrokken als ik niet bij Ivan was, en opgewonden en druk als ik wel bij hem was.

IK VERLANG ONTZETTEND NAAR JE. IK ZOEK WEL IETS WAAR WE ELKAAR KUNNEN ZIEN.

Mijn shot was per mobiele telefoon gekomen.

MIJN ZOENMETER STAAT GEVAARLIJK LAAG, MAAK VOORT, sms'te ik terug. Mijn humeur knapte zienderogen op en ik danste naar het souterrain voor mijn afspraak met Sheila.

Ze stak al van wal voor ze zat. Haar rusteloze energie weerspiegelde die van mij en ik kwam er al snel achter hoe dat kwam.

'Ik ben met een ander naar bed geweest,' verkondigde ze. 'Ik ben tot de conclusie gekomen dat ik moest afrekenen met dat soort gevoelens voor ik met Jim trouw.'

'Dus je gaat met Jim trouwen?'

'Ja. Sorry voor dat paniektelefoontje, ik voel me nu weer goed. Ik besefte dat ik dit gewoon moest doen en dat ik dan klaar zou zijn om een rustig leventje te gaan leiden.'

'En hoe voelde je je erbij?'

Haar ogen werden wazig bij de herinnering.

'Heerlijk. Ik voel me ook helemaal niet schuldig. Niet echt. We zijn tenslotte nog niet getrouwd.'

'Zou je het nog eens willen doen?' vroeg ik voorzichtig.

'Nee... Ja... misschien nog één keer.' Ze keek zorgelijk. 'Shit, jawel. Ik dacht dat het hiermee klaar was, maar ik wil het nog eens doen. Ik ben slecht, hè? Jij vindt me slecht, dat weet ik.'

Ik schudde mijn hoofd. 'Het doet er niet toe wat ík ervan vind, Sheila. Het gaat erom wat jij vindt,' zei ik. 'We zijn allemaal goed en slecht, eerlijk en oneerlijk, ruimdenkend en bekrompen. We zijn dat allemaal. Het gaat erom hoe je ermee leeft, hoe je ermee omgaat.' Ik besefte dat ik het net zo goed tegen mezelf als tegen haar had.

Sheila zat rechtop in haar stoel. Ze kikkerde helemaal op. 'Ik heb nog twee maanden voor de bruiloft, dus telt het niet als ik nog een keertje met die ander afspreek.'

Het was haar manier om haar *slechtheid* te rechtvaardigen, maar ze was gewoon ook een verslaafde, die haar volgende shot goedpraatte met de belofte dat het haar laatste zou zijn. We waren allemaal precies hetzelfde.

'Ik ken hem van vroeger. We hebben ons altijd al tot elkaar aangetrokken gevoeld, we waren nog niet helemaal klaar met elkaar. Het leek me verstandig alsnog klaar te komen. Het af te maken, bedoel ik.'

'Wat maakt hem zo leuk?'

'Hij is nieuw. Het is een onbetreden pad.'

Ik knikte. Ik wist precies wat ze bedoelde.

'Het komt wel goed. Ik moet dit gewoon wegwerken en dan trouw ik en krijgen we kinderen en leven we nog lang en gelukkig. Kom je op de bruiloft?'

Ik had het gevoel dat ik dat niet moest doen, maar Sheila was al zo lang patiënt bij me en ik wilde dat ze gelukkig zou zijn, dus besloot ik mijn ongeschreven wet te overtreden. Ik zei dat ik naar de huwelijksceremonie zou komen, maar niet naar de receptie.

Het is allemaal jouw schuld, dacht ik onredelijk terwijl ik naar haar prachtige gezicht keek. Als jij het zaadje van het bedrog niet in me geplant had, dan zat ik hier nu niet voor je als een vrouw met een minnaar en een geheim leven.

Maar ze heeft je toch niet gedwongen, vroeg een stemmetje binnen in me.

13

Kitty's wraakchocoladetaart

VOOR DE TAART:
215 g bittere chocolade
225 g boter

225 g basterdsuiker
7 eieren, gescheiden
200 g gemalen amandelen

Smelt de chocola zachtjes en roer de boter en suiker tot room. Voeg 7 eidooiers toe en de gemalen amandelen. Doe de gesmolten chocolade erbij.

Klop de eiwitten stijf, en spatel ze door het chocolademengsel. Giet in een ingevet bakblik en bak ongeveer 45 minuten in het midden van de oven op 180 °C (gasovenstand 4).

VOOR HET CHOCOLADE-GLAZUUR:
175 g extra bittere chocolade

½ theelepel vanille-extract
1 kop slagroom

Smelt de chocolade in een au bain-mariepan op een gematigd vuur. Als de chocolade gesmolten is, roer er dan het vanille-extract en de room doorheen. Klop tot het goed gemengd en zijdeachtig is.

Giet het glazuur over de afgekoelde taart, laat het langs de zijkanten naar beneden druppen. Lik de kom uit. Mmm!

Ik trof Kitty huilend op de trap aan. Ze droeg haar schooluniform en leek met haar lange ledematen die in wanhoop heen en weer fladderden op een zwart spinnetje. Ze had zichzelf zo opgesteld dat ze haar gezicht in de spiegel aan de muur kon zien: verdrietig prinsesje dat huilt om de onrechtvaardigheid van het leven.

'Wat is er, schatje?' vroeg ik.

'Molly en Anna doen rot tegen me. Ik haat ze. Het zijn bitches.'

'Dat woord wil ik niet horen. Wat is er gebeurd?'

'Nou, je weet toch dat we na school naar Brent Cross zouden gaan?'

Ik knikte. Echt wat voor jonge meisjes. Ze gingen naar het winkelcentrum, als miniatuurvolwassenen, om koffie te drinken en etalages te kijken. In mijn tijd gingen we naar de High Street, dat vond ik toch wat meer klasse hebben dan zo'n *shopping mall*. (Wat een rare uitdrukking eigenlijk, 'in mijn tijd', alsof jouw 'tijd' maar tot een bepaald punt duurt en het dan voorbij is en iemand anders 'tijd' begint. En wanneer was dan dat magische moment? Op je twintigste? Je dertigste? Was het niet nog steeds 'mijn tijd'? Ik leefde toch nog? Het is toch zolang je nog ademhaalt eigenlijk 'jouw tijd'?)

'Mam, luister nou,' zei Kitty. Ze schudde mijn arm om me bij de les te houden. 'Goed, ik liep vooruit, en toen ik me omdraaide waren ze weg. Ze waren weggerend en ik kon ze niet meer vinden. Ik zocht ze dus overal, en toen struikelde ik en greep ik de arm van een meisje dat langsliep, om niet te vallen. Dat was een echte chav, weet je, met grote gouden oorringen en Nikes en een afgeknipte broek. Ze stond voor me en zette haar handen op haar heupen en ze zei: "Hé, blijf met je poten van me af." En toen zag haar vriendin dat ik kwaad naar haar keek en dus zei ze: "Die meid heeft het boze oog." Ik ben maar snel weggerend, voor ze me in elkaar zouden slaan.'

Kitty was haar verdriet vergeten, terwijl ze het verhaal deed. Ze speelde iedere rol, ze deed de stemmen van de meisjes ongetwijfeld perfect na. Voor haar was het hele leven *materiaal*.

'En toen? Heb je de anderen nog gevonden?'

'Jawel, uiteindelijk wel. Maar ik was helemaal van slag.'

Ik sloeg mijn armen om haar heen, en herinnerde me hoe wreed jonge meisjes tegen elkaar kunnen zijn. En grote meisjes zijn net zo erg, vond ik terwijl ik eraan dacht hoe de moeders van diezelfde meisjes zich tegenover Ruthie en mij gedroegen.

'Iedereen doet altijd verschrikkelijk tegen me, ik heb helemaal geen vriendinnen,' snikte Kitty, terwijl ze haar gezicht in mijn hals begroef. Ik had zin om Molly en Anna een klap te geven.

'En Sephy dan?'

'Die telt niet, dat is een soort zusje.'

'Daar gaat het juist om, schatje. Als je een echte vriendin hebt, een hartsvriendin, dan tellen die anderen niet. Het zijn trouwens geen goede vriendinnen voor je als ze zo rot tegen je doen.'

'Maar ik wil dat Molly en Anna ook vriendinnen van me zijn.'

Een van de voorwaarden waarop de meisjes zelf mogen gaan winkelen is dat ze met een groepje gaan. Ik had ze dat altijd voorgehouden. Dus belde ik de moeder van Molly.

'Met Chloe, de moeder van Kitty.'

'O, hallo.' Ze klonk alsof ze niet precies wist wie ik was.

Ik vertelde wat er gebeurd was. Ze lachte eventjes ongeduldig. 'Nu ja, zo zijn meisjes nu eenmaal. Je kunt niet verwachten dat ik daar iets aan doe.'

De leeuwin in me werd wakker en gromde. 'Ik zie het als pesten. En je moet het er met Molly over hebben, voor het verder uit de hand loopt.'

'Ja, ja hoor,' zei ze, en ze hing op. Als ze voor me had gestaan, had ik haar kop eraf getrokken met mijn Grote Kattentanden.

'Bitch,' mompelde ik.

'Precies,' zei Kitty die me gehoord had. De oorlog was verklaard. Het gepest strekte zich over twee generaties uit, en Kitty en ik bespraken de psychologische oorlogvoering. Molly bleek de volgende dag jarig te zijn en de meisjes brachten op hun verjaardag altijd een taart mee. Molly's moeder haalde die bij Marks & Spencer; het enige wat ze, als ze het niet te druk had met de sportschool, zelf kon maken, was een olifant van een mug. Jessie, die twee klassen hoger zat, was nu ook thuisgekomen, dus bakten we met z'n drieën een

183

heerlijke chocoladetaart die Kitty mee kon nemen. Kitty repeteerde haar tekst: 'Oeps, ik was vergeten dat Molly jarig was. Ik had gewoon zin de klas te trakteren.' Gekochte taarten werden altijd genegeerd ten faveure van de zelfgebakken exemplaren. We maakten een ingewikkelde versiering met het glazuur en schreven *Gewoon omdat het donderdag is* op de taart, tevreden met onze tactiek.

'Zo, daar kunnen ze het mee doen,' zei ik toen ik de tekst met een krul eronder afsloot.

Leo gooide ons plan bijna in de war door stilletjes op de ballen van zijn voeten als een inbreker de keuken in te sluipen, en een groot mes te pakken, dat hij bijna in de taart liet zakken om voor zichzelf een groot stuk af te snijden. Ik moest een duik door de keuken maken om zijn iPod los te koppelen en hem op tijd tegen te houden.

'Je hoeft niet zo te gillen,' zei hij. 'Ik wilde gewoon even proeven.'

'Hij is voor Kitty op school.'

'Zoals gewoonlijk is altijd alles hier voor Kitty,' zei hij zuchtend.

Ik moest een boterham in de vorm van een koekmannetje voor hem maken om te bewijzen dat ik net zo veel van hem hield. 'Een kleintje maar, hoor,' zei ik. 'Want we gaan vanavond met z'n allen uit eten, weet je nog?'

We hadden de gewoonte aangenomen om woensdagavond buiten de deur te eten om aan Bea's sombere aanwezigheid aan tafel te ontsnappen. Om de een of andere reden was ze midden in de week altijd op haar ergst. Sinds Zuzi's komst was haar humeur weliswaar verbeterd en was het dus niet echt noodzakelijk meer, maar we waren er om de een of andere reden mee doorgegaan. Bovendien rekenden Zuzi en Bea nu op deze wekelijkse gelegenheid om met z'n tweetjes bij kaarslicht te dineren. De moeilijkheid was dat we een beetje door de restaurants in de buurt heen waren. Greg was geen gemakkelijke klant en had de meeste restaurants in *Uit eten in je eigen achtertuin*, de restaurantgids van onze buurt, met een rood kruis ontsierd, zo'n type kruis dat je aantrof op de deur van zestiende-eeuwse pestslachtoffers om aan te geven dat de dood daarbinnen heerste. Af en toe werd een restaurant gerehabiliteerd als er een nieuwe eigenaar in kwam, maar al te vaak ging het zijn voorganger achterna en kwam er een tweede kruis naast het eerste te staan.

We streken neer bij Japie Krekel, een nieuw pizzarestaurant in Willesden Lane dat ons door Ruthie en Richard was aanbevolen. Ze hadden een irritant vrolijk en in hysterische bewoordingen gesteld menu: 'Probeer onze overheerlijke Krekelpizza eens, heel veel gesmolten kaas en pittige worst, voor een rijke smaakbelevenis'.

'Ik hoef niets,' zei Kitty. 'Ik zie de hele tijd krekels voor me die op hun pizzabodem in een hete oven gebakken worden.'

Greg maakte een smeergebaar om aan te geven dat het mes om zijn broodje mee te beboteren op tafel ontbrak. Ik koos een Frisse Salade, 'knapperige groenten, met liefde gedrapeerd op een smakelijk bedje van verse gezonde slabladeren'. Ze hadden eraan toe moeten voegen: 'en met een schitterend torretje in het midden', want dat trof ik aan toen de salade voor me stond.

'Sorry, ober, wilt u de kok even roepen?' zei Greg met die ijzige beleefdheid die hij over zich krijgt als hij op het punt staat een scène te maken. Ik keek naar de kinderen en trok mijn wenkbrauw op – allebei in feite, het is me nooit gelukt er maar één op te trekken – om aan te geven: 'Daar gaan we weer.' De kok verscheen bij ons tafeltje, een jonge man met plukken slordig, en niet geheel schoon haar die aan zijn koksmuts ontsnapten. Zijn geruite broek zat te strak en was enigszins vettig, zijn vingers zaten onder de pleistertjes.

'Zou u me kunnen vertellen hoe u uw salades bereidt?' vroeg Greg.

De kok keek verbaasd. 'Wablief?'

'Vertelt u me maar eens hoe u de salades maakt.'

'Nou ja, je hakt de groenten,' begon hij langzaam.

De kinderen schoven ongemakkelijk op hun stoel heen en weer, ze geneerden zich kapot. Greg hief zijn hand om hen te waarschuwen dat ze hun mond moesten houden. Jessie, die nog steeds bij ons logeerde, had Greg nog niet eerder in actie gezien. Ook zij keek verbaasd.

'Ja?' Greg knikte naar de kok.

'Je wast de sla.'

'Wat zegt u?' zei Greg. Hij hief zijn hoofd en spitste zijn oren als een oplettende jachthond die voelt dat de vos in de buurt is.

'De sla,' herhaalde de kok langzaam, terwijl hij zijn hoofd schudde.

'Ja, maar welk woord kwam er voor de sla?'

De kok krabde in het nadenkgebaar op zijn hoofd. 'Eh… wast. Je wast de sla.'

'Inderdaad,' zei Greg, terwijl hij zijn vinger hief om zijn woorden kracht bij te zetten. 'Daar gaat het om: wast.' Hij was nu geen oplettende hond meer, maar het boze baasje dat zich opmaakte om de kok met zijn neus in de door hem geproduceerde rotzooi te duwen en hem met een opgerolde krant op zijn achterhoofd te slaan. 'Het wassen, daar gaat het om, nietwaar?' zei Greg, met een onplezierige nadruk op het woord 'wassen'. 'Dus waarom zit er dan, als ik vragen mag, een tor in de salade van mijn vrouw?'

Zijn wijsvinger, die zijn woorden zojuist nog kracht had bijgezet, wees nu beschuldigend op het gewraakte insect, dat opgekruld lag op zijn smakelijke bedje, zich gelukkig onbewust van de onrust die zijn stille aanwezigheid veroorzaakt had. De kok haalde het bord haastig weg en beende naar de keuken, terwijl hij in een onbekende taal vervloekingen prevelde en met zijn vinger langs zijn keel ging in een gewelddadig gebaar dat niet vertaald hoefde te worden.

Ik stond erop dat we na Gregs 'overwinning' vertrokken. Mijn vroegere baantje als serveerster had me geleerd dat een vernederde kok meestal wraak nam door in het eten te spugen, of erger.

'Waarom heb je niet gewoon tegen de ober gezegd dat er een tor in de salade zat in plaats van die scène op te voeren?' klaagde ik, terwijl ik iedereen naar buiten dreef.

'Ze moeten het maar leren,' zei de maniak die ik eens zo dwaas trouw had beloofd.

We kwamen rammelend van de honger thuis, troffen daar een lege ijskast aan en Bea en Zuzi die behaaglijk op de bank in de keuken zaten, hun lippen aflikten en over hun volle maag wreven.

'Dit is de druppel,' schreeuwde ik tegen Greg. 'Ik ga nooit meer met jou naar een restaurant. Van nu af aan eten we thuis.'

Bea keek verschrikt. 'Maar toch niet op woensdag? Dit is Bea en Zuzi-avond, toch?'

Ik vertrouwde mezelf niet, dus volgde ik Greg zonder iets te zeggen naar boven. Hij pakte de restaurantgids, zette een grote rode X door het stukje over Japie Krekel, en ging er daarna eens goed voor zitten om een brief aan de auteurs van *Uit eten in je eigen achtertuin* op te stellen. Hij zou daarin ongetwijfeld aandringen op de verwijdering van Japie Krekel uit het boekje. In de lucht om me heen vormden zich stalactieten en stalagmieten terwijl ik daar vastgevroren in ijzige woede stond en naar hem keek en hij maar doorschreef, irritant krassend met de ganzenveer, waarvan ik nu wenste dat ik hem nooit aan hem gegeven had. Ik was de ijskoningin geworden en het zou een paar dagen duren voor de dooi weer in zou zetten. 'Hé pap, mam heeft het boze oog,' zei Kitty over haar schouder tegen hem terwijl ze naar boven huppelde, naar bed.

14

BV's recept voor een etentje

Koop nootjes en olijven
Open de zakjes en stort alles
    in bakjes
Zet wijn koud

Zeg tegen je gasten dat ze de
andere gangen moeten
klaarmaken en meenemen

Becky was er tijdens haar afwezigheid van overtuigd geraakt dat Ivan en zij voor hun huwelijk moesten vechten en het nog een kans moesten geven. Ik had daar een dubbel gevoel over. Aan de ene kant vond ik het veilig omdat het hielp om mijn eigen verhouding met hem binnen de perken te houden, maar tegelijkertijd was ik onredelijk jaloers. Haar terugkomst in de echtelijke woning stelde ons bovendien voor een probleem. We moesten een nieuwe plek voor onze afspraakjes vinden en waren gedwongen onze toevlucht te nemen tot gestolen uurtjes in hotelkamers. De meeste hotels hadden strenge regels over het tijdstip van inchecken, die zich niet lieten rijmen met de behoeftes van getrouwde minnaars.

'Waarom bestaan er geen liefdeshotels?' vroeg ik aan Ivan. 'Straks moeten we nog naar Japan, daar schijnt er op elke straathoek een te staan.'

Na een paar schermutselingen met chenille beddenspreien, niet helemaal schone lakens en woest en lawaaierig gebonk in de kamers naast de onze, had Ivan een hotel in Bayswater gevonden dat heel toepasselijk 'Ontmoeting' heette en dat ons eigen liefdesnestje was geworden. Het was een leuk, roze hotel uit de achttiende eeuw, dat gedreven werd door Georgiërs uit Tbilisi, en gelegen was in een rustige zijstraat van Bayswater Road, niet ver van Ivans huis.

Ik sloeg altijd eten in – voor tussendoor – bij de exotische winkeltjes langs Queensway: humus, falafel, noten, olijven en brood. Dingen die we makkelijk met onze vingers konden eten of van elkaars vingers aflikken. Soms hadden we een paar uur tussen de middag, af en toe slaagden we erin een hele middag vrij te maken. Het gedrag van Mgelika, de receptionist, bracht me in verlegenheid. Als we incheckten grijnsde hij veelbetekenend naar me met zijn tandeloze mond, en hij schudde Ivans hand net iets te stevig, alsof hij wilde aangeven hoe viriel hij het van hem vond dat hij de vrouw van een ander neukte. Een keer liep hij langs onze kamer toen we net weggingen, en keek hij door de openstaande deur openlijk naar de verkreukelde lakens op het bed. Ik zag hem glimlachen als een wolf terwijl hij me keurend opnam en zijn blik te lang op mijn borsten liet rusten. Hij gaf me het gevoel dat ik een hoer was die een kamertje per uur huurde. Ivan zei tegen me dat ik me niet moest aanstellen en dat het er niets toe deed wat een vreemde van me dacht, zolang we maar samen waren.

'Vergeet Regel Vier niet,' zei Ruthie toen ik haar over ons nieuwe liefdesnestje vertelde.

Ik keek haar vragend aan.

'*Betaal nooit met een creditcard.* Je wordt er makkelijk mee betrapt en veel mensen zijn er erg slordig mee,' waarschuwde ze.

Mijn hernieuwde seksuele activiteit had nog een onverwacht en weinig welkom gevolg, dat bijna net zo belastend was als een slordig bewaard creditcardafschrift: ik kreeg een blaasontsteking. De middeltjes die je bij de drogist kon krijgen richtten niets uit en in wanhoop maakte ik een afspraak met de doktersassistente van Gregs praktijk. Riskant, dat weet ik, maar ik wist niet waar ik anders heen moest.

'Hallo, Chloe, kom je voor Greg?' vroeg Marjorie me opgewekt toen ik probeerde onopvallend binnen te komen. Natuurlijk had ze vandaag uitgezocht om eindelijk te berusten in het feit dat ik de vrouw van Greg was. Ze pakte de telefoon al.

'Nee, nee, val hem maar niet lastig. Hij heeft het vast erg druk,' zei ik. 'Ik kom alleen maar wat vragen aan de assistente.'

Ze wachtte even, haar hand nog op de telefoon, en keek me aan met een blik die leek aan te geven dat ze mijn hele urinewegstelsel in de smiezen had, voor ze zichzelf weer in de receptionistestand zette.

'Neem maar even plaats, de assistente komt zo.'

Toen mijn naam werd afgeroepen, klonk het zo hard dat ik mezelf geweld moest aandoen om niet 'ssst' tegen het intercomsysteem te sissen. Ik liep op mijn tenen de gang door, tegen de muur gedrukt om onzichtbaar te blijven voor Greg.

'Je gelooft het niet hoeveel vrouwen van in de veertig een blaasontsteking hebben,' zei de doktersassistente, keihard naar mijn gevoel. Ze leek vast van plan om met haar stem door de dunne muren Greg in de spreekkamer ernaast te bereiken. 'Het is gewoon een epidemie. Het zijn allemaal gescheiden vrouwen die de seks opnieuw ontdekt hebben, en hoe! Ze noemen het "de wittebroodsziekte". Grappig dat jij het hebt, Greg en jij zijn al zo lang getrouwd!' Ze keek me nieuwsgierig aan en voegde eraan toe: 'Die ouwe dokter staat zijn mannetje dus nog. Je hebt geluk. Henry en ik zijn al minstens een jaar niet meer met elkaar naar bed geweest.' Ik lachte zenuwachtig en nam overhaast de vlucht, met een recept voor een antibioticakuur in mijn hand geklemd en als de dood dat ze iets tegen Greg zou zeggen.

Er is niets zo prettig als 's middags in bed liggen in de armen van een man die je begeert. Het was vrijdag, de lucht was ongewoon blauw voor december en de zon, die zich aan het korte winterrooster hield, maakte een laatste vluchtige opwachting alvorens zich voor die dag terug te trekken. Ivan liet zijn hand langs mijn rug op en neer glijden en ik stopte mijn neus in zijn hals en snoof zijn geur op. Zijn lange benen waren verstrengeld met de mijne, en tussen mijn dijen, een gebied dat nog prettig naklopte na zijn deskundige behandeling, kon ik de warmte van de zijne voelen. We genoten van de laatste kostbare ogenblikken voor we weer op moesten staan en ons aankleden en spijtig terugkeren naar ons echte leven, toen het L-woord jammer genoeg, en in absolute tegenspraak met Ruthies Regel Vijf – *Word nooit verliefd op je minnaar als je niet van plan bent weg te gaan bij je man* – zijn lelijke kop opstak.

'*Ja ljoebljoe tebja,*' zei Ivan.

'Bloeh bloeh blah blah, wat betekent dat?'

Hij lachte. '*Ljoebljoe tebja.* Ik hou van je.'

'Bloeh bloeh blah blah, insgelijks,' zei ik voor ik er erg in had. Wat niet hetzelfde was als tegen hem zeggen dat ik van hem hield vond ik. Ik had alleen maar wat nonsenswoordjes gezegd in een taal die ik niet begreep. Het was onlogisch, maar het voelde meer als verraad jegens Greg om tegen Ivan te zeggen dat ik van hem hield, dan om met hem naar bed te gaan. Kennelijk was er weinig mis mee om een andere man en zijn pik met me te laten doen wat ze wilden, maar als ik zou zeggen 'Ik hou van je', dan verbande ik mezelf naar het vagevuur. (Hoewel, het leek sowieso steeds waarschijnlijker dat ik daarnaartoe verbannen zou worden.) Ik voorkwam verder gepraat over liefde door Ivan te kussen tot het tijd was om weg te gaan.

Werd ik verliefd op hem? Die gedachte joeg me angst aan. Ik begreep heel goed waarom dat tegen de regels van Ruthie was, maar achter die angst zat een ander gevoel, een ontzettend goed gevoel, en ik merkte dat ik gelukkig neuriede toen ik naar mijn auto liep. Kon ik het feit dat ik een getrouwde vrouw was niet eventjes opzijzetten en gewoon nagenieten van de afgelopen paar uur die ik met mijn minnaar had doorgebracht? Mijn minnaar. Ik liet het woord over mijn tong rollen als een heerlijk snoepje en voelde me een onweerstaanbare vrouw van de wereld, een Mata Hari, een verleidster. Chloe Zhivago, slanker en mooier dan ze ooit geweest was. Tra-la-la-la. Het laatste 'la' leek in mijn keel te blijven steken toen de woorden door mijn hoofd speelden die iedere Jood die zich gelukkig voelt achtervolgen: 'Dit blijft niet zo.'

Toen ik in mijn auto stapte, werden mijn gedachten verstoord door mijn mobiel. *One more dance with you momma* klonk het. Leo had mijn ringtone vervangen door een van zijn hiphopnummers. Gelukkig een melodischer en minder agressief nummer dan gebruikelijk. (Ik kreeg het lichtelijk benauwd bij de gedachte dat ik mijn telefoon lang genoeg ergens onbewaakt had laten liggen om Leo daarvoor de gelegenheid te geven.) Ik dacht dat het Ivan zou zijn, die me nog eens gedag wilde zeggen; een van ons belde of sms'te altijd wel nadat we samen waren geweest, gewoon om even contact te houden.

'Hai,' zei ik, mijn stem warm en intiem na onze vrijpartij van daarnet.

'Ik had BV net aan de lijn,' klonk de stem van Greg. Ik schrok me rot. 'Ze heeft ons aanstaande dinsdag bij haar thuis ontboden voor een etentje om kennis te maken met haar nieuwe vriend. Ik heb geprobeerd eronderuit te komen, maar op de een of andere manier hoorde ik mezelf opeens beloven dat we zouden komen. Ruthie en Richard komen ook en ook die Russische vent, Ivan, met zijn vrouw. Jij moet het voorafje klaarmaken, Ruthie doet het hoofdgerecht.'

'En het toetje dan?' Ik was ontzet, ik kon niets anders verzinnen.

'Ze koopt een taartje of zo, bij de banketbakker. Dat moet je haar toch nageven: niemand anders lukt het om mensen te eten uit te nodigen en ze dan zelf te laten koken.'

'Moeten we echt?' vroeg ik paniekerig.

'Het is ook nooit goed,' zei Greg. 'Jij klaagt toch altijd dat ik nergens mee naartoe ga? Ze is jouw vriendin. Ik dacht dat jij wel zou willen.'

'Nee, oké, natuurlijk gaan we.'

Nadat ik het gesprek had beëindigd, bleef ik in shock in de auto zitten; gezegdes als 'Wie wind zaait zal storm oogsten' en 'Je trekken thuis krijgen' kwamen bij me op.

Hè, wat een gezellig vooruitzicht: mijn man en mijn minnaar aan één tafel. Het was verschrikkelijk, maar omdat Greg al had toegezegd dat we zouden komen, sms'te ik snel naar Ivan om hem te waarschuwen dat hij de uitnodiging af moest slaan. TE LAAT, schreef hij terug. BECKY HEEFT NET OPGEHANGEN. ZE HEEFT DE UITNODIGING AL AANGENOMEN.

'Je moet je erdoorheen slaan, gewoon doen alsof je neus bloedt,' zei Ruthie toen ik haar in paniek belde.

'Waarom vind ik het zo verschrikkelijk om met mijn man en mijn minnaar aan één tafel te zitten? Ik bedoel, ik ben net naar bed geweest met mijn minnaar en heb allerlei intieme dingen gedaan, en op de een of andere manier voelt dat nog wel acceptabel.'

'Ik denk dat het komt doordat het vernederend voor je man zou zijn als hij zou weten dat de ander je minnaar is en dat de overige aanwezigen dat ook weten. Alsof je hem in het openbaar voor gek zet. Terwijl als je discreet bent en je verhouding gescheiden is van je dagelijks leven, dan is het... nou ja, niet echt vergeeflijk, maar minder onvergeeflijk.'

'Het is wel een mijnenveld, hè? Het rare is dat ik het prettig zou vinden als ze elkaar wel zouden mogen.'

'Wees voorzichtig, Chlo. Je kunt van alles verraden zonder dat je dat beseft. Lichaamstaal, veelbetekenende blikken... Mensen kunnen dingen aan je zien die je zelf soms niet eens beseft.'

'Bedankt voor deze geruststellende woorden,' zei ik wrang.

Ik weet niet wat er voor duiveltje in me gevaren was, maar ik begon het wel spannend te vinden. Het riskante eraan gaf me op de een of andere manier het gevoel dat ik leefde. Plotseling begreep ik waarom mensen risico's nemen. Waarom parlementsleden aan de rol gingen met prostituees, waarom beroemdheden drugs namen waar vreemden bij waren. Het voedde de gevaarlijke behoefte om ervaringen aan te dikken. Het maakte het leven tot een opwindend spelletje Russische roulette, en ik had het geluk dat ik mijn eigen echte Rus had om dat spel mee te spelen.

Op de afgesproken dag bladerde ik door mijn talloze kookboeken op zoek naar een voorafje. 'Boekweitblini's met gerookte zalm, zure room en kaviaar.' Prima.

Ik ging naar de Wolga voor een aantal ingrediënten. Volodja zat in zijn gebruikelijke houding, achterovergeleund in zijn stoel met zijn voeten op de toonbank *Dokter Zjivago* te lezen, met een onaangestoken sigaret tussen zijn lippen. Hij keek op toen hij de deurbel hoorde klingelen.

'Waar ben je nu?' vroeg ik.

'Het gedeelte waar Zjivago en Lara een verhouding hebben en Tonja nog niet beseft wat er gaande is.'

'Dat heb ik nooit helemaal begrepen,' zei ik. 'Zjivago houdt heel veel van Tonja, al vanaf hun jeugd, hoe kan hij dan verliefd worden op Lara?'

'Je kunt best tegelijkertijd van twee mensen houden.' Volodja haalde zijn schouders op en keek me doordringend aan.

En kennelijk ook tegelijk met ze eten. Ik meed zijn blik door in mijn tas naar iets te zoeken.

'Weer een raadsel?' vroeg hij.

'Nee, vandaag kom ik geld uitgeven. Ik heb boekweitmeel nodig, en kaviaar.'

Hij verkocht me een blikje zalmkaviaar. Helderoranje glinsterende balletjes, die volgens hem smakelijker waren dan de gebruikelijke zwarte steureitjes, en nog een stuk goedkoper ook.

'Russische liefde, *Roeskaja ljoebov*, doet je goed,' zei hij. Hij keek me onderzoekend aan. '*Semja*, dat is belangrijk, Chloe: het gezin.' Hij pakte me bij mijn schouders en draaide me naar zich toe. 'Wees gelukkig en geniet, maar vergeet dat niet.'

Het leek wel alsof iedereen die ik sprak me tot voorzichtigheid maande of me raad gaf. Hij vulde een plastic zakje met chocolaatjes met eekhoorns erop en stopte het in mijn hand. 'Hier, neem deze *Belotsjki* mee, heerlijk bij de thee of koffie na de maaltijd. De smaak van thuis voor je vriend.' Hij boog zich achter me langs, stak zijn hand in een rieten mandje, pakte er een ander chocolaatje uit, haalde het papiertje eraf en stopte het in mijn mond. Het was heerlijk, een nootje overdekt met brosse chocola.

'Het heet *griliazj*, heel populair in mijn vaderland.'

'Wat is "heerlijk" in het Russisch?'

'*Vkoesno*.'

'*Vkoesno*,' herhaalde ik, en ik borg het woord weg voor een intiem moment waarop ik het als een cadeautje aan Ivan kon aanbieden, een kooswoordje in zijn moedertaal.

Ik kwam thuis, klaar om mijn mouwen op te stropen en aan de slag te gaan met de blini's, maar trof BV op mijn bank aan. Ze lag languit en droeg een brace om haar nek.

'Wat is er gebeurd?' vroeg ik.

'Ik heb mijn nek verrekt toen ik met Jeremy neukte. Ik zat bovenop en probeerde mijn gezicht niet te laten hangen, dus boog ik mijn rug flink naar achteren, om alles strak te houden. Ik ben waarschijnlijk iets te enthousiast geweest.'

'Misschien moeten wij *femmes d'un* zekere leeftijd, ons aan het missionarisstandje houden,' zei ik, terwijl ik mijn lachen probeerde in te houden.

'Voor jou doet het er niet toe hoe je eruitziet,' zei BV. 'Het is Greg maar, op hem hoef je geen indruk te maken.'

'Ja, natuurlijk,' antwoordde ik verward. 'Maar goed, ik moet er toch voor zorgen dat hij er niet vandoor gaat met een lekker strak jong ding.' Ik had mezelf bijna verraden. Ik moest voortaan voorzichtiger zijn.

'Waarom heb je Ivan en Becky eigenlijk te eten gevraagd?' vroeg ik, naar ik hoopte op achteloze toon.

'Ze zijn mijn nieuwe beste vrienden en ik wil hem vragen de tekeningen voor mijn volgende boek te maken. Ik denk dat sexy cartoons van mensen die de liefde bedrijven het heel goed zullen doen. Maar nu moet ik er echt vandoor,' zei BV, alsof ik haar ophield. 'Ik moet naar Saigon voor mijn nagels.' (Dit was haar bijnaam voor de talloze nagelstudio's die door Vietnamezen gerund werden. Ze noemde Stoke Newington 'Istanbul' vanwege alle Turkse winkels daar. Acton noemde ze 'Tokyo' en Southall 'New Delhi'.) 'Die meisjes in Saigon hebben onmogelijk smalle kontjes,' voegde ze eraan toe. 'Daardoor voel ik me enorm dik. Maar goed, het is er erg rustig en stil, we begrijpen elkaar totaal niet, dus heeft het geen zin om te praten – precies wat ik vóór vanavond nodig heb.' Ze wierp me een kushandje toe. 'Tot straks.'

'Ik kan niet wachten,' mompelde ik, terwijl ik de deur achter haar dichtdeed.

BV woonde in een groot huis in een buurt die zij West Hampstead noemde, maar die volgens Greg eigenlijk East Kilburn hoorde te heten. De buurt was sinds kort geliefd bij de trendy kunstenaarskliek die zich Notting Hill Gate of Primrose Hill net niet konden permitteren. Vlak voordat we erheen gingen had ze nog opgebeld om ons te vragen onderweg het toetje op te halen omdat ze zo veel te doen had. Toen we haar smetteloze keuken met het betonnen aanrecht binnenkwamen (kennelijk was beton *le dernier cri* voor werkbladen), was het moeilijk te zeggen waarmee ze het zo druk had gehad. Afgezien van een paar bakjes met olijven en nootjes wees niets erop dat ze gasten verwachtte.

'Ik ben woest,' verkondigde ze. 'Jeremy heeft me letterlijk vijf minuten geleden gebeld dat hij niet kan komen. Hij moest naar Cardiff. Een van zijn producers is gearresteerd omdat hij iemand heeft aangerand en hij moet dat regelen. En ik had dit avondje nota bene georganiseerd om jullie eindelijk eens aan hem voor te stellen.'

Ik was haar net aan het troosten door haar iets te drinken in te schenken, toen Ivan en Becky arriveerden.

Becky was kleiner en zag er leuker uit dan haar foto had doen vermoeden, maar ze had iets nattigs rond haar mond, waardoor je zin kreeg hem met een tissue af te deppen. Het was niet een vochtigheid die een seksuele belofte inhield; eerder een aankondiging van te natte zoenen. Ik kon dat foutje door de vingers zien, want ik was niet van plan haar te kussen. Ik merkte dat ik haar onmiddellijk heel aardig vond, en met die mogelijkheid had ik helemaal geen rekening gehouden.

'Ivan en ik hebben ruzie,' zei ze. 'We zijn onderweg hiernaartoe verdwaald. Zoals gewoonlijk wilde hij niet even stoppen om aan iemand de weg te vragen.'

'Greg is precies zo,' zei ik. 'Hij rijdt liever uren rond dan de vernedering onder ogen te moeten zien iemand om hulp te vragen. Maakt testosteron het mannen onmogelijk om de weg te vragen?'

'Ik word er knettergek van. De kinderen ook,' zei Becky. 'Toen ze kleiner waren, hingen ze uit het raampje van de auto en zwaaiden naar voorbijgangers terwijl ze om hulp riepen: "We zijn verdwaald, maar onze vader wil niet stoppen om de weg te vragen."'

'Werkte dat?'

'Nee. Het sterkte Ivan alleen maar in zijn gedrag. Hij reed gewoon harder.'

We lachten. Vrouwen verenigd door de grillen van mannen. Becky was aardig en geestig. Ik zou voor haar woedend zijn geweest op haar man die vreemdging als ik niet degene was geweest met wie hij dat deed. Wat jammer dat ik haar niet gewoon kon vragen of ik hem mocht lenen, zoals een kind een speeltje van een vriendje leent. 'Mag ik hem niet een keer proberen? Je krijgt hem terug als ik klaar ben. Kom op, Becky, doe niet zo flauw, ik mag hem best even hebben.' Dat houdt partnerruil natuurlijk in: je probeert de man of de vrouw van een ander uit en je geeft hem of haar netjes terug als je klaar bent.

BV was zo druk bezig zich als gast te gedragen dat Ruthie en ik het heft in handen moesten nemen, anders zouden we nooit iets te eten krijgen.

'Wat vind je ervan?' fluisterde ik tegen Ruthie toen ze me hielp de eerste gang op te dienen. Ze zwaaide lichtjes heen en weer toen ze stukken gerookte zalm in het wilde weg op de blini's gooide. Ze was bij aankomst al behoorlijk aangeschoten geweest.

'Hij is geweldig,' zei ze. 'Zijn vrouw is ook leuk,' voegde ze er droogjes aan toe.

BV's enige concessie aan haar rol als gastvrouw was het regelen van de tafelschikking, en ze had Ivan naast mij neergezet. Ik moest alle zeilen bijzetten om mijn benen onder tafel niet met de zijne te verstrengelen. Greg zat naast Becky en ze leken het prima met elkaar te kunnen vinden.

Ruthie wierp me over de tafel veelbetekenende blikken toe. Ze liep achter me aan toen ik de borden afruimde.

'Regel Zes,' zei ze. '*Ontken en lieg*.' Ik keek haar vragend aan.

'Tenzij je op heterdaad betrapt wordt, moet je alles ontkennen.'

Ik knikte gehoorzaam. 'En denk erom,' voegde ze eraan toe, 'als ik zie hoe jullie naar elkaar kijken, zou het me niets verbazen als jullie straks het gezelschap op een liveshowtje trakteren.'

'Is het echt zo duidelijk?'

'Voor mij wel, ja. Maar goed, het is ook een van mijn lievelings-onderwerpen.'

'Wat denk je, zou Greg of Becky iets vermoeden?'

'Nee.' Ze zweeg even en voegde er toen voorzichtig aan toe: 'Nog niet.'

BV bracht het grootste deel van de avond óf in een andere kamer door met Jeremy bellen, óf aan tafel in gesprek met Richard over de seksuele gewoontes van de antieken, voor het geval hij haar iets kon vertellen wat ze voor haar nieuwe boek zou kunnen gebruiken. De rest van het gezelschap werd min of meer geacht zichzelf te redden. Na het hoofdgerecht (gegrilde heilbot met zwartebonensaus en wilde rijst) begon Ruthie een gesprek over het huwelijk. Ze had boven op wat ze al op had nog een paar extra glazen wijn gedronken, en bovendien was ze regelmatig naar de wc geweest, waar ze onge-twijfeld nog wat lekkers van haar Colombiaanse vriend tot zich had genomen. Richard keek naar haar en draaide ondertussen zijn onderlip tussen zijn duim en wijsvinger, wat hij altijd doet als hij zich ergens zorgen over maakt. Ik wist dat ik vroeg of laat ernstig met hem zou moeten praten en Ruthies geheim zou moeten verra-den: zonder zijn hulp zag ik niet hoe ze nog in het gareel moest ko-men.

'Het punt is,' zei ze, 'dat het huwelijk helemaal niet bedoeld was om zo lang te duren als onze huwelijken. Tien jaar was vroeger nor-maal. Als die voorbij waren, waren de vrouwen in het kraambed overleden en jullie,' – ze maakte een vaag armgebaar in de richting van de mannen aan tafel – 'jullie waren allemaal gestorven in een duel of zo.'

'Misschien moet ik Ivan voor een duel uitdagen,' zei Greg, en hij trok nog een fles open. Ik verslikte me in mijn eten. 'Graatje,' zei ik hijgend toen ik weer een woord kon uitbrengen.

'Waarom mij?' vroeg Ivan rustig.

'Waarom niet? We vinden vast wel iets waarover we kunnen vechten,' zei Greg. Ik hield gespannen mijn adem in. 'Laat eens kijken,' ging Greg verder. 'Wat vind je bijvoorbeeld van het platteland?' Ik ontspande me en nam een geruststellend slokje wijn. Het gevaar was geweken.

Dit was een van Gregs lievelingsonderwerpen en hij vond het heerlijk om te bekvechten. 'Het leven is saai als iedereen het altijd met elkaar eens is,' zei hij altijd.

'Ik hou van het platteland,' zei Ivan.

'Nee, ik bedoel, wat vind je van de vossenjacht?' hield Greg aan. Daar gaan we weer, dacht ik vermoeid.

'Een nuttige toepassing van de theorie van Darwin,' zei Ivan. Hij keek Greg aan. 'De vossen die ze te pakken krijgen, zijn oud en ziek.'

En daar gingen ze, heen en weer. Greg oreerde over het schandaal van doden voor de sport; Ivan werd lyrisch over de vreugdes van de jacht.

'Ik ben de enige hier die geboren en getogen is op het platteland,' probeerde Becky erbovenuit te komen. Maar de mannen waren niet geïnteresseerd in iemand met echte ervaring aangaande het onderwerp en ze gingen alleen maar harder praten om ons te overstemmen. Ivan onderbrak Becky iedere keer als ze iets probeerde te zeggen, net zoals Greg dat bij mij deed. Zij en ik keken elkaar aan en we haalden onze schouders op. Onze mannen leken meer op elkaar dan ik in eerste instantie had gedacht, hoewel ik nu ik ze zo samen zag het idee had dat Greg alles in aanmerking genomen liever tegen mij was dan Ivan tegen Becky. Als ze iets zei, reageerde hij ongeduldig, en hij keek haar geen moment echt aan.

'Het is een belangrijk onderdeel van de economische en sociale structuur van het platteland. Ik heb het niet over de, hoe noemde je het ook weer, de chic, ik heb het over gewone mensen, die voor hun levensonderhoud al generaties lang afhankelijk zijn van de vossenjacht,' zei Ivan.

'Al dat gezeur over hoeveel banen er wel niet verloren zullen gaan slaat nergens op,' ging Greg ertegenin. 'Het neveneffect van vooruitgang is soms verlies aan werkgelegenheid. De mensen die het treft moeten gewoon een andere manier vinden om hun geld te verdienen. Je moet doen wat goed is, en de vossenjacht is niet goed.'

'Vossen zijn ongedierte, en trouwens, de vossenjacht roeit maar drie procent van de vossenpopulatie uit.'

'Goed, dan kun je moord ook wel goedpraten. Je schiet een paar mensen dood, en dan zeg je dat je daarmee slechts een bijzonder klein percentage van de menselijke populatie uitroeit. Een dode is een dode,' zei Greg.

'Kijk,' zei Ivan, en hij wees op de siamees van BV, die opgekruld op de deurmat lag en daarmee keurig het zinnetje uit het leren-lezenboekje illustreerde: 'De kat zat op de mat.' 'Mensen houden katten, en daarmee rekenen ze af met eventuele muizenplagen.'

'Bij onze kat gaat die vlieger niet op,' onderbrak ik hem. 'Ze heeft anorexia.'

'Ach, wat maakt het allemaal uit – vossen, bossen,' onderbrak Ruthie ons op luide toon en toen begon ze tot verbazing van ons allemaal met gierende uithalen te huilen. 'Het doet er allemaal zo verdomde weinig toe,' zei ze terwijl ze wankelend overeind kwam. Richard keek me hulpeloos aan; je hebt weinig aan hem in een crisis, dus nam ik haar snel mee de kamer uit en bracht haar naar de slaapkamer van BV, zodat ze even kon gaan liggen.

'Sorry Chlo, ik ben een beetje dronken,' zei ze. Vervolgens draaide ze zich om en viel in slaap.

Toen ik onderweg was naar beneden, zette Ivan me klem op de trap.

'Straks zien ze ons,' zei ik geschrokken.

Hij trok me tegen zich aan en ik kon hem voelen, warm tegen mijn dij, een herinnering aan het gedeelde genot. Het was bijna ondraaglijk opwindend. Niks Russische roulette, dit grensde aan regelrechte zelfmoord. Hij stak zijn hand aan de voorkant bij mijn broek naar binnen, streelde me, trok hem er weer uit en zoog op de vinger die me had geaaid terwijl hij me strak aankeek. Ik bloosde. Het choqueerde me maar wond me tegelijkertijd op. Als iemand ons zag, was Regel Zes waardeloos. Ik beheerste me zo goed als ik kon, drong langs hem heen en rende de rest van de trap af. BV's gezicht verscheen om de hoek van de deur en ze keek me vragend aan. 'Heb ik iets gemist?' vroeg ze.

'Ik wees Ivan de wc boven, meer niet.' Ik haalde achteloos mijn schouders op.

Toen we naar huis reden zei Greg: 'Aardige mensen, die Ivan en Becky. Hij vindt zichzelf wel erg geweldig, maar het is een interessante vent. Ik ga misschien wel eens iets met hem drinken.'

Ik probeerde niet te laten merken hoe ongemakkelijk ik me voelde en hield mezelf onledig met het zoeken naar het weerbericht op de autoradio om Gregs aandacht af te leiden. Daar zat ik nu echt op te wachten: dat mijn man en mijn minnaar gezellig samen iets gingen drinken. Misschien vonden ze het leuk om over mijn optreden in bed te praten.

'Ruthie is er niet zo best aan toe,' zei ik om van onderwerp te veranderen.

'Waarschijnlijk perimenopausaal,' zei Greg, vanuit die gekmakende gewoonte van mannen om vrouwelijke emoties te ondermijnen door iedere verstoring daarin toe te schrijven aan hormonale veranderingen.

'Jezus, ze is nog maar drieënveertig.'

'Veel vrouwen krijgen al symptomen als ze zo oud zijn als Ruthie en jij.'

'Fijn, daar kan ik me dan alvast op verheugen,' zei ik kordaat.

Ik was zo geprikkeld door Ivan dat ik overwoog om Greg te verleiden toen hij in bed kwam, ook al leek het niet helemaal in orde dat Greg het karwei waarmee Ivan op de trap begonnen was moest afmaken. Ik weet wel dat ik niet de eerste vrouw zou zijn geweest die aan haar minnaar dacht terwijl ze met haar man vree, en ook niet de laatste. Terwijl ik met mijn geweten worstelde, werd de beslissing voor mij genomen: Greg snurkte al. Ik had mezelf altijd gezien als een fatsoenlijk en integer mens, maar ik leek een aangeboren talent voor slechtheid te hebben ontwikkeld. Gebeurde dat als je tenen over die onzichtbare grens schoven die goed gedrag van slecht gedrag scheidde? De eerste stap was niet de laatste, slechts het begin van het onverbiddelijke pad naar de ondergang. Die van jezelf en van alle anderen. Ik lag een tijdje wakker, zocht met mijn verraderlijke, grensoverschrijdende voeten naar zachte koele plekjes tussen de lakens om me in slaap te sussen.

'Het spijt me zo,' jammerde Ruthie de volgende ochtend door de telefoon. 'Ik schaamde me kapot toen ik wakker werd. Oké, dat was dan dat, ik stop ermee, dat beloof ik je. Ik heb Carlos' nummer uit mijn mobiel, mijn Palm en mijn computer verwijderd.'

'Ja, prima, maar hoe zit het met je hoofd?' Ruthie is griezelig goed in het onthouden van telefoonnummers. Ze weet het nummer nog van Benny Tart, de eerste jongen die ze gezoend heeft. (Het lijkt wel alsof ieders eerste liefde een rare naam heeft, zoals Amanda Blow of Jimmy Quick.)

'Ik kook mijn hoofd wel in een vat olie, zodat hct ook daaruit verdwijnt,' zei Ruthie berouwvol. 'Ik was een beetje overspannen en ik had al drie glazen wijn op voor we er überhaupt waren. Ik had gisteren zo'n rotdag op mijn werk, ik moest targets vaststellen voor alle mensen op mijn afdeling. Dat kostte me uren, en David Gibfuck stond erop dat ze aan het eind van de dag allemaal af waren en ondertekend, ook al ga ik daar weg. Wat een idiote tijdverspilling. "Wat is je target?" "Dat ik mijn werk goed doe." "Goh! Dat is een verrassing. De meeste mensen zeggen: 'Dat ik er een puinhoop van maak.'" Wat een flauwekul. Goddank dat ik er bijna van af ben. En toen ik thuiskwam, zat Atlas te huilen en toen ik hem vroeg wat eraan mankeerde, zei hij dat hij dacht dat hij homo was.'

'Dat is waarschijnlijk gewoon een fase; de meeste jongens hebben dat op zijn leeftijd,' zei ik in een poging haar te troosten. 'En bovendien, het zou best leuk zijn als hij het echt was; dan kan hij je accessoires voor je op elkaar afstemmen; en je raakt dan geen zoon kwijt, maar je krijgt er een dochter bij."

'Dat is zo.' Ze lachte. 'Ik weet wel dat ik dat niet erg moet vinden, en in theorie doe ik dat natuurlijk ook niet, maar het enige waaraan ik kon denken toen hij het me vertelde was dat hij aids kan krijgen, en dat ik geen kleinkinderen van hem krijg en dat hij dan later een eenzame oude man wordt met niemand die voor hem zorgt.'

'Ach lieverd, had me dat gisteren gezegd. Het spijt me zo, ik ga zo op in mezelf met dat gedoe met Ivan. Maar goed, niemand is verzekerd tegen een eenzame oude dag, of je nu hetero of homo bent. En zelfs al is hij homo, dan kan hij nog kinderen krijgen. Denk maar aan dat homostel in Manchester dat twee tweelingen heeft. Dat is toch een troost?'

'Het komt wel goed. Trouwens, die Ivan is heel sexy, maar je moet oppassen.'

'Weet ik. Het is een hele opluchting dat dat avondje achter de rug is. Het was zenuwslopend, maar ook spannend, en dat maakt het nog erger.'

'Ik weet niet wiens verslaving gevaarlijker is: die van jou of die van mij,' zei Ruthie.

15

Chloe Zhivago's recept voor falafel

450 g gekookte en uitgelekte
   kikkererwten
½ kop broodkruim
1 ei
1 grote ui, gesnipperd
2 eetlepels peterselie,
   gesnipperd

1 theelepel gemalen komijn
½ theelepel gemalen
   koriander (of verse)
2 tenen knoflook, uit de
   knoflookpers
1 theelepel zout
Olijfolie om in te bakken

Meng kikkererwten, ui, peterselie, het ei en de kruiden in de blender. Doe het mengsel in een kom en voeg broodkruim toe tot het een bal vormt en niet meer aan je handen blijft kleven. Maak van het kikkererwtendeeg kleine balletjes, ongeveer 2½ cm in doorsnede. Plet de balletjes enigszins en bak ze rondom tot ze goudbruin zijn. Laat de falafelballetjes uitlekken op keukenpapier.

Dien op in een pitabroodje met plakjes tomaat, komkommer, sla en ui en wat tahin en/of chilisaus.

'Hoe gaat het met de vriendinnetjesjacht?' vroeg ik aan Leo. Hij was in de fase van adolescentenontwikkeling die bekendstaat als zelfopgelegde-eenzame-opsluiting-in-slaapkamer. Zijn kamer zag eruit alsof hij op een filmset was opgesteld als slaapkamer voor een opgroeiende jongen. De regisseur zou er niets aan hoeven te veranderen. Er lagen bergen vuile kleren op de vloer, en op ieder denkbaar oppervlak bevonden zich kommen met de uitgedroogde resten van cornflakes langs de rand, lege bekers en sokken. De atmosfeer was doordrongen van een oudehondenlucht: *eau de jongenspuber.*

De enkele keer dat Leo in een ander deel van het huis opdook, waren zijn oren afgesloten door de dopjes van zijn iPod, waardoor hij onbereikbaar was. Ook mijn hoofd was de laatste tijd afgesloten, door de beelden van mijn eigen geheime leven. Als ik niet bij Ivan was, liet ik meestal in gedachten de momenten de revue passeren waarop we wel samen waren geweest. Het gevolg was, besefte ik, dat ik al in geen weken een echt gesprek met Leo had gevoerd. Ik was geïsoleerd geraakt van mijn dagelijks leven en bracht al mijn tijd door in mijn overspelige, lommerrijke tuinsteden, precies zoals pap voorspeld had. Kortom, ik was een slechte echtgenote en een slechte moeder geworden en het gevaar bestond dat ik ook nog een slechte psychotherapeute zou worden. Ik probeerde het weer goed te maken, maar mijn openingszet was slecht gekozen.

'Wie heeft tegen jou gezegd dat ik een vriendin wil? Kitty zeker. Die bitch. Ik heb nog zo gezegd dat ze haar kop moest houden. Daar gaat ze voor boeten.' Hij stond op om haar te zoeken en de daad bij het woord te voegen.

'Nee, nee,' krabbelde ik terug. Verdomme, ik had Kitty's vertrouwen beschaamd. 'Ik bedacht gewoon dat je zo langzamerhand die leeftijd hebt.'

'O, yeah, right. Zeg, mam, ik kan het hier echt niet met jou over hebben,' zei hij.

'Waarom niet? Ik ben een vrouw, ik heb er verstand van.'

Hij keek me ongelovig aan. 'Yeah, right. Kijk, het is anders dan het in jouw tijd was.'

'Dit is mijn tijd nog,' mompelde ik met opeengeklemde kaken.

Leo lachte even. 'Yeah, right.'

Als hij dat nog eens zei, zou ik hem moeten slaan. Ik vroeg op onverschillige toon: 'Maar je valt wel op meisjes, hè?'

'Hoe bedoel je?'

'Op meisjes, niet op jongens, bedoel ik. Ik vind het prima als het jongens zijn, hoor. Ik dacht alleen: laten we het er eens over hebben.'

'Hoor eens, mam. Ik weet dat Atlas denkt dat-ie een flikker is, en dat mag-ie van mij. Mij maakt het niets uit, hij is Atlas en hij is mijn vriend. Maar doe mij maar meisjes. Oké? Punt.'

Ik schaamde me dat ik me zo opgelucht voelde.

'En wil je me nu rustig mijn pornoblaadjes laten lezen en crack laten roken?' Ik keek hem ontzet aan. 'Grapje,' zei hij. 'Ik zal opa wel eens om raad vragen.' Toen ik zijn kamer uit liep, keek hij op en zei rustig: 'Het is helemaal niet makkelijk om vijftien te zijn, hoor.'

'Dat weet ik, lieverd.' Ik liep terug en gaf hem een kus. Ik mocht hem even knuffelen en hij liet zijn hoofd tegen mijn schouder rusten.

'Het is ook niet makkelijk om drieënveertig te zijn,' zei ik zachtjes terwijl ik de deur dichtdeed.

Ik had Sammy de laatste tijd niet veel gezien. Zijn speurtocht voor Madge nam veel tijd in beslag en hij was ook regelmatig naar een Spaans meisje, dacht ik zo, die in de tapasbar om de hoek werkte. Hij had altijd al heel geheimzinnig gedaan over zijn liefdesleven. Ik trof hem nu op de trap aan, zijn gezicht nat van de tranen, en met een oud, vergeeld krantenknipsel in zijn hand. Onze trap was blijkbaar uitgeroepen tot huilhoek. Ik ging naast hem zitten en sloeg een arm om zijn schouders. Ik zei niets; hij zou wel wat zeggen als hij daartoe in staat was. Het bleek dat hij helemaal niets hoefde te zeggen, want toen ik naar het knipsel keek, vertelde dat me alles wat ik weten wilde:

VADER EN KINDEREN STIKKEN IN AUTO

Reg Jackson (31) en zijn twee kinderen, Rosie (7) en Jimmy (5), zijn maandagochtend vroeg dood in hun auto aangetroffen, overleden door koolmonoxidevergiftiging. 'Het was net of ze allemaal sliepen,' aldus Joyce Hinkin, de buurvrouw van het gezin. De auto, een witte Ford Cortina, stond in een rustig steegje naast het huis geparkeerd. 'Ik had boodschappen gedaan en nam de kortste weg naar huis, en toen zag ik ze,' vertelt mevrouw Hinkin. 'Het leek altijd zo'n aardig gezin. Wat drijft mensen tot zo'n verschrikkelijke daad?' De vrouw van Reg, en de moeder van de kinderen, Madge Jackson, was een dagje weg, en had haar twee kinderen aan de zorg van de vader toevertrouwd. Ze is in een shocktoestand in het ziekenhuis opgenomen en wordt daar door vrienden opgevangen.

Ik nam Sammy het knipsel voorzichtig uit handen. Er stond een datum op: 12 DECEMBER 1969.

'Waar heb je dit gevonden?' vroeg ik.

'In Madge' flat. Ik heb geprobeerd om ze te vinden, ik ben bij verschillende instanties geweest, op zoek naar de geboortebewijzen. Het schoot behoorlijk op. Maar vandaag dronk ik een kopje thee bij Madge en toen zag ik dit, aan de muur geprikt tussen een hoop andere knipsels. Het blijkt dat ze het al die tijd al wist – tenminste, een stukje van haar weet het, maar het is te pijnlijk, dus vergeet ze het meestal en denkt ze dat ze nog leven.'

'Wat verschrikkelijk. Denk je eens in!' Ik had zin om te huilen. 'En Armie?'

'Dat ben ik nog aan het uitzoeken,' zei Sammy.

Ruthie kwam langs om zich nogmaals te verontschuldigen voor haar gedrag van de vorige avond. 'Ik kwam Lou net tegen,' zei ze. 'Ze heeft een nieuwe vriend en ze ziet er geweldig uit.'

'Echt? Wie?' Ik stond in wankel evenwicht op een stoel, op zoek naar een vaas boven op de kast. Ik trof alleen een hoop stof aan en een kapotte hasjwaterpijp. Van wie? Van Greg of van Leo?

'Iemand die ze op ushag.com heeft ontmoet, een datingsite op internet.'

'Heet die echt zo?'

'Het is in ieder geval wel toepasselijk,' lachte Ruthie.

'Jezus,' zei ik. 'Internet is de succesvolste pooier aller tijden. Ongelooflijk veel mensen schrijven zich op dat soort sites in.'

'Maar goed, die vent van haar schijnt jou te kennen. Hij heet Les Fallick.'

'Les?' Ik zweeg even en tekende een poppetje in het stof. 'Ik kende vroeger een Gus Fallick.'

'Klopt. Lou zegt dat hij zijn naam heeft veranderd.'

Als ik hem was geweest, had ik toch eerder mijn achternaam veranderd, dacht ik.

'Ik dacht dat die in Glasgow woonde, getrouwd, met kinderen.'

'Jawel, maar hij is nu gescheiden. De echtgenoten schijnen op het ogenblik en masse gerecycled te worden,' zei Ruthie droogjes.

'Goed voor het milieu, toch?'

'Hm-mm. Ik moet Richard misschien in een groene container buiten zetten, zien wat er gebeurt. Les woont kennelijk nog steeds in Glasgow, dus ze zien elkaar alleen in het weekend. Lou gaat erheen als de kinderen bij James zijn en Les komt naar haar toe als zij ze heeft. Ondertussen hebben ze doordeweeks constant internetseks.'

Natuurlijk! Internet was het ideale medium voor de zilveren stem van Gus. Ik vond het heerlijk dat hij zijn opmerkelijke talent nog steeds benutte en ongetwijfeld had hij dankzij het net duizenden vrouwen over de hele wereld gelukkig gemaakt.

Ruthie voelde zich iets beter over haar cocaïneverslaving. Ze was erachter gekomen dat het een bekend syndroom was. Ze was een MCCM, een middleclass cocaïne misbruikster.

'Ik voel me veel prettiger nu ik weet dat ik een statistisch gegeven ben dat een naam heeft,' zei ze. 'Er zijn heel veel vrouwen zoals ik. BV heeft me aan de cocaïne gebracht, nog voor de meiden op kantoor. Toen ze haar boek over het celibaat schreef. Wist jij dat ze denkt dat ze een eenentwintigste-eeuwse filosoof is?'

Ik knikte vermoeid.

'Nou goed, ze experimenteerde met cocaïne voor de Kunst, een Timothy Leary-achtige manier om de werking van het brein te doorgronden. Erg handig bij het verkennen van haar eigen psyche, dat soort flauwekul. Maar goed, nu ze terug is in het zadel is ze er-mee gestopt: cocaïne is slecht voor je orgasme; je krijgt er minder snel een, heeft ze tegen mij gezegd, wat voor mannen prima is, maar voor vrouwen minder.'

Ruthie streek haar haar uit haar gezicht en herschikte haar plooitjes. Haar Issey Miyake zag er nogal verkreukeld uit, de uiter-lijke manifestatie van haar innerlijke toestand, de ontbinding van een uniform dat ze binnenkort niet meer hoefde te dragen.

'Ik ga er nu echt mee stoppen, Chlo. Ik heb erover gelezen en er sterven zo veel mensen in Colombia in de drugsoorlog dat het im-moreel lijkt het spul te gebruiken. Het schijnt dat er voor iedere gram cocaïne die op een etentje terechtkomt iemand sterft. Ik heb ieder lijntje dat ik opsnuif als een bloedspoor gevisualiseerd. Dat maakt het je wel tegen.'

'Het zou een mooi artikel zijn: huisvrouwen aan de coke,' zei ik.

'Goed idee. Ik zou het zelf wel kunnen schrijven als freelancer voor een concurrerend blad nu ze me gedumpt hebben.' Ruthie keek opgewekter dan ze in weken gedaan had.

'Hoe komt het dat je er verslaafd aan bent geraakt?'

'Het was leuk en ik had behoefte aan iets leuks.'

'Gisteravond leek het niet bepaald leuk.'

'Nee, dat was het alleen in het begin. Al snel werd het treurig en wanhopig. Ik moet iets anders verzinnen om plezier te hebben.'

'Ik hoop dat mijn manier om plezier te hebben niet zo snel treu-rig en wanhopig wordt,' zei ik terwijl ik aan mijn avontuurtje met Ivan dacht.

Ivan en ik lagen in de Ontmoeting in bed en aten een pitabroodje met falafel en chilisaus. Er was een beetje saus langs Ivans kin ge-dropen en ik likte het af. Ik kreeg een steeds ongemakkelijker ge-voel van Mgelika. Hij had de gewoonte aangenomen om me ter be-groeting vochtig op de wangen te kussen, alsof we oude vrienden waren, en hij had net voor de derde keer aangeklopt en was met zijn moedersleutel binnengekomen met de flutsmoes dat hij dacht dat we gebeld hadden. Gelukkig waren we op dat moment net op adem aan het komen, en niet echt bezig. De Ontmoeting had zijn beste tijd gehad, we hadden een nieuwe afspreekplek nodig.

'Becky vond je erg aardig,' zei Ivan.

'Greg jou ook.'

'Misschien wil hij toch wel zijn eigen dood in scène zetten, net zoals Chernisjevski, en dan kunnen we trouwen,' zei Ivan. (Kon ik me mezelf werkelijk getrouwd met Ivan voorstellen? Een man die niet de vader van mijn kinderen was?) We bespraken of het feit dat onze partners de ander aardig vonden ons schuldiger maakte of juist minder. Iets in me vond het prettig dat Greg Ivan aardig vond. Op een wonderlijke manier bevestigde het mijn eigen goede smaak. Het zou op de een of andere manier erger zijn geweest als de man met wie ik hem bedroog iemand was in wie hij niets zag. Ik had zijn goedkeuring nodig, ook al wist hij niet dat hij die gaf.

Objectief gezien was het ontzettend immoreel om een relatie te hebben met elkaars partners, maar het voelde wonderlijk gewoon aan om te willen dat de mensen die belangrijk voor ons waren de ander aardig vonden en zelfs goedkeurden.

'Ik wil de hele nacht bij je blijven,' zei Ivan terwijl hij mijn hoofd tegen zijn borst trok.

'Ik ook,' zei ik. Het werd steeds moeilijker om op te staan, ons aan te kleden en terug te keren naar ons getrouwde leven.

Ik reed naar huis met een melancholiek gevoel. WAAROM BEN JE MIJN VROUW NIET? sms'te Ivan naar me. IK VROEG ME NET HET-ZELFDE AF, sms'te ik terug. WE MOETEN EEN PAAR DAGEN SAMEN WEG, schreef hij. Mijn huid hield de herinnering aan zijn aanraking vast, alsof hij me nog steeds aanraakte. Ik klemde mijn mobiel in mijn hand. Hij was de navelstreng geworden die Ivan en mij ver-bond als we niet samen konden zijn, die ons de luxe bood om ieder moment contact te hebben. Tekstuele gemeenschap: het op een na lekkerste. Ik waakte over mijn mobiel, liet hem geen moment uit het zicht. Het was een bron van genoegen, maar als hij in verkeer-de handen zou vallen, zou het mijn ondergang kunnen zijn.

Ik belde pap.

'Met wie spreek ik?'

Ik lachte. Hij was altijd in staat me op te vrolijken. 'Waarom voel ik me bedroefd als ik bij mijn minnaar ben geweest?'

'Dat is een algemeen voorkomend fenomeen,' zei hij.

'Waarom bespreek ik dit eigenlijk met jou? Je bent mijn vader.'

'Het zal je slechte opvoeding wel zijn. Het is de postcoïtale *tristesse*. Daar heb je toch wel eens van gehoord? Het is een bekend syndroom, heeft een Franse naam et cetera, et cetera.'

'Daar knap ik helemaal van op. Iets anders, pap: waarom vind ik het vervelend dat Ivan zo koel tegen zijn vrouw doet?' Ik vertelde hem over het etentje bij BV.

'Dat is toch niet zo vreemd? Hij heeft tenslotte een verhouding met een ander, dus zal zijn huwelijk wel niet ideaal zijn.'

'Klopt, maar om de een of andere reden baarde het me zorgen.'

'Er is een gezegde: je kunt een man kennen aan hoe hij is als hij dronken is, hoe hij is met zijn geld en hoe hij is als hij kwaad is. Misschien moet je daaraan toevoegen: hoe hij is tegen zijn vrouw.'

'Ja, nou ja, dat vind ik zorgelijk, hoewel hij waarschijnlijk hetzelfde van mij ten opzichte van Greg kan denken.'

'Je bent toch niet van plan er met hem vandoor te gaan?' vroeg pap. Ik hoorde een bezorgde ondertoon in zijn stem doorklinken.

'Nee, natuurlijk niet.' Maar was dat echt zo?

'Mooi. Tot straks, schat.' Hij kwam die avond eten.

Hoe lang kon ik zo nog doorgaan? Ik verzonk in gefantaseer over de mogelijkheden. Stel dat ik van Greg scheidde? Ik dacht niet dat ik die eenzame woensdagen zou kunnen verdragen en om de week een weekend, die aan de vaders werden toegewezen. Net als die mop. Vraag: wat denkt een Deense vrouw als ze een man leert kennen? Antwoord: is dit de man met wie mijn kinderen het weekend kunnen doorbrengen? Zo was ik niet. Als Joodse moeder was ik geprogrammeerd om mijn gezin kost wat het kost bijeen te houden. En als Greg in plaats daarvan gewoon zou verdwijnen? Je leest dat soort verhalen zo vaak in de krant, waarin verbijsterde verlaten vrouwen geciteerd worden. 'Hij ging alleen maar een pak melk halen, zei dat hij binnen tien minuten terug zou zijn, en daarna heb ik hem nooit meer gezien. Dat is nu zeven maanden geleden.' Dat had zijn eigen vader tenslotte ook gedaan. Misschien zat zulk gedrag wel in de genen. Ik was ontzet over mijn eigen gebrek aan loyaliteit, maar troostte mezelf met de gedachte dat ik nog lang niet zo slecht was als Camus, die had geschreven dat alle normale mensen soms wensten dat degenen van wie ze hielden dood waren. Dat wilde ik niet; ik had alleen maar even vluchtig gewild dat Greg verdween. Natuurlijk meende ik dat niet echt en dit soort zwarte gedachten betekenden dus juist dat ik van Greg hield, toch? Ik was alleen niet meer verliefd op hem. Ik zong afwezig mee met de autoradio die Kitty altijd afstemde op een popzender. Het was een liedje over dat je een *bitch* was en een *lover*, een *sinner* en een *saint*. Ik zat in de problemen. Popsongs waren voor mij opeens weer zwanger van betekenis. De woorden vatten precies samen wat ik Sheila bij haar laatste consult had proberen duidelijk te maken: een in wezen goed mens is in staat tot slecht gedrag. Het was een analyse die ook op mij helemaal van toepassing was.

Toen ik onze straat in draaide, zag ik Sammy. Hij hielp Madge om nog meer lappen aan het traliewerk voor haar souterrain te binden.

'Ik hang ze hier op, zodat Jimmy en Rosie mijn huis kunnen vinden,' zei Madge. 'Ze zijn dol op de zijden en satijnen lappen. Die noemen ze hun schat.' Ze liet haar vingers langs het rijke goud, rood en paars van de stoffen glijden die als vlaggen in de wind flapperden.

Ik legde mijn arm om haar schouders en voelde hoe mager ze was. Ik hield haar even vast, verrast door haar geur. Ze rook fris en schoon, naar rozenwater. Ze hief haar hoofd op en keek me met haar heldere groene ogen aan.

'Pas op met wat je wenst, Chloe.'

Kon ze mijn gedachten lezen? 'Ik wilde het niet echt, ik ben niet zo slecht als Albert Camus,' flapte ik er bijna uit. Had ze iets dergelijks voor zichzelf gewenst? Had ze misschien ooit gehoopt dat Reg zou verdwijnen, zodat zij ongehinderd van Armie kon houden?

Madge streek met haar zachte hand mijn haar uit mijn ogen. Ze zag er oud uit, haar gezicht zwaar van verdriet omdat ze zo lang de waarheid niet onder ogen had gezien en haar toevlucht had genomen tot krankzinnigheid. Het geheugen trekt zich er niets van aan dat de tijd verstrijkt. Het is grillig en kan gebeurtenissen dichterbij brengen of juist verder weg duwen. Tijd is een rekbaar begrip, voortgesproten uit onze verbeelding, en heeft alleen betekenis in subjectieve ervaringen. Seconden, minuten, uren, dagen, weken, maanden en jaren betekenden niets voor Madge. De dood van haar kinderen was een gebeurtenis die nog maar kortgeleden was voorgevallen. Vijfendertig jaar, de tijd die sindsdien verstreken was, had haar pijn en haar verdriet niet kunnen verzachten. Ze was nu niet beter in staat de werkelijkheid onder ogen te zien dan al die jaren geleden.

Nu nam ze me bij de hand en voerde me haar woning binnen. Het was er schoner en netter dan ik verwacht had: een grote kamer met een badkamertje erbij. Kranten en kleren lagen op keurige stapels en een eenzaam kopje en bordje stonden uit te druipen in de keukenhoek. Een theedoek, die een verschoten zomer lang geleden in Bognor Regis herdacht, hing aan een haakje aan de muur. Een smal eenpersoonsbed, een teken dat alle hoop op intimiteit voor altijd opgegeven was, stond onder het raam. Het was zorgvuldig opgemaakt en bedekt met een versleten blauw-met-gele lappendeken. Naast het bed stond een foto in een lijst. Vanwaar ik stond kon ik net de lachende gezichten van twee kinderen onderscheiden, netjes gekleed in jasjes met ronde kragen. Een strijkplank stond midden in de kamer; er lagen twee stapeltjes witte onderbroeken op. Het ene gestreken, het ander lag op zijn beurt te wachten. Madge volgde mijn blik.

'Het is belangrijk om schoon te zijn. Heel belangrijk. Kinderen hebben behoefte aan een schoon huis.'

Vanuit een ooghoek zag ik iets bewegen; het leek het heldere wit van Madges wasgoed te weerspiegelen. Het was een duif.

'Hij heeft een boodschap voor me,' zei Madge. De duif vloog over haar heen en ging toen op haar schouder zitten. Ze streelde zijn kop met haar wijsvinger en hij zette zijn borst op van genoegen. Hij draaide met zijn kleine koppetje met de zwarte ogen en maakte diep in zijn keel roekende geluiden.

'Wat zegt hij?' vroeg ik.

'Hoor je dat niet?' antwoordde ze zachtjes. 'Hij zegt: "Zoek Armie."'

Ik keek even naar Sammy, die stilletjes was binnengekomen en uit het raam keek. Hij was heel rustig, op die boeddhistische manier van hem. Ik begon met die pratende vogels het gevoel te krijgen dat ik een remake van *Mary Poppins* was binnengestapt, en het verbaasde me een beetje dat Dick van Dyke niet door de schoorsteen naar beneden kwam suizen om zingend en met een beroet gezicht uit de haard tevoorschijn te springen. Maar wie weet, misschien praatten de vogels echt tegen Madge... Sammy en ik gingen weg na beloofd te hebben dat we haar zouden helpen om Armie te zoeken, en we liepen arm in arm de straat uit. Onder het lopen zongen we zachtjes een van paps oude legermarsen om in de pas te blijven:

Eén twee, ik had een goeie baan maar wat deed ik ermee?
Drie vier, ik stapte eruit en nu zit ik hier.

De gedachte kwam bij me op dat ik dit lied aan Ruthie had moeten leren voor ze het gedrag ging vertonen dat tot haar ontslag had geleid. Helaas was het daar nu te laat voor.

'Kunnen we Madge niet voor de kerstlunch uitnodigen?' vroeg Sammy.

Ik had nog amper over kerst nagedacht, en over een week was het al zover. Ik moest als een idioot aan de gang om de cadeautjes en het eten op tijd klaar te krijgen.

'Ja,' zei ik, 'natuurlijk. Maar laten we het eerst aan de anderen vragen.'

Die avond hielden we tijdens het eten een kerstvergadering. Iedereen was het erover eens dat kerst de tijd was voor mededogen met daklozen en zwervers en dat Madge uitgenodigd moest worden.

'Wat zullen we dit jaar eten?' vroeg pap zoals ieder jaar. 'Gans?'

'Getver, voor mij niet,' zei Leo.

'Te dikmakend,' zei Greg.

'In mijn land eten wij altijd de karper op kerstavond,' zei Bea.

Ik huiverde bij de gedachte aan de olieachtige karpers die als hongerige piranha's in het bassin bij de tipi van Sammy in Spanje rondzwommen. Het was een plaatselijk vertier om oud brood in het water te gooien en de vraatzucht van de karpers te bekijken.

'Als we als Joden kerst vieren, kunnen we ons net zo goed als echte spekjoden gedragen en een geroosterd zwijntje eten,' stelde pap voor.

'Leuk hoor. Nee, we eten kalkoen, net als altijd. Maar ik zal ook wel een ham braden, als dat ervoor kan zorgen dat je je oneerbiediger kunt voelen,' zei ik.

'En dan maak ik de karper voor kerstavond,' zei Bea koppig.

Ik hield normaal gesproken wel van kerst, maar dit jaar keek ik er niet naar uit omdat het betekende dat Ivan en ik elkaar minstens een week niet konden zien. We zouden te stevig in de schoot van onze familie zitten. Zijn zoon, die in zijn laatste jaar op de universiteit zat, en zijn dochter, die in Parijs werkte, zouden allebei thuiskomen.

Uiteindelijk kwam Madge niet. Ze zei tegen Sammy dat ze niet weg kon voor het geval Jimmy en Rosie thuis zouden komen en hij kon haar niet overhalen. Na de lunch (kalkoen en geroosterde ham met alles erop en eraan), sloop ik, terwijl de anderen uitgeteld voor de tv in de huiskamer lagen, naar de keuken om Ivan te bellen.

'Ik wil je in mijn armen houden,' zei hij.

'Dat wil ik ook. Ik mis je echt.'

'Laten we dan nu meteen afspreken, voor een uurtje maar,' zei hij.

'Onmogelijk. Dat valt te veel op.'

Een geluid achter me deed me opspringen. Het was Greg.

'Goed dan, prettige kerst, we bellen nog wel,' zei ik, veel te opgewekt, en ik hing op.

'Met wie belde je?' vroeg Greg.

Ik voelde dat ik wit wegtrok en deed mijn best niet te trillen. Ik moest snel iets verzinnen.

'Wanneer? O, je bedoelt zonet? Dat was BV, die belde om een praatje te maken.'

'En wat valt te veel op?' vroeg Greg.

'Hoe bedoel je?' Ik deed net of ik niet begreep waar hij het over had.

Hij liet het er niet bij zitten. 'Ik hoorde je zeggen: dat valt te veel op.'

'O ja? O, natuurlijk. Eh... zij zei: waarom neem je niet een botoxkuurtje voor Nieuwjaar om er jonger uit te zien? En toen zei ik dat dat niet kon omdat jij dat meteen zou doorhebben. Veel te opvallend.'

Niet geweldig, moet ik toegeven, want Greg valt nooit iets op aan mijn uiterlijk, maar het scheen hem tevreden te stellen. Hij haalde ongeïnteresseerd zijn schouders op en zette water op voor een pot thee.

'Mag ik een tijdje naar je tipi in Spanje?' vroeg ik later die avond aan Sammy terwijl ik sandwiches met koude kalkoen maakte. Hij speelde steeds dezelfde serie noten op een kleine houten fluit. Hij hield op, nam de fluit van zijn lippen en streek met zijn duim langs het gladde hout.

'Mangohout,' zei hij. 'Voor de hindoes is dat heilig, omdat Prajapati, de Heer van alle Schepselen, in een mangoboom werd veranderd.'

'Nee toch?' zei ik ongeduldig. Ik was niet in de stemming voor oosterse mystiek.

'Als hindoegelovigen sterven, wordt hun lichaam op een brandstapel verbrand, liefst van mangohout, omdat dat eeuwigdurende warmte afgeeft.'

'Geweldig.' Ik keek hem afwachtend aan. 'Nou, mag het?'

'Natuurlijk.' Hij sloeg zijn ogen naar me op. 'Alleen?'

'Vraag er niet naar,' zei ik. 'Het is veel beter als je dat niet weet.'

16

Romeinse sla met knoflook en walnoten

2 kropjes Romeinse sla,
gewassen en gedroogd
10 ongepelde tenen knoflook,
in de oven met wat olijfolie

geroosterd en afgekoeld
Een ruime hand gehakte
walnoten
Peper en zout naar smaak

Doe de sla in een kom, druk de knoflook uit de velletjes in de kom, voeg de walnoten toe en maak af met olijfolie en balsamicoazijn, peper en zout.
Een voorgerecht voor twee. Vooral heerlijk als je elkaar met de hand voert.

Het licht speelde over het Alpujarra-gebergte en toverde het om in een gigantisch dekbed dat in zachte golven onder de hemel lag. Acht witte windmolens die stroom opwekten voor het dal beneden leken met hun gracieus in de wind rondwentelende wieken de horizon te schampen. De lucht was wolkeloos en diepblauw, en rijpe sinaasappels en citroenen hingen zwaar aan de bomen die op de hellingen groeiden. Ivan en ik hadden die ochtend op het vliegveld afgesproken, en nu waren we eindelijk samen alleen. Het was makkelijker geweest om weg te komen dan ik gedacht had. Ik had het onderwerp bij Greg aangesneden toen hij zat te mailen aan zijn parkeerbonnenmaten. Ik zei dat ik rust nodig had om een artikel waarmee ik bezig was af te maken. Hij wuifde me weg en zei: 'Goed, goed, je doet maar. Zie je dan niet dat ik het druk heb?' Ik had de week uitgezocht waarin Kitty op schoolreisje was en Jessie terug kon naar BV. Mannen redden het een paar dagen alleen heel goed, dus zou het leven van mijn huisgenoten slechts minimaal ontwricht zijn door mijn afwezigheid. Het was moeilijk om te liegen, hoewel Gregs onverschilligheid ertoe had bijgedragen dat ik me niet zo heel schuldig voelde. En zoals Ruthie zei: het hoorde allemaal bij Regel Zeven: *Begin er alleen aan als je weet dat je sterk genoeg bent om het schuldgevoel te dragen.*

In de verte zagen we de besneeuwde toppen van de hoogste bergen terwijl we in de kleine huurauto langs de weg naar boven kronkelden. Het gesprek was tijdelijk opgeschort en ik keek zwijgend naar Ivans profiel terwijl hij reed. 'Ik kan niet praten achter het stuur,' had hij gezegd. Net als Greg, en alle andere mannen die ik ooit gekend heb, kon hij maar één ding tegelijk doen. (Ik kan, zoals de meeste vrouwen, tegelijkertijd rijden, praten, naar kibbelende kinderen op de achterbank brullen, een bal op mijn neus laten balanceren en in mijn zwemvliezen klappen.) Maar in tegenstelling tot Greg liet Ivan toe dat ik hem aanraakte terwijl hij reed, dus streelde ik zijn achterhoofd – dat warme plekje waar de bovenkant van zijn ruggengraat samenkomt met de onderkant van zijn schedel –, liet mijn hand toen over zijn in brockspijp gestoken dij glijden en liet hem rusten op de plek waar die overging in zijn kruis. Daar bleef hij liggen, zwaar en warm van belofte. Ivan draaide zijn hoofd opzij om me aan te kijken en zonder iets te zeggen bracht hij de auto op een kleine vluchthaven langs de weg tot stilstand. Hij nam me bij de hand en trok me mee over een bergpad, en nadat we alleen de allernoodzakelijkste kledingstukken hadden uitgetrokken, beminde hij me ter plekke tegen een boom aan. Onze behoefte aan elkaar was een krachtig afrodisiacum. Het was snel, heftig en opwindend. Een smakelijk hors d'oeuvre voor het sensuelere hoofdgerecht waarvan we later konden genieten.

Totaal anders dan Greg. Ik wist niet meer wanneer we voor het laatst ergens anders dan 's avonds in bed met het licht uit seks hadden gehad. We begonnen nooit meer als we onze kleren nog aanhadden. Ik herinnerde me onze eerste jaren samen, het spoor van haastig afgeworpen kledingstukken door de gang en over de trap, dat naar onze slaapkamer voerde. Vaak haalden we die niet eens en vreeën we op de trap, mijn rug tegen een harde trede geduwd, Gregs knieën onder de schaafplekken van de trapbekleding. We droegen de tekenen van onze passie op ons lichaam met trots... onze liefdeslittekens. Met een buitenechtelijke minnaar was Regel Acht uiteraard van toepassing: *Laat geen zichtbare sporen achter.* Bijten en krabben moesten tot een minimum beperkt blijven, opdat de sporen ons geheim niet zouden verraden.

Ivan en ik kwamen in Bubion aan en liepen langs de steile helling aan de rand van het dorp omhoog naar het veldje waar de tipi van Sammy stond. De ramen, waarop Sammy zo trots was, boden uitzicht op een met sneeuw bedekte berg. Het dal beneden ons was groen en weelderig in de zachte Spaanse winter en je kon nog net de rivier beneden zien, die zich loom een weg zocht naar de kust, zo'n veertig kilometer verderop. Van een rots kwam een kleine waterval haastig aanklateren om zich erbij te voegen, en vervulde de lucht met het hypnotiserende geluid van snelstromend water. Ivan stond naast me, zijn arm rond mijn middel, en trok me tegen zich aan. Ik vond het heerlijk dat hij zo lang was, waardoor ik heel klein leek. Ik voelde me teer en breekbaar in zijn armen. We renden samen de heuvel af, wild zwaaiend met onze armen als kinderen, naar de winkel in het dorp. Ik voelde me opeens gegeneerd toen ik Jorge zag, de eigenaar van de winkel. Wat zou hij denken nu hij mij met een onbekende man zag? Hij had me talloze keren met Greg en de kinderen gezien en wist dat ik Sammy's zus was. In mijn schoolmeisjes-Spaans stelde ik Ivan voor als een collega en ik vertelde dat we hier een paar dagen voor ons werk waren. Jorge knikte en glimlachte, praatte snel met zijn Andalusische accent, waarbij je alleen maar kunt gissen hoe de woorden aflopen. Omdat hij maar twee tanden had, onnatuurlijk wit en glanzend in zijn gerimpelde, met grijs haar omgeven gezicht, en omdat hij als altijd een sigaret tussen zijn lippen geklemd hield, werd het nog veel moeilijker om te begrijpen wat hij zei. Zijn broek was hoog opgetrokken en als enige concessie aan de winter droeg hij een vest over zijn vertrouwde overhemd met korte mouwen. De winkel van Jorge was een soort grot van Aladdin: rollen touw verdrongen zich op de planken naast plastic speelgoeddinosaurussen, koekenpannen, scherpe sauzen en geurige kaasjes. Hij had ons nog nooit teleurgesteld: als datgene wat je wilde niet in de winkel zelf voorhanden was, verdween hij in zijn *almacen*, de aangrenzende opslagplaats, en haalde het daarvandaan, als een goochelaar die een muntstuk vanachter je oor tevoorschijn tovert. We kochten *jamon Serrano*, brood, kaasjes, honing en noten, en haastten ons ermee, als eekhoorns die zich op de winter voorbereiden, terug naar ons nest.

Binnen in de tipi was het koud, maar kleurig. De vloer was bedekt met Mexicaanse kleedjes en dekens en een zachte bontdeken lag uitgespreid over de brede matras in het midden van de tipi. Ivan stak handig het kleine petroleumkacheltje en de gaslamp aan en we doken volledig gekleed onder de deken en trokken daar een voor een onze kledingstukken uit, terwijl de gecombineerde warmte van de kachel en onze begeerte ons verwarmde. Mijn lichaam tintelde op de plekken waar hij me aanraakte.

'Mag ik je Givan noemen?' vroeg ik. 'De namen van mijn vriendjes begonnen allemaal met een G.'

'Noem me maar zoals je wilt, zolang je er maar voor zorgt dat ik me voel zoals ik me nu voel,' lachte hij.

We stopten stukken brood, kaas en worst in elkaars mond en dronken zware rode rioja terwijl we knus op onze matras lagen.

'Toen ik een tiener was,' zei Ivan, 'heb ik een novelle gelezen van een negentiende-eeuwse schrijver, Resjetnikov. Die ging over de liefde van een boerenjongen voor zijn meisje. Toen ze voortijdig doodging, had hij zo veel verdriet dat hij haar lichaam uit het graf op wilde graven om haar neus van haar gezicht te bijten. Het leek barbaars, maar ook begrijpelijk: die behoefte om iemand van wie je houdt op te eten. Ik heb me altijd afgevraagd of ik ooit iemand zou tegenkomen voor wie ik zoiets zou voelen, en nu is dat zo.' Hij boog zich over me heen en kuste mijn neus, hapte er speels in met zijn tanden.

Ik wist wat hij bedoelde. Ook ik voelde het verlangen hem volkomen te bezitten. Ivan was zo heerlijk, ik wilde hem opeten en dat deed ik dus, daarbij Ruthies Regel Negen overtredend, die betrekking had op fellatio: *Slik alleen maar de eerste keer door. Dan hoef je dat nooit meer te doen, maar denken ze altijd dat je het misschien wel weer doet.* Ik wilde alles van hem weten, ik wilde hem tot de mijne maken, ik wilde van hem zijn.

Nadat we hadden gevreeën, trok Ivan mijn hoofd op zijn borst en vertelde hij me hoe hij met zijn ouders in een bouwvallig pand van voor de Revolutie vlak bij de Nevski Prospect in het hart van Sint-Petersburg had gewoond. Ze deelden een flat met een ander gezin. Het was net of ik in de bladzijden van een dikke Russische roman woonde als ik naar hem luisterde. Ze waren met z'n achten en hadden maar één badkamer. Hij beschreef hun flat, die nog steeds de tekenen droeg van een eerdere tijd, de vergane glorie van de tsarentijd die nog zichtbaar was in de hoge ramen en bewerkte plafonds. Ze woonden op de derde verdieping en door de ramen kon je een van de vele grachten zien die Sint-Petersburg de naam 'Venetië van het noorden' hadden bezorgd. Ivans vader was schilder en de kamers die ze bewoonden roken sterk naar olieverf, een geur die hij de rest van zijn leven met zijn jeugd zou associëren. Het aanrecht in de keuken stond vol glazen potten met kwasten en overal lagen besmeurde lappen, wat de woede opwekte van de onaangename buren waarmee ze hem moesten delen. Ik kon het me niet voorstellen hoe het zou zijn om je leven thuis met een ander gezin te moeten delen.

'We gingen zo vaak we maar konden naar een kleine *datsja* buiten de stad,' zei Ivan. 'Gewoon een houten schuur, maar daar hadden we privacy en konden we lawaai maken zonder bang te hoeven zijn voor klachten. We stookten een vuur daar en roosterden *shashlik* in de openlucht.'

'Laten we dat hier ook doen,' zei ik slaperig.

Hij wilde opstaan en hout sprokkelen om meteen een vuurtje te maken, maar ik trok hem terug en leidde hem af met kussen, bracht hem een andere honger in herinnering. Daarna lagen we bij elkaar en vertelde ik hem over de vakanties die ik vroeger als kind met mijn ouders en Sammy had, maar na een paar minuten hoorde ik hem rustig ademhalen en begreep ik dat hij in slaap gevallen was.

De volgende twee dagen had ik het gevoel dat ik vakantie had van mijn eigen leven. Ivan en ik liepen door de sinaasappelgaarden en kusten elkaar; we sprongen via stenen over beekjes. Ik keek naar zijn borst, die op- en neerging met zijn ademhaling als we ineengestrengeld in bed lagen. Zijn hand lag tussen mijn dijen en bewoog weer, wond me op zodat we na even door de slaap onderbroken te zijn opnieuw de liefde bedreven. 's Ochtends werden we wakker van het dwingende getoeter van het broodbusje, op zijn rit door het dorp om pasgebakken brood te verkopen, en 's avonds liepen we door de straten van Granada, dat vlakbij lag, zaten met z'n tweeën bij kaarslicht in de kleine, betegelde eetkamer van Los Manueles, en voerden elkaar Romeinse sla met knoflook en walnoten.

'We zouden heel gelukkig zijn samen, Chloe,' zei Ivan terwijl hij een walnoot in mijn mond stopte.

'Weet ik, maar wat zouden we een hoop ellende veroorzaken.'

'Er scheiden zo veel mensen.'

'Maar ik heb iets met gezinnen bij elkaar houden. Ik vind dat ouders dat aan hun kinderen verplicht zijn.'

'Maar ben je het ook niet aan jezelf verplicht om gelukkig te zijn? Ik zou me eraan wijden om jou gelukkig te maken.' Hij liet zijn hand langs mijn lichaam glijden, raakte licht mijn borst aan. Kon ik me voorstellen dat ik samenwoonde met Ivan? Zo langzamerhand wel een beetje, maar als ik eraan dacht wat eraan vooraf moest gaan om dat mogelijk te maken, voelde ik een dikke prop verdriet in mijn keel. Ons leven samen, vervlochten geraakt in de afgelopen zeventien jaar, zou afgebroken moeten worden, ons huis verkocht, onze spullen verdeeld. Ik zag al voor me hoe ik met die vreselijke geforceerde opgewektheid het idee aan de kinderen zou proberen te 'verkopen': hoe leuk het zou zijn om twee kamers te hebben, twee huizen…

Op een ochtend schrok ik plotseling wakker, in het bleke morgenlicht, met het gevoel dat er iets niet goed was. Ik dacht dat ik iemand mijn naam had horen roepen, maar Ivan lag nog diep in slaap naast me. Ik krulde me tegen zijn lichaam aan en probeerde weer in slaap te vallen. Ik hoorde de geluiden van de vroege ochtend: een haan die kraaide, de alomtegenwoordige Spaanse honden die blaften, een vrouw die naar haar kind riep: '*Angustia, ven aquí.*' De kerkklokken luidden. Het was zeven uur. Ik stond stilletjes op, pakte mijn mobiel en ging naar buiten, huiverend in de ochtendkilte.

'Pap.'

'Wat grappig, lieverd. Ik zat net aan je te denken: dat ik je stem zo graag wilde horen.'

'Wat ben je aan het doen?'

'Een beetje tingelen op de piano.'

'Waarom is mam gestorven, denk je?'

'Je weet dat ze er nooit precies achter zijn gekomen. Ik weet dat het raar klinkt, maar ik denk dat ze gewoon niet verder wilde met haar leven. Ze had een verschrikkelijke, onberedeneerbare angst voor de ouderdom. Het is jammer. Ze heeft zo veel gemist, van jou en Sammy. En natuurlijk ook haar kleinkinderen.'

'Denk je dat jullie bij elkaar zouden zijn gebleven?'

'Dat weet ik niet, lieverd, maar ik denk van wel. Ze was lastig, maar ik hield van haar. Ik hield alleen ook van Helga. Hebberig van me, dat weet ik wel. Dat is de moeilijkheid met jou en mij: we willen alles.'

Ivans gezicht verscheen in de opening van de tipi. Hij zag eruit als een schooljongen, hij gaapte en wreef in zijn ogen. Zijn haar stond alle kanten uit.

'Ik moet ophangen, pap. Ik ben morgen terug. Ik hou van je.'

Ivan joeg me het bed weer in, waar we de hele ochtend bleven, met elkaars lichaam speelden voor we weer wegzakten in die heerlijke slaap van verzadigde geliefden.

Later die dag, toen we ons hadden aangekleed en ik toegekeken had hoe Ivan zijn bizarre ritueel met zijn sokken afdraaide (hij rekte ze uit voor hij ze aantrok, hij hield niet van het gevoel van strakke stof om zijn voeten en enkels. De gedachte flitste door me heen dat dit precies het soort gewoonte was dat, in de loop der tijd, irritant zou kunnen worden), reden we naar de kust bij Salobreña en hielden stil om wat te drinken bij La Roca, een bar boven op een rots in zee. De rots leek op een Romeinse centurion in profiel die in het water lag, zijn borst bolde onder hem uit, zijn neus was edel.

'Zie je hem, mijn rotsman?'

'Nee, ik zie alleen een krokodil op een stuk hout.'

Hij beschreef de krokodil en ik gaf op mijn beurt met mijn vinger de omtrek van mijn dappere soldaat aan. We keken naar de zon, een vurig oranje bal, die aan de horizon uit het zicht verdween. Rechts ervan lag een vissersbootje beweginloos in het water, afgetekend in het licht van de ondergaande zon. Aan boord konden we twee gedaantes onderscheiden, twee kleine mannetjes in de verte. We waren het tot leven gewekte romantische paartje op een ansichtkaart. Ivan nam mijn hand. 'Ik hou van je,' zei hij.

'Ik van jou.'

'Zeg het.'

'*Loebljoe tebja*,' zei ik.

'*Po-angliski*, zeg het in het Engels.'

Ik deed mijn mond al open, maar zweeg toen, bang dat ik met deze woorden het onweer over ons zou afroepen. Ik hield van hem, natuurlijk. Ik streelde zijn wang met een vinger en boog voorover om hem bij wijze van antwoord te kussen. Hij hield mijn gezicht tussen zijn handen en keek me strak aan.

'Zeg het,' herhaalde hij.

'Ik hou van je.' Mijn lippen vormden de woorden zonder geluid en ik hield een hand op mijn rug en kruiste mijn vingers in de hoop dat deze unieke combinatie eventuele dreigende bliksemschichten zou afweren.

17

Edies superstoofschotel met tonijn

Een blikje geconcentreerde champignonsoep
1/3 kop melk
Een blik tonijn op olie van 200 g, uitgelekt en in plakjes

2 hardgekookte eieren, in plakjes
1 kopje doperwten, gekookt
1 kop chips, verkruimeld

Warm de oven voor op 180 °C (gasovenstand 4). Meng de soep en de melk in een ovenschaal met een inhoud van 1 liter.
Roer de tonijn, eieren en erwten erdoorheen. Bak 20 minuten, dek af met de chips. Bak nog eens 10 minuten.
Voor 4 personen.

Toen ik thuiskwam, lag Greg op de bank in de huiskamer te slapen terwijl de tv stond te schetteren. Irritatie golfde door me heen, en met de aanzwellende cadans van zijn gesnurk sloeg iedere golf hoger in mijn lichaam op. Ik was er weliswaar met een ander vandoor geweest, maar toch wilde ik op de een of andere manier dat hij zou zitten wachten om me te verwelkomen, om me te behoeden voor het pad dat ik van plan leek in te slaan.

Ik sloot zachtjes de deur en trof pap in de gang aan. Hij liep heen en weer en ging door de telefoon tekeer tegen iemand. Het was de dag voor de voorstelling in Albert Hall en hij moest de laatste aanpassingen aan een paar liedjes maken. Ze gingen zijn *The Prince and the Pauper* opvoeren, en volgens hem kon de eeneiige tweeling die de hoofdrollen speelde niet eens wijs houden.

Op het tafeltje in de gang zag ik een klein glas met de kleverige resten van iets wittigs erin. Ik pakte het op en rook er achterdochtig aan. Het was Bailey's, en dat kon maar één ding betekenen: Edie McTernan was in *da house*. Dit verklaarde waarom Greg om vijf uur 's middags lag te slapen – vroeg, zelfs naar zijn maatstaven. Ik was vergeten dat ze voor paps gala zou overkomen. Ik overwoog om er meteen vandoor te gaan, Ivan te halen en hem te dwingen met mij de benen te nemen terug naar Spanje, ver, ver weg van dit alles, maar pap maakte een einde aan zijn gesprek en nam me doortastend mee naar de keuken, als een gevangenbewaarder die een opstandige gevangene terugsleept naar zijn cel.

Edie stond met een schort voor bij de keukentafel. Ze reisde nooit zonder ten minste twee precies gelijke schorten, pas gewassen en gestreken. Ze hadden een dessin van kleine klavertjes om haar band met Ierland te onderstrepen, een land waar ze nooit langer dan een paar dagen achter elkaar had doorgebracht. Ze had de gewoonte haar jas uit te trekken, een schort stevig om haar middel te binden en aan de slag te gaan met het vuil dat haar verontwaardiging had opgewekt, onder het mompelen van: 'Ze leven in een zwijnenstal', net hard genoeg dat we het allemaal konden horen. Nu zat Leo naast haar aan tafel, zijn hoofd achterover en zijn ogen dicht. Edie hield een schaar bij zijn ogen. 'Wat doe je?' gilde ik.

'Ik knip zijn wimpers,' zei Edie.

Ik griste de schaar uit haar hand en weerstond met moeite de verleiding om grote kale plekken in haar zwartgeverfde haar te knippen.

'Hij ziet er zo meisjesachtig uit,' zei Edie geïrriteerd.

'Hoe haal je het in je hoofd, Leo!'

Leo haalde zijn schouders op. 'Ik dacht dat ik, als ik er wat mannelijker uit zou zien, misschien makkelijker een vriendin zou kunnen krijgen,' zei hij.

'Hij heeft niets aan die wimpers. Hij ziet eruit als zo'n... hoe heet het ook weer... een transvestiaal. In mijn tijd waren de mannen nog mannen,' snoof Edie.

'Het is nog steeds jouw tijd,' zei ik.

Pap wilde de gemoederen tot bedaren brengen en schonk nog wat Bailey's in Edies glas, waarop ze meisjesachtig giechelde. Het was een genoegen om pap aan het werk te zien: in iedere vrouw met wie hij in contact kwam, ongeacht haar leeftijd, haalde hij het flirtende meisje naar boven. Hij genoot van het gezelschap van vrouwen en zij lieten zich in zijn prettige charme onderuitzakken als in een warm, geurig bad.

'Neem zelf ook een glaasje, Bertie,' zei Edie koket, terwijl ze het hare in één teug achteroversloeg.

'Geen alcohol nu, dat begrijp je wel.'

Ik kuste Leo en drukte hem tegen me aan. Ik wilde me na mijn afwezigheid thuis weer geborgen voelen.

'Nog wat meegebracht?' vroeg hij, zoals hij sinds zijn tweede vraagt als ik thuiskom na meer dan een dag afwezig te zijn geweest. Zijn ogen registreerden onmiddellijk het plastic tasje in mijn hand met de opdruk waar mijn kinderen dol op waren: *El mundo de los Caramelos* (De snoepwereld).

'Alleen de gebruikelijke Spaanse snoepjes, schat. Ik had geen tijd om iets anders te kopen.'

Sammy kwam de keuken in, zag Edie en liep door, regelrecht door de openslaande deuren de tuin in om zich in zijn tent terug te trekken.

'Niemand heeft tegen mij gezegd dat jij thuis was.' Kitty's verwijtende stem deed me omdraaien. Ze kwam de keuken in gerend en wierp zich in mijn armen.

'Hoe was het? Was het leuk? Had je het wel warm genoeg? Hoe was het eten?' De vragen stroomden van mijn lippen terwijl ik haar vasthield.

'Redelijk leuk, maar Molly was weer bitcherig en zat op de terugweg in de bus over me te fluisteren. Ik ben blij dat ik thuis ben. Wat zie je er leuk uit, mam. Hoe was het in Spanje?'

Schuldgevoel vlijmde even in me op toen ik het beeld voor ogen kreeg van Ivan, naakt en boven me.

'Gaat wel. Vertel me liever over jouw reisje.'

Kitty stak van wal, maar werd al snel onderbroken door Edie, die aan een lang verhaal begon over haar buren Barbara en Derek en alle bijzonderheden van hun leven. Derek had kennelijk last van zijn rug en Barbara vond het zwaar om al het tillen en dragen dat het leven van je vraagt in haar eentje te verrichten, en afgelopen dinsdag, of was het woensdag, net nadat de melkboer langs was gekomen om betaald te worden en voor de wasmachineman gearriveerd was om naar haar Hotpoint te kijken, een model uit de jaren zeventig dat weer eens kuren vertoonde, en het had geen zin om te zeggen dat ze een nieuwe nodig had want die dingen horen het een leven lang te doen, was Barbara langsgekomen voor een kopje thee en om haar hart uit te storten bij Edie, en Edie had toen tegen haar gezegd dat zij nog goed zat, zij had tenminste een man, in tegenstelling tot Edie, die al zo lang geleden in de steek was gelaten.

'Ga je vader eens wakker maken,' siste ik tegen Leo. Ik zag niet in waarom ik de plichtsgetrouwe schoondochter moest uithangen, terwijl hij zijn verantwoordelijkheden ontliep.

'Laat die arme jongen toch slapen,' zei Edie, terwijl ze me op mijn hand klopte. 'Hij zag er uitgeput uit, nu hij een hele week het huishouden draaiende heeft moeten houden. Hij is ook verschrikkelijk verkouden; draagt hij zijn vest wel? Je moet beter voor hem zorgen.'

Als een salamander die vliegen op zijn kleverige tong vangt, slaagde ik er nog net in de woorden *rot* en *op* op te vangen toen ze al op het punt stonden van mijn lippen te rollen. Mijn schoonmoeder zette haar monoloog voort en de keuken werd alras leger. Eerst Leo, toen Kitty, toen pap, die met moeite een geeuw onderdrukte, en ik als laatste, slopen weg en lieten Edies onophoudelijke woordenstroom neerdalen op de verbijsterde Bea en Zuzi, die als vastgevroren aan de tafel bleven zitten.

'Beloof me dat je me laat inslapen als ik ooit zo word,' fluisterde pap toen we ontsnapten, giechelend als spijbelende schoolkinderen.

Ik ging lawaaierig de huiskamer in.

'Ziedaar, want uw koninkrijk ligt daarginder, zeide hij,' zei Greg. Toen schrok hij wakker en zat recht overeind.

'Oeps, sorry schat, ik wist niet dat je lag te slapen.' Hij probeerde zich weer om te draaien om verder te slapen, maar ik ging op hem zitten.

'Waar is mijn moeder?' vroeg Greg angstig. Ik zou niet vreemd hebben opgekeken als hij op een stoel was gesprongen als iemand die bang is voor een muis.

'Die staat in de keuken te oreren. Kom mee, we moeten weer naar binnen.'

Hij kreunde. 'Dat gaat niet, ik kan er niet tegen.' Ik sloeg hem. Behoorlijk hard.

'Tussen twee haakjes,' zei ik terwijl ik van hem af klauterde, 'hallo, ik ben er weer.'

'Betekent dat dat ik er nu een tijdje tussenuit mag?' vroeg hij, terwijl hij een bezorgde blik wierp in de richting waaruit zijn moeders stem kwam, een lange, ononderbroken, op je zenuwen werkende dreun die vanuit de keuken tot hier doordrong.

Hij bekeek me waarderend. 'Je ziet er goed uit. Leuk gehad?'

'Ja, fijn om er even tussenuit te zijn geweest. Ik bedoel, ik heb goed aan mijn stuk kunnen werken,' zei ik, me nog net op tijd de reden herinnerend die ik voor mijn vertrek had opgegeven.

Hij kuste me. Een snelle, droge, plichtsgetrouwe kus, in de buurt van, maar niet helemaal op mijn mond. Deze herinnering aan ons kuise bestaan nam een heel klein beetje schuldgevoel weg dat me dreigde te overmannen na de hereniging met mijn kinderen. We gingen naar de keuken.

'Op donderdag, nee, dat kan het niet geweest zijn, want het was de dag waarop ik naar het centrum ben geweest en een kopje thee heb gedronken met de oude meneer Yates, die vroeger altijd de bloembedden bijhield. O, daar ben je dus, Greg. Herinner jij je meneer Yates nog?' Edie verwelkomde ons in de keuken. 'Hij heeft nu vijf kleinkinderen. Benny, David, Colin, Georgina en… o, hoe heet die andere ook weer, het ligt op het puntje van mijn tong. Het schiet me zo wel te binnen. Ik vertelde hun tweeën net over Barbara en Derek...' Bea en Zuzi hadden allebei die glazige uitdrukking in hun ogen van boksers die herhaaldelijk in hun gezicht zijn gestompt en niet goed snappen waarom ze nog rechtop staan. Pap had een dappere poging gedaan en zich weer aan het front gemeld, maar keek nu alweer wild om zich heen op zoek naar een uitweg.

'Heeft pap je verteld hoe het op de gala-avond toegaat?' vroeg ik aan Edie, in een poging haar de mond te snoeren door het estafettestokje van de conversatie aan hem door te geven.

'Ja, en dat doet me denken aan de vader van een jongen bij Greg in de klas. Een paar jaar v.G.'

Ze liet haar stem dalen tot een hees gefluister nu ze naar Gregs vader en zijn verdwijning verwees. 'Er zat een jongen bij hem in de klas, Richard heette hij geloof ik, en zijn vader...'

Een wanhoopskreetje ontsnapte onwillekeurig aan Gregs lippen; hij klonk precies als Janet als ik haar in haar kattenmandje opsloot om haar naar de dierenarts te brengen: gevangen en wanhopig, niet wetend of ze ooit weer vrij zou komen.

Onze komst had wel het effect gehad dat Edies uitschakelingsbezwering over Bea en Zuzi werd opgeheven. Ze kwamen met een schokje weer tot leven en namen hun omgeving in zich op als Doornroosje die uit haar honderdjarige slaap wakker wordt. Bea keek naar Zuzi en streek met een teder gebaar een lok haar uit haar gezicht.

'Wij hebben een nieuwtje,' verkondigde ze.

Edie deed haar mond al open om door te gaan, maar Greg legde haar met een handgebaar het zwijgen op en zei assertief: 'Wacht. Eerst het nieuwtje van Bea.' Bea knapte zienderogen op van de aandacht. Ze wachtte tot we allemaal om de tafel zaten en het stil was.

'Mijn Zuzi en ik gaan trouwen en wij zouden het fijn vinden als jullie allemaal op de bruiloft komen.' Bea pakte de hand van haar verloofde en toonde de ring die aan haar ringvinger glinsterde. Zuzi bloosde lief, haar ogen neergeslagen, de mooie maagd wier hand gewonnen was.

'Wat heerlijk, meisjes,' zei Edie. 'Ik hoop dat jullie allebei een aardige man hebben gevonden. Wordt het een dubbele bruiloft?'

'Ze trouwen met elkaar, moeder,' zei Greg.

'Doe niet zo raar,' zei Edie. 'Het zijn toch allebei meisjes? Echt, Greg, jij kraamt soms de grootste nonsens uit. Wisten jullie wel,' ging ze verder zonder zelfs maar adem te halen, 'dat de meeste huwelijken vandaag de dag in een echtscheiding eindigen?'

Greg deed zijn mond al open, maar ik wierp hem een blik toe om hem het zwijgen op te leggen. Wat had het voor zin?

'Daar moet op gedronken worden,' onderbrak ik Edies scheidingsstatistieken, en ik ging in de ijskast op zoek naar een fles champagne. 'Zuzi en jij willen nu natuurlijk een leuk eigen huisje hebben,' ging ik opportunistisch verder. 'Ik help jullie wel zoeken.' Ik meed hun blik terwijl ik het ijzerdraad losmaakte en het folie weghaalde.

'Jij wilt niet dat wij hier blijven?' vroeg Bea.

Kitty rende naar haar toe en ging bij haar op schoot zitten. 'Ze maakt een grapje. Toch, mamma?' zei ze en toen wendde ze zich tot Bea. 'Ze weet wel dat ik er niet tegen kan als jij bij ons weggaat. Als ik later groot ben, kun je bij mij komen wonen en op mijn kinderen passen.'

Ik verloor mijn greep op de fles en de kurk raakte met een knal tegen het plafond in plaats van netjes met een sisser in mijn hand terecht te komen.

'Wij blijven,' stelde Bea Kitty gerust terwijl ze haar haar streelde. 'Dit is ons thuis. Hier zijn wij samen gelukkig geweest.'

Zuzi en zij wisselden een intieme, liefdevolle blik uit. Ik weet dat ik voet bij stuk had moeten houden, maar het wankel evenwicht waarin mijn leven van werkende moeder verkeerde, draaide om de onvaste as van betaalde hulp. Bovendien besefte ik dat mijn gedrag van de laatste tijd, als het uit zou komen, schade kon toebrengen, niet alleen aan Kitty, maar ook aan Leo en Greg, en ik wilde niets doen wat het evenwicht nog verder zou verstoren.

'We zullen zien,' zei ik, en ik verbeet in stilte mijn teleurstelling over de mislukte poging om Bea en Zuzi te lozen. 'We zien wel wat er gebeurt als jullie getrouwd zijn.' Zou het anders zijn voor stellen van dezelfde sekse? Zelfde sekse, andere sekse – ik vermoedde dat het er toch op neerkwam dat er na het huwelijk nog maar weinig seks plaatsvindt, behalve natuurlijk met andere mensen.

Ik vroeg me droevig af of hun liefdesbootje ook zou stranden op de rots van dagelijkse onbenulligheden.

'Ik heb mijn tonijnstoofpot gemaakt,' zei Edie, terwijl ze een stinkende schaal uit de oven haalde. Het was haar specialiteit, een culinair hoogtepunt uit *haar tijd*, de jaren vijftig van de vorige eeuw. Tonijn uit blik, gekookt in geconcentreerde champignonsoep met een laagje chips bovenop. Kitty en Leo kokhalsden enigszins terwijl Edie een ruime, dampende portie op hun bord legde. Voor pap waren Edies culinaire inspanningen de druppel die de emmer deed overlopen en hij keek overdreven duidelijk op zijn horloge, toonde zich uiterst verbaasd dat het al zo laat was en trok haastig zijn jas aan.

'Eet wat voor je weggaat,' zei ik vals.

'Kon dat maar, maar ik heb een afspraak met de regisseur,' pareerde hij mijn aanval netjes, en hij kuste me triomfantelijk. 'Ik zie jullie morgen, halfzeven of zo. Kom op tijd.'

'Wij moeten ook weg,' zeiden Leo en Kitty terwijl ze opsprongen. 'We hebben opa beloofd dat we hem zouden helpen.'

'Maar ik ben net thuis,' zei ik klagerig.

Pap steunde de kinderen. 'Je ziet ze morgen wel weer. Het spijt me, maar dit hebben we weken geleden al afgesproken,' zei hij, en hij nam ze snel mee naar de veilige, tonijnloze wereld buiten. Bea en Zuzi slaagden er toen iedereen gedag zei ook de benen te nemen en van Sammy viel geen spoor meer te bekennen.

'Wat jammer nou. Maar het hindert niet Greggie, dan kun je hun portie ook opeten,' zei Edie, en ze zette de borden van Kitty en Leo voor Greg neer. Hij zette zich dapper tot een paar happen. Als Janet een normale kat was geweest, had hij stiekem wat in haar bakje kunnen laten glijden en had zij het dankbaar opgeschrokt, maar ze was nu eenmaal niet normaal, dus schoof hij toen Edie even niet keek met een door jaren oefening verkregen handigheid het merendeel in een servet op zijn schoot.

'Ik niet, Edie,' zei ik doortastend. 'Ik ben op dieet.'

'Ooo, na je veertigste moet je daarmee oppassen, Chloe,' zei Edie. 'Als je te mager bent, word je zo knokig. Wij oudere vrouwen moeten een beetje mollig blijven, vooral in ons gezicht. Je kent het gezegde: *visage* of *derrière*.' Ze knikte tevreden, alsof ze erkenning vroeg voor het feit dat ze *buitenlandse woorden* kende. Haar uitspraak van *derrière* rijmde op terriër, maar gezien het feit dat ze nooit verder was gekomen dan Zuid-Ierland, was het een wonder dat ze überhaupt een Frans woord kende. Edie keek neer op buitenlanders, maar ze vond het prettig een aantal van hun gewoontes over te nemen, omdat ze dacht dat ze daarmee overkwam als een vrouw van de wereld, of, zoals zij het zei: *met savoor fer*.

Ik vond het niet prettig dat ik met Edie in de groep oudere vrouwen werd ondergebracht en de eerste persoon meervoud met haar moest delen. Ik hoorde daar niet. Ik hoorde bij de wij van de vijfentwintig- tot veertigjarigen. Dat was mijn omgeving. Of voegde je je na je veertigste automatisch bij een vormeloze groep van veertig- tot tachtigjarigen?

'Ik voel me helemaal niet lekker,' zei Greg. Hij vatte zijn eigen gezondheid heel wat ernstiger op dan die van zijn betalende klanten, en hij zag er nu uit alsof hij op het punt stond in tranen uit te barsten. Ik vermoedde dat dat minder van doen had met zijn lichamelijke toestand dan met de ellende die zijn moeders aanwezigheid opriep.

'Ga jij maar liggen, schat, dan ruimen Chloe en ik wel op en kunnen we eens fijn lang met elkaar babbelen.'

Ik keek naar Greg toen hij de keuken verliet. Hij knipoogde naar me, een overwinnaarsknipoog. Als mijn ogen daartoe in staat waren geweest hadden ze giftige pijlen in zijn verraderlijke hart geschoten.

Ik heb onder 'met elkaar babbelen' altijd verstaan dat je wederzijds nieuwtjes en ideeën uitwisselt. Maar dat gebeurde niet. Er was wel degelijk sprake van nieuwtjes en ideeën, maar de uitwisseling bleef achterwege. In plaats daarvan was ik de enige ontvanger van een eindeloze hoeveelheid informatie. De woorden die Edies mond verlieten kwamen in één lange stroom bij mij binnen en ik had het gevoel alsof ik erdoor geslagen werd als door een hevige regenbui. Hoe ik me ook wendde, er stonden me nog meer woorden te wachten, om me nog harder te slaan. Ik wist het te overleven door ondertussen stiekeme sms'jes naar Ivan te sturen en ze van hem te ontvangen.

'Sorry, hoor,' onderbrak ik Edie terwijl ik de tekst intikte, 'een van mijn cliënten.' Dus terwijl Edie doorkletste, waren Ivan en ik bezig met tekstuele gemeenschap, en als gevolg van onze steeds meer seksueel beladen berichtjes – waarvan het laatste, van hem, luidde: IK ZIE JE GEZICHT STEEDS VOOR ME TOEN JE VANOCHTEND IN DE TIPI KLAARKWAM – spraken Ivan en ik over een kwartier met elkaar af. Je zou het toch voor onmogelijk gehouden hebben: dat je tegenover je schoonmoeder zat en ondertussen een erotische gedachtewisseling had met de man met wie je haar zoon bedroog, maar het was niet alleen mogelijk, het gebeurde ook. IK WIL JE NU, schreef ik Ivan. Dat we samen weg waren geweest, had onze verslaving aan elkaar alleen maar groter gemaakt.

'Het spijt me, Edie,' zei ik, terwijl ik opstond. 'Ik moet meteen naar deze patiënt toe. Hij is nogal verward. Het kan niet tot morgen wachten.' Het was allemaal waar, behalve dat van die patiënt.

Ivans auto stond bij de ingang van het park die het verst van ons huis verwijderd was. Daar had je hem, een lang, schimmig silhouet, met het schijnsel van een straatlantaarn als een halo achter zich.

'Ken je die mop,' vroeg ik terwijl ik hem in de armen vloog, 'van het konijntje met die straatlantaarn op zijn rug?'

'Ik ken alleen maar die van een mooie vrouw die eronder staat,' zei hij glimlachend.

Ik begroef mijn gezicht in zijn jas en snoof zijn geur op.

'Ik wil bij je zijn, Chloe. Ik wil dat we samen zijn.'

Hoe kwam het dat we dit punt zo snel hadden bereikt? Ik zei niets, maar drukte mijn lichaam tegen het zijne. Hij kuste me. Ik hield van die kussen: hoe onze lippen in elkaar overvloeiden en hoe onze tongen zich verloren in elkaars mond op een manier die zowel een ontdekkingsreis als een thuiskomst was. Ik hield ervan hem te voelen en te ruiken, ik hield van de opwinding van onze lichamen samen. Maar kon ik alles hiervoor opofferen? Zijn mobiel ging. Het was Becky.

'Ja, wat is er?' vroeg hij op koele toon. 'Ik heb toch tegen je gezegd waar ik het gelegd heb?' Hij brak het gesprek abrupt af, zonder gedag te zeggen; hij sloot zijn ogen even, alsof hij zijn ergernis wilde uitbannen, en wendde zich toen tot mij. Hij moest mijn gezichtsuitdrukking begrepen hebben, want hij zei: 'Ik zou tegen jou nooit zo doen, Chloe. Je weet niet hoe ze is. Je weet niet hoe het is om met haar getrouwd te zijn.'

Ik voelde me niet prettig. Een plotselinge draai aan de lens had een beeld in focus gebracht dat een barst maakte in de Hollywoodfilm van onze verhouding. Ik had een kant van Ivan te zien gekregen die ik liever niet gezien had. We zaten in zijn auto, en toen hij me kuste en streelde ebde het ongemakkelijke gevoel weg. Hij had gelijk: ik wist niet hoe ze was; niemand kon weten hoe het tussen twee mensen toeging. In de verte, door de voorruit, zag ik de bekende gestalte van Madge langs het hek om het park lopen. Ik onderscheidde nog net de witte duif die ze als een baby in haar armen droeg.

Ivan reed naar een afgezonderd plekje, een donker steegje met garages waar het overdag druk was, maar dat 's avonds privacy aan verliefde stelletjes bood. We vreeën in de auto als tieners, met bijna al onze kleren aan vanwege de kou en om een beetje discreet te blijven. Het was ontegenzeggelijk waar: een verboden liefde was een tijdmachine die je je jeugd teruggaf, of in ieder geval die illusie wekte. Toen we de liefde bedreven wilde ik het nog eens doen voor we zelfs maar klaar waren met de eerste keer, met de gulzigheid van een chocoladeverslaafde die al naar de volgende reep verlangt als haar mond nog bezig is met de eerste.

'Wat zouden we het samen fijn hebben, Chloe,' fluisterde Ivan in mijn oor. 'Denk er eens over.'

'Het gaat allemaal veel te snel,' zei ik. Ik was bijna in tranen.

'Het hindert niet, het hindert niet,' zei hij sussend. Hij streelde mijn haar en veegde mijn plotselinge tranen met een vinger weg. 'We kunnen ook zó doorgaan. Maar beloof me dat je erover zult nadenken.'

Ik voelde me bang, alsof ik in diep en onbekend water was gezwommen en het veilige vasteland van mijn gewone leven te ver achter me had gelaten. Ik zag Greg, Leo en Kitty vanaf een verre kust naar me wuiven en hoorde hun steeds zwakker wordende stemmen me smeken terug te komen terwijl hun gestalten in de verte steeds kleiner werden en ikzelf tot niet meer dan een vlekje aan hun horizon kromp. Ik vocht om terug te keren, maar kwam in een stroming terecht die zo sterk was dat ik niet terug naar hen kon zwemmen, hoezeer ik mijn best ook deed. Het beeld maakte me diep ellendig. Ik wilde alles – niets meer, niets minder. Mijn man én mijn minnaar. Was het echt zo gulzig van me dat ik ze allebei wilde? Het is toch eigenlijk niet realistisch om aan te nemen dat je alles wat je in het leven wilt bij één persoon kunt vinden? In Frankrijk zijn buitenechtelijke verhoudingen een geaccepteerd onderdeel van het leven, en het *cinq à sept* (of *sinkasept* zoals Edie ongetwijfeld zou zeggen, zodat het rijmt op 'recept') – de uren die uitgetrokken zijn voor de dagelijkse ontmoetingen van minnaars – is een instituut. Maar ik kon ons niet allemaal naar Parijs laten verhuizen en Frans laten worden, en het was trouwens al ver na zevenen toen ik eindelijk thuiskwam.

'Hart, geest en lichaam,' zei Ivan toen ik uit zijn auto stapte. 'Dat zijn de gebieden waarop je bij elkaar moet passen. En bij jou kan ik in ieder hokje een v'tje zetten, Chloe.' Ik voelde me gevleid, maar ik betrapte mezelf op de gedachte dat het opstellen van criteria en lijstjes typisch iets voor mannen was: de manier waarop mannen verwijzen naar mooie, begeerlijke vrouwen als een '10', en altijd je topvijf van platen of boeken of films willen weten. Wat zou er gebeuren als in de loop der jaren het v'tje in een van die hokjes van Ivan vager zou worden, tot een donkere vlek, voor het uiteindelijk zou veranderen in een dik zwart kruis?

'Kon je bij Becky ook ooit in ieder hokje een v'tje zetten?' vroeg ik.

'Nooit echt in het harthokje,' zei hij. Hij keek me aan en wreef met zijn duim over mijn mond, teder, maar ook een promesse, een voorschot op onze volgende seksuele ontmoeting.

'Ik zie je morgenavond,' zei hij. 'Op het gala van je vader.'

Hij moest voor de *Times* een cartoon van het gebeuren maken. Ik voelde die nieuwe, maar al bekende siddering van opwinding en angst die zich voordeed als mijn twee levens met elkaar in botsing kwamen.

Ik liep snel naar huis en zocht in mijn zak naar mijn mobiel om Ivan een lieve onderstreping van ons rendez-vous te sturen. Het ding was er niet. Ik sloot mijn ogen en zag direct, ontstellend duidelijk, waar ik mijn telefoon had laten liggen: in het volle zicht op de keukentafel, met alle boodschappen van Ivan er nog op en tikkend als een tijdbom als iemand het in zijn hoofd zou halen hem open te klappen. Ik voelde de paniek omhoogkomen, gelijke tred houdend met het steeds snellere geklik van mijn hakken. Greg sliep. Hij was aan zijn moeder ontsnapt door naar bed te gaan. Edie zou niet weten hoe ze een bericht kon openen. Niets aan de hand, niets aan de hand, niemand heeft het gezien, bleef ik als een mantra tegen mezelf zeggen. Ik rende de laatste vijftig meter naar huis.

'Ben jij dat, Chloe?' Gregs stem begroette me vanuit de keuken, net zo geruststellend als een gillende sirene. Ik trok langzaam mijn jas uit en bekeek mezelf in de spiegel. Zag ik eruit als een vrouw die net seks had gehad? Schuld leek zich in al mijn poriën vastgezet te hebben, mijn ogen glansden, mijn haar stak achter op mijn hoofd omhoog, zoals altijd na de wrijving van enthousiaste gemeenschap. Ik borstelde het glad, trok mijn kleren recht, haalde diep adem en ging naar beneden.

'Alsjeblieft, laat hem niet naar mijn mobiel gekeken hebben, dan beloof ik dat ik het nooit meer zal doen,' loog ik tegen de God in wie ik niet geloofde. Greg zat met Sammy aan tafel. Mijn mobiel lag tussen hen in op het blad; hij lag daar te kloppen, radioactief, kwaadaardig, pesterig. 'Ongelooflijk!' leek hij te zeggen. 'Pagina 1: hou je telefoon altijd bij je. Hoe moeilijk is dat nou?'

In Gregs ogen stond een stille vraag te lezen, maar misschien was dat gewoon mijn eigen schuldgevoel.

'Waar zat je?' vroeg Greg. Zijn stem klonk scherp.

'Ik moest een cliënt uit de put praten,' zei ik. 'Ze is volledig van slag omdat ze gaat trouwen.' Ik praatte te veel en te snel. Ik weerstond de verleiding om mijn lippen met mijn vingers dicht te klemmen, wendde al mijn wilskracht aan en zweeg.

'Niets voor jou om bij ze thuis langs te gaan,' zei Greg. Vermoedde hij iets? Had hij mijn berichten gelezen?

'Ik had de keus tussen dat en hier naar je moeder zitten luisteren,' kaatste ik terug. Daar had hij niets tegen in te brengen.

Sammy ging naar de tuin naar zijn tent. Zijn gezicht vertelde me dat hij precies wist wat ik gedaan had. Ongetwijfeld had hij het gevoel dat als hij bleef, dat hem medeplichtig maakte aan iets waaraan hij part noch deel wilde hebben.

'O, hier, je had je mobiel laten liggen.' Greg gaf hem aan me.

'Bedankt,' zei ik achteloos en ik moest mijn uiterste best doen rustig te blijven ademhalen. 'Ik ga naar bed. Kom je ook?'

'Bijna.'

Het was veel te opvallend om in onze badkamer te douchen, en nu Edie in de logeerkamer naast mijn spreekkamer lag te slapen, kon ik ook niet naar de badkamer in het souterrain. Ik moest dus volstaan met een zo goed mogelijke wasbeurt met een washandje – een handjeswas, zoals Kitty het vroeger noemde als ze niet in bad wilde. Dat kinderwoordje zong door mijn hoofd, maar het klonk vals. Ik voelde me hoerig, een tippelaarster tussen twee klanten, uit de auto van de een het bed in met de ander. Maar goed, dacht ik, één ding was zeker: Greg zou niet willen vrijen.

Greg wreef met zijn voet langs mijn kuit. Hij nam me in zijn armen. Uitgerekend vannacht, na zo'n tijd. Ik had graag gezegd dat ik het moeilijk vond de liefde met mijn echtgenoot te bedrijven nadat ik zonet nog in de armen van mijn minnaar had gelegen, maar zelfs na al die tijd voelde het als een volkomen natuurlijk iets aan. Heroverde Greg door mij te beminnen zijn territorium? Zette hij zijn geur op me af in de hoop me voor zichzelf te houden? Wat de reden ook was, het troostte me om in zijn armen te liggen. Waarom kon ik daar niet gewoon blijven en gelukkig zijn in plaats van iets meer en iets anders te willen? *Als je het leven als een cadeautje zag, stelde je er misschien minder eisen aan.*

'Ben je gelukkig, Chloe?' vroeg Greg toen we na afloop in elkaars armen lagen.

Ik wilde hem vragen waarom we zo lang niet gevreeën hadden, maar ik was bang voor de wending die een gesprek daarover zou kunnen nemen. Wist hij wat ik eerder die avond gedaan had, en dat ik niet alleen naar Spanje was geweest?

'Best gelukkig,' zei ik. 'Ik wou alleen maar dat we nog konden zijn zoals we in het begin waren, vol verwondering over elkaar. En jij, ben jij gelukkig?'

'Ik voel me prima. Zo is het leven nu eenmaal. Het kan niet steeds ademloos opwindend zijn.'

Ik keek in zijn vertrouwde blauwe ogen, snoof zijn Greg-zijn op, knikte en viel in zijn armen in slaap. Ik kon maar een paar minuten van de rust genieten of hij begon alweer met zijn bekende nachtelijke gewoel, zijn hardop praten en het aanroepen van onzichtbare goden.

Een vreemd ding, dacht ik teder terwijl ik lepeltje-lepeltje met hem ging liggen. Maar van mij.

18

Zhivago's Wraak

| 1½ cc peperwodka | 3 druppels tabasco |
| 1½ cc kaneellikeur | 1 glas van 4,4 cc, gekoeld |

Schenk de ingrediënten in bovenstaande volgorde in het glas, roer om.
Kan het best ijskoud geserveerd worden.

Voor we op weg gingen naar paps gala-avond poseerden we met z'n allen bij de voordeur. We hadden een voorbijganger een camera in de handen gedrukt en hem gevraagd om ons, in onze première-uitdossing, voor het nageslacht vast te leggen.

'Je bent nog best een knappe man, Greg,' zei Edie, terwijl ze hem van top tot teen bekeek toen we naar de auto liepen. 'Ik zou hem maar in de gaten houden, Chloe. Ik weet nog toen hij zestien was. Dat was natuurlijk een aantal jaren n.G., en…'

De rest van haar herinneringen werd overstemd door Kitty en Leo, die begonnen te kibbelen over wie waar moest zitten. Sammy's gezicht stond afwezig: hij voelde zich overspoeld door zo veel woorden.

'Je hebt je berggezicht op,' zei ik.

'De rust van de Alpujarras,' zei hij. 'Ik mis mijn tipi.'

'Ik mis jouw tipi ook.'

'Ja, maar om een andere reden dan ik,' zei hij.

We waren amper de hoek om toen Kitty zich vanaf de achterbank naar me toe boog. Ik dacht dat ze mijn haar wilde aaien, zoals ze vroeger altijd deed als ze achter in de auto zat.

'Je rok is van achteren te kort, mam,' zei ze. 'Vreselijk, je ziet je kont zowat.'

Hmm, misschien had ik toch in het lang moeten gaan. De wetenschap dat Ivan er zou zijn maakte me al behoorlijk zenuwachtig, en er is niets zo dodelijk voor het breekbare zelfvertrouwen van de oudere vrouw als de afkeuring van een twaalfjarige.

Toen we aankwamen stond pap buiten, glad als een zeehond in zijn smoking, zijn zilvergrijze haar naar achteren gekamd. Alleen de haren van zijn wenkbrauwen staken alle kanten op en gaven aan hoe hij zich voelde. Helga, lang, elegant en net gearriveerd uit Berlijn, stond naast hem. Ze was in de zeventig, maar nog steeds een mooie vrouw, stralend van zelfvertrouwen. Dat krijg je als je een leven lang bewonderd wordt. Voor mezelf had ik graag gehad dat pap haar meer in ons leven had geïntegreerd; ik zou een moederfiguur prettig gevonden hebben nu ik zo vroeg mijn eigen moeder had verloren. Maar dit ging niet om mij, en bij hen ging het er nu juist om dat ze niet bij de sleur van het dagelijks leven hoorde. Vanavond verscheen ze voor het eerst in het openbaar aan zijn zijde, en toen ik ze zo samen zag, aarzelde ik en hield me op afstand. Ik had mijn vader nooit met een andere vrouw samen gezien dan met mijn moeder. Naast Helga leek hij meer op zijn gemak en niet alsof hij er ieder moment vandoor kon gaan. Zo had hij er vroeger naast Girlie altijd uitgezien: bang voor het onbestendige emotionele weer waarin je bij haar terechtkwam en dat je gevangen hield met onvoorspelbare stortbuien of plotselinge zonneschijn. Helga ademde standvastigheid uit en dat zag je aan haar geruststellende hand op mijn vaders arm en aan de tedere manier waarop ze haar hoofd aandachtig naar het zijne boog.

De paparazzi waren in groten getale uitgerukt en verdrongen elkaar, draaiden hongerig hun hoofd naar links en rechts, op zoek naar hun prooi. De kaartjes waren de eerste dag dat ze op de markt kwamen al uitverkocht geweest en de aanwezigheid van Bekende Londenaren werd gretig tegemoetgezien.

Ik wilde net naar pap en Helga toe lopen toen ik een geërgerde stem achter me hoorde. 'Is dat de moeder van Kitty McTernan niet? Wat heeft die hier in godsnaam te zoeken?' Ik draaide me om en zag de Kwadraatjes staan, de ouders van Molly. Mijn aanwezigheid leek hen te krenken, alsof die van hen bij deze hippe gebeurtenis er op de een of andere manier minder door werd. Ik wist dat Mrs Kwadraat nog steeds last had van de chocoladetaartcoup van Kitty en mij.

'De bank van Phil sponsort het gala,' zei ze al voor ik iets kon zeggen tegen mij, om haar rechten op het evenement te laten gelden en mij impliciet uit te nodigen mijn aanwezigheid te verklaren. Ze keek om zich heen, op zoek in de nog steeds aangroeiende menigte naar iemand die haar aandacht meer waard was dan ik. 'Maar ik heb Bertie Zhivago's werk altijd gevolgd. Ik ben een enorme fan van hem. Ik heb hem al heel wat keren gesproken.'

Heel af en toe schenkt het leven je de ideale gelegenheid tot wraak. Al die jaren van me afgewezen voelen op het schoolplein waren het waard geweest: deze ongewoon warme januariavond aan Shaftesbury Avenue in Londen waarop ik eventjes van het moment kon genieten voor ik die vijf woordjes uitsprak: 'Bertie Zhivago is mijn vader.'

Mrs Kwadraat staarde me aan alsof ze me voor het eerst zag. 'Dat wist ik niet.'

'Nu ja, het is ook moeilijk om het verband te leggen,' zei ik sarcastisch, 'met al die Zhivago's vandaag de dag. Hoewel,' moest ik onwillig toegeven, 'omdat Kitty's achternaam McTernan is, wist je waarschijnlijk niet dat ik Zhivago heet.'

Ik wilde haar net inpeperen dat ze voortaan beter moest opletten wie ze met de nek aankeek, maar werd daar gelukkig voor behoed door pap, die aan mijn zij opdook. Hij sloeg zijn armen om me heen, wendde zich tot Helga en zei: 'En dit is mijn prachtige dochter Chloe.'

Uit een ooghoek zag ik hoe de Kwadraten als goudvissen hun mond open- en dichtdeden.

'Pap, Helga, dit zijn Phil en Jane, de ouders van een meisje bij Kitty in de klas.' Ik was zo gewend om hen in gedachten de Kwadraten te noemen dat hun echte achternaam me niet te binnen wilde schieten.

'Fijn om kennis met u te maken, en wat leuk dat u er bent,' zei pap. Het was duidelijk dat hij hen nooit eerder gezien had, of als dat wel zo was, dat het hem niet bijgebleven was.

Jane leek zowat flauw te vallen van dankbaarheid en schaamte. Hoewel mijn grootmoedige daad vooral was ingegeven door de behoefte om hun neuzen wraaklustig door de excrementen van hun eigen onbeleefdheid te wrijven, was ik toch blij dat ik het gedaan had. Hun neuzen werden er toch wel doorheen gewreven, besefte ik, toen ik pap hoorde roepen: 'Kom eens hier, Ruthie, lieverd, geef me een zoen. Wat zie je er schitterend uit.' Jane keek ontzet toe terwijl pap Ruthie, ook al iemand die ze niet de moeite waard had gevonden, tegen zich aan drukte. Pap keek naar ons tweeën en zei: 'Jullie zijn nog net zo mooi als toen jullie achttien waren.' Ruthie zag er stralend uit in een strakke rode jurk die haar rondingen prachtig deed uitkomen, en met Richard, Atlas en Sephy aan haar zij.

'Het schijnt je goed te doen dat je nee hebt gezegd tegen het Boliviaanse *marching powder*,' fluisterde ik voor ik haar kuste. Ze drukte mijn hand, keek genietend naar de Kwadraten, wier verbaasd openstaande monden tot volmaakt ronde nullen waren gereduceerd, en begroette ze zo ruimhartig als een koningin haar loyale onderdanen. De wraak was zoet en we zoefden langs hen heen over de rode loper naar de foyer, terwijl de camera's flitsten en de paparazzi riepen.

Leo, tussen man en jongen in in zijn smoking, gewillige slaaf van de grote god Ipodicus, liep op een ritme dat alleen hij kon horen het loopje van de jongens uit de straten van Harlem. Kitty trok mijn rok van achteren naar beneden. 'Echt mam, het is gênant.' Familiepatronen herhalen zichzelf onvermijdelijk, hoezeer je er ook aan probeert te ontsnappen: net als mijn moeder kleedde ik me gewoon niet zoals een moeder zou moeten doen. Of misschien kan geen enkele moeder zich zo kleden dat haar dochter het goedvindt. Ik keek naar Kitty en genoot van haar ernstige gezichtje. Ze leek roerloos gevangen in dat moment tussen kindertijd en volwassenheid; ik zag tegelijkertijd de baby die ze geweest was en de prachtige vrouw die ze binnenkort zou worden. Een bekend profiel ving mijn blik. (De eerlijkheid gebiedt me te zeggen dat ik er sinds onze aankomst stiekem naar had uitgekeken). Kitty volgde mijn blik en keek me even strak aan, met ogen die tegelijkertijd vragend en wetend stonden, de ogen van een vrouw. Het was Ivan. Ik voelde dat ik sneller ademde, omdat ik bang was voor wat Kitty wist of vermoedde en ook omdat ik, als altijd, blij was hem te zien.

Daar stond ik dan tussen mijn man en mijn minnaar terwijl zij elkaar de hand schudden en begonnen aan het soort bruuske, confronterende geplaag waar mannen zo van houden.

'Ik zie dat je net als ik je overhemd nog netjes in je broek kunt stoppen,' zei Ivan, terwijl hij op zijn eigen kraakheldere platte overhemd klopte.

'We zijn een uitstervende soort. Ik weeg nog hetzelfde als twintig jaar geleden,' antwoordde Greg zelfvoldaan.

'Je bent aan het koorddansen zonder vangnet, Chloe,' fluisterde Ruthie naast me. 'Gewoon je hoofd koel houden en niet naar beneden kijken.'

Die avond vloeiden verschillende delen van mijn leven op een wonderlijke manier samen: mijn man en kinderen naast me, mijn vader en zijn tot nog toe stilgehouden vriendin, mijn schoonmoeder, mijn broer, mijn beste vriendin met haar gezin, mijn minnaar en zijn vrouw, de afschuwelijke ouders van de pestkop van de school… en nu zag ik ook nog – begeleid door een steeds sterker wordend fluitconcert en geroep van 'Hier, hier', 'Lizzie, kijk eventjes deze kant op' en 'Nog eentje' – mijn Beroemde Vriendin naar ons toe komen lopen, terwijl de gulzige fotografen hun toestellen als wapens op haar gericht hielden om haar beeltenis in de lens te vangen en de camera's lieten flitsen. BV was in haar element, de aandacht was als een zon die haar gezicht verwarmde; haar ogen waren half gesloten, haar lippen weken uiteen alsof ze in extase was. Dit was de eerste keer dat ze zich met Jeremy in het openbaar vertoonde, en met haar soepel wiegende heupen straalde ze seksuele vervulling uit en verkondigde ze aan de hele wereld dat haar celibaat iets uit het verleden was. Ze had net zo goed als lady Godiva kunnen komen binnenrijden, naakt op een paard om te laten zien dat ze weer in het zadel zat. Jessie liep achter hen aan, haar ogen neergeslagen alsof ze in de kieren tussen de stoepstenen de oplossing voor haar eigen beschamende bestaan kon vinden.

'Hij heeft zelfs mijn naam ingepikt,' zei ze tegen me toen ze bij ons kwamen staan. 'Ze noemt hem Jezzie.'

'Hallo, engel,' zei BV, terwijl ze de lucht om mijn hoofd kuste.

'Je hebt de tijd gevonden om het een en ander te laten doen, zie ik,' mompelde ik.

'Lipodissolve. Je vet lost er letterlijk door op. Hier doen ze het nog niet; ik ben er een dagje voor naar Parijs geweest. Het is geweldig, je laat het in de lunchpauze doen en dan kun je meteen weer aan het werk' – ze keek even naar Jeremy, die met zijn rug naar ons toestond – 'en plezier maken. Jij zou het eens met dat buikje van je moeten proberen.'

'Welk buikje?' vroeg ik tevreden.

'Waar is het gebleven?' BV kneep haar ogen samen en nam me aandachtig op.

Jeremy draaide zich om. Ik bekeek hem voor het eerst goed en snakte naar adem. Het was niemand anders dan Godsgeschenk. Ik was helemaal vergeten dat hij eigenlijk Jeremy heette.

'O ja,' zei BV, die mijn blik gevolgd had. 'Jezzie had me al gezegd dat jullie twee elkaar kennen.' Ze boog zich naar voren en fluisterde in mijn oor: 'Hij denkt dat je een beetje op hem valt. Waar ken je hem van?'

In de verte hoorde ik een autoalarm, een irritante, aanhoudende schrille toon, die ofwel het einde, of het begin van iets scheen aan te kondigen. Het gaf me een angstig voorgevoel.

Ik zocht mijn plaats op en ademde dat speciale aroma in dat hoort bij een groot, belangrijk evenement. De snaarinstrumenten werden gestemd en de leden van het orkest schoven op hun stoelen heen en weer als circuspaarden die met hun hoeven op de grond stampen voor ze de piste in gaan. Mooie jurken in heldere kleuren ruisten en mensen riepen naar elkaar met stemmen die eraan gewend waren gehoord te worden. We zaten helemaal vooraan en ik hield paps hand vast. Hij telde zenuwachtig mijn vingers, een ritueel spel dat we al vanaf mijn kindertijd samen speelden. Steeds als hij geteld had stopte ik één vinger weg, tot er geen vinger meer over was. Hij deed dan net of hij stomverbaasd was dat al mijn vingers verdwenen waren en vervolgens toonde hij zich opgelucht als ik ze een voor een weer liet verschijnen.

Zijn handen waren warm en droog. Met dat instrument had hij altijd de vaste melodie van de ouderlijke liefde gespeeld. Toen ik nog klein was, hadden die handen me in slaap gesust, mijn tranen weggeveegd en uitdrukking gegeven aan zijn liefde voor mij. Ik had ze nooit in woede geheven gezien, jegens mij of jegens iemand anders. Maar vanavond was ik de geruststellende ouder wier hand suste.

'Herinner me er in de toekomst aan dat ik dit nooit meer moet doen,' mompelde hij. 'Het wordt vast een enorme flop.'

'Dat zeg je altijd, pap. En het is altijd een groot succes,' zei ik terwijl ik zijn wang kuste. Ik ving Helga's blik op. Ze zat aan de andere kant naast hem en drukte zijn hand tegen haar lippen. We keken naar elkaar en lachten verlegen. Helga boog zich voor pap langs en drukte mijn arm. Ik kreeg plotseling zin om te huilen, om haar over mijn ingewikkelde leven te vertellen en haar om raad te vragen.

'Helga en jij zouden elkaar beter moeten leren kennen,' zei pap. Ik glimlachte en knikte, maar ik dacht dat als ik haar echt zou leren kennen, ik haar misschien aardiger zou vinden dan mijn eigen moeder, en dat voelde als verraad.

Ik draaide me om en zag Ivan vanaf de rij achter ons naar me kijken. Becky zat naast hem, haar gezicht mager en verdrietig; haar lichaam hield ze zorgvuldig van het zijne verwijderd, alsof lichamelijk contact haar zou verwonden.

'Hij is niet erg aardig tegen haar,' zei Kitty plotseling.

'Wie?' Ik wendde me naar haar toe; ze had gezien dat ik naar hen keek.

'Die Russische man waar je steeds naar kijkt. Hij is niet aardig tegen zijn vrouw.'

Ik hield me onverschillig. 'Ach, meisje.'

'Hij zei tegen haar dat ze als een zware natte handdoek om zijn nek hing. Ik hoorde het hem zeggen.'

'Je hebt gelijk, dat is niet aardig,' zei ik. De dissonante toon die altijd klonk als ik Ivan met Becky zag, dreunde door mijn hoofd. Was hij echt zo akelig?

'Ik denk dat hij op je valt,' zei Kitty. 'Hij kijkt steeds zo gek naar je. Je gaat toch geen verhouding met hem beginnen?'

'Doe niet zo raar.' Het geruststellende, warme lachje dat ik had willen laten horen kwam er helemaal verkeerd uit en klonk als brekend glas.

'Ja, maar de moeder van Lucy Gray had ook een verhouding en daar is haar vader achter gekomen, en ze zijn gescheiden en nu weet Lucy nooit meer waar haar spullen zijn omdat ze in twee huizen moet wonen.'

Ik knuffelde haar zodat ze mijn gezicht niet kon zien, en een antwoord bleef me bespaard, omdat het doek opging. Een bekkenslag gaf aan dat de ouverture begon. En met die bekkenslag drong voor het eerst volledig tot me door hoe monsterlijk dom ik bezig was. Ik zette het geluk van mijn man en kinderen op het spel voor een man die niet aardig was voor zijn vrouw. Hoe lang zou het duren voor hij ook niet meer zo aardig voor mij zou zijn? En als Kitty al vermoedens had, wat zou Greg dan wel niet denken? Ik keek naar Greg, die naast Kitty zat. Hoewel we de vorige nacht voor die ene keer weer met elkaar hadden gevreeën, kwam hij me maar vaag bekend voor, als een vreemdeling die je vaak ziet, de man die je iedere ochtend op weg naar de bushalte voorbijloopt.

Het applaus van het publiek bracht me terug naar het heden en ik richtte mijn aandacht op het toneel. Het was in twee helften verdeeld: de ene het koninklijk hof waar de geboorte van een prinsje werd gevierd; de andere het huis van de bedelaar waar het gezin treurde om de ongewenste komst van nog een mond om te voeden. Het contrast tussen de overvloed aan het hof en de armoede in de andere huishouding was fraai uitgebeeld. Weelderig fluweel, kandelabers en rijke kleding aan de ene kant en een vuile, kale kamer aan de andere.

De scène leek een weerspiegeling van mijn eigen leven, of tenminste van de manier waarop ik het zag: de sensuele luxe van mijn verhouding met Ivan, in tegenstelling tot de relatie met mijn man, die steeds armoediger werd. Daar had je Tom Canty die, met zijn neus tegen de tralies van het hek voor het paleis gedrukt, verlangde naar een leventje van overvloed. Dat leven kreeg hij ook, maar hij kwam erachter dat het niets dan problemen met zich meebracht. Ook ik had, net als Tom, gemerkt dat datgene waarnaar ik verlangd had niet helemaal was zoals ik gedroomd had. En nu verlangde ik terug naar de eenvoud van mijn vroegere leven, toen ik niet op mijn tenen in de schaduw hoefde te sluipen, voortdurend bang voor de ontdekking die op de loer lag.

Pap had mijn hand stevig vastgegrepen; hij leek zich nu hij merkte hoe positief het publiek reageerde enigszins te ontspannen.

'Het spant er nog om, maar tot nu toe lijkt het toch geen totale mislukking te worden,' fluisterde hij.

'Wanneer besef je nu eens dat het nóóit een mislukking is?'

'Als ik dood ben.'

'Hou op, pap, zeg dat niet.'

Ik gaf me over aan de muziek en de bewegingen. Het was een opluchting om me op het verhaal op het toneel te concentreren, en aan mijn eigen geschiedenis te ontsnappen.

In de pauze verdrongen we ons allemaal in de vip-room voor een dodelijke cocktail met een toepasselijke naam: Zhivago's Wraak. Godsgeschenk stond bij de ingang en schonk me een wetend lachje, dat leek te suggereren dat wij nog niet klaar waren met elkaar. Tegelijkertijd bewonderde hij zijn beeltenis in de spiegel achter me. Wat zag BV in godsnaam in hem, afgezien dan van lichamelijke bevrediging? Hoewel, ik kon me nauwelijks voorstellen dat hij een gulle minnaar zou zijn; daarvoor ging hij te veel in zichzelf op. Een jonge journaliste stond naast BV en vertaalde ieder woord dat ze zei in stenokrabbels die weldra in druk onsterfelijk zouden worden. Ze knikte ernstig als een specht en bij ieder knikje liet ze een opgewonden, instemmend 'hm-mm' horen. BV weidde uit over haar nog te schrijven volgende boek.

'Seks,' zei ze, 'is heel belangrijk voor je energie. Het is onze brandstof; en net zoals een volle tank benzine een auto een bepaald aantal kilometers laat rijden, zo geeft bevredigende seks ons de energie voor ons drukke bestaan. De mens moet, net als een auto, regelmatig bijtanken om optimaal te kunnen presteren.'

'Maar uw laatste boek ging toch over het celibaat?' vroeg de journaliste.

'Ja, maar dat vormt het eerste onderdeel van het proces, een reiniging van de mens, of liever gezegd: van de motor aan het einde van een relatie, waarin je leert om weer van jezelf te houden voor je de brandstof van de nieuwe relatie in je opneemt.'

'Zo werkt het helemaal niet,' kwam ik tussenbeide. 'Seks geeft je geen brandstof, zoals benzine bij een auto, integendeel juist. Het is net als wanneer je een enorme hoeveelheid eten verorbert en denkt dat je nooit meer een hap door je keel kunt krijgen. De volgende ochtend word je wakker en merk je dat je uitgehongerd bent. Snap je? Hoe meer seks je hebt, hoe meer je wilt.'

BV keek naar me alsof ik de paus was die de expert uithing over de vreugden van de seksuele gemeenschap. 'Maar goed,' voegde ik er haastig aan toe, 'wat weet ik ervan? Ik ben al eeuwen met dezelfde man getrouwd en ik heb zo weinig seks dat ik waarschijnlijk praktisch weer maagd ben.'

BV bekeek me nog steeds nieuwsgierig. Haar poriën ademden seksuele bevrediging uit. Wie weet deden de mijne dat ook. Ik zag Ivan een paar meter verderop staan. Hij liep langs me heen en stopte een briefje in mijn hand.

Kom naar de loge twee deuren verderop.

'Wat was dat?' vroeg Kitty, die stilletjes achter me was komen staan.

'Niets, een stukje papier, meer niet.'

'Dat heb je van hém gekregen, toch?'

'Schei je erover uit?' vroeg ik boos. Ik voelde de woede die zo kenmerkend is voor iemand die zich in de hoek gedreven voelt.

'Waar ga je naartoe?' vroeg Kitty toen ik wegliep.

'Naar de wc.'

'Ik ga met je mee.'

Kitty liep vlak achter me aan naar de toiletten. Zogenaamd om mijn rok naar beneden te trekken, zodat mijn achterwerk bedekt bleef, maar ik had meer het gevoel dat ik onder politietoezicht stond. Ik schaamde me: het was verschrikkelijk dat ze zich zo veel zorgen maakte dat ze me niet uit het oog wilde verliezen. Toen ik de deur van het wc-hokje sloot, hoorde ik een eigenaardig sniffend geluid uit het hokje naast het mijne komen. Ik bukte me om onder de scheidingswand door te kijken en zag een neus met daaronder een rietje waardoor iets van de vloer werd opgesnoven. De ring aan de vinger die het rietje vasthield kwam me bekend voor.

'Ruthie, wat doe je daar?'

Neus en vinger schoten uit zicht. Ik ging op de wc-bril staan en keek over de wand het buurhokje binnen. Ruthie zat op haar handen en knieën, op heterdaad betrapt terwijl ze het witte poeder dat op de grond lag met een velletje papier probeerde op te vegen.

'Waar ben je godverdomme mee bezig?'

'Chloe! Je jaagt me de stuipen op het lijf. Hoor 'ns, ik had behoefte aan een opkikkertje en toen heb ik die rotzooi laten vallen. Het leek me het veiligst om mijn neus als stofzuiger te gebruiken.'

'Maar je zei toch dat je daarmee opgehouden was?'

'Dat ben ik ook. Ik heb al in geen eeuwen gesnoven. Dit was maar een petieterig lijntje bij mijn glaasje champagne.'

'We hebben het er later nog wel over,' zei ik, na een blik op het rijtje wasbakken waar Kitty haar handen stond af te drogen. Sephy kwam binnen en even later liepen ze met z'n tweeën weg. Voorlopig had Kitty het uit haar hoofd gezet verder op me te letten.

Toen ik naar de loge liep, kon ik er niet onderuit toe te geven dat mijn leven gevaarlijk uit de hand dreigde te lopen. Hoe kon ik mezelf aardig vinden, een vrouw wier kind haar ervan verdacht een minnaar te hebben? Mijn daden hadden invloed op de mensen van wie ik hield, en dat inzicht, gecombineerd met de gebeurtenissen van de avond daarvoor, toen Greg me weer tot de zijne had gemaakt, bracht me eindelijk tot bezinning. Het leek veelbetekenend dat het briefje van Ivan dat me uitnodigde om naar de loge te komen het eerste was dat hij me in het Engels geschreven had, en plotseling wist ik heel goed wat ik moest doen en ook dat het meteen gedaan moest worden, voor de moed me in de schoenen zonk.

Ik voelde dat hij er was vóór ik hem zag; hij stond in de schaduw en even wilde ik niets anders dan me in zijn geur koesteren. Hij deed een stap naar voren om mijn gezicht aan te raken en met moeite trok ik me terug.

'Zo kan het niet langer, Ivan,' zei ik. 'Ik kan het gewoon niet meer.'

'Ssst, ssst,' suste hij me, terwijl hij mijn gezicht streelde.

'Niet doen,' zei ik. 'Toe, we moeten ermee ophouden.'

'Ik wil je, Chloe,' zei hij terwijl hij me tegen zich aan probeerde te trekken. 'Ik wil je de hele tijd.'

'Het is voorbij,' zei ik en ik vouwde mijn armen voor mijn borst. 'Ik kan niet meer met je afspreken, dat kan gewoon niet meer. Voor mij is het anders: jouw kinderen zijn het huis uit, maar die van mij niet. Ze hebben hun vader en hun moeder nodig, ze moeten deel zijn van een echt gezin. Ik mag ze dit niet aandoen. Dat is gewoon niet eerlijk. Toe, probeer dat te begrijpen.'

Ivan keek me aan; hij kneep zijn ogen dicht en toen hij ze weer opendeed, was het alsof er een luikje in zijn gezicht was gesloten.

'Ik ben er de man niet naar om te smeken,' zei hij. Ik keek naar hem en het was alsof we opeens vreemden voor elkaar waren geworden. Hij deed een stap achteruit en ik draaide me om en rende weg uit de loge, terwijl dikke tranen diepe sporen door mijn make-up trokken. Het enige wat ik gewild had, dacht ik vol zelfmedelijden, was een beetje leven, en nu pakte verdriet zijn tassen uit om langdurig zijn intrek in mijn hart te nemen. Ik dook achter een pilaar toen ik de stem van Greg hoorde. Hij was bezig het verhaal van *The Prince and the Pauper* aan Edie uit te leggen, op een geduldige toon die ergernis verried.

'Het is een geval van persoonsverwisseling. Tom doet het niet expres; hij probeerde tegen iedereen te zeggen dat hij de prins niet is, maar ze willen hem niet geloven en nu zit hij vast.'

'Maar zien ze dan niet dat hij het niet is?'

'Nee, de prins en hij zien er precies hetzelfde uit.'

'O, dus daarom stuurde de paleiswacht de echte prins weg uit het paleis, omdat hij er in Toms vodden uitzag als Tom.'

'Juist, moeder, nu snap je het.'

'Maar ik vroeg me toch af, ik vond het niet zo verstandig van die paleiswacht…'

Ik hield me afzijdig van iedereen tot de gong ging en liep in de korte tijdsspanne tussen het moment dat de lichten doven en het doek opgaat in de duisternis naar mijn plaats terug.

'We zochten je al, lieverd,' fluisterde pap.

Ik drukte zijn hand en pakte hem toen en liet zijn vingers de mijne tellen.

Het slotnummer van *The Prince and the Pauper* klonk en ik keek even steels achterom naar Ivan. Hij zat stijf rechtop en keek strak voor zich uit, zijn schetsboek in zijn handen geklemd. Het droomkasteel van mijn zwoele liefde met Ivan was ik kwijt, een lichtflits die tot een speldenprikje was gereduceerd voor hij helemaal weg was. Ik was met Tom Canty terug in Offal Court, voorbestemd tot een leven van emotionele verhongering en zintuiglijke ontbering. Nou ja, dat is misschien een beetje te sterk uitgedrukt, maar zelfs al wist ik dat ik gedaan had wat ik moest doen, het voelde wel zo. De tweeling die Edward vi en Tom Canty speelde kwam hand in hand het toneel op en zong:

Sta nooit te snel met je oordeel klaar.
Zeg nooit dat je ziet wat er niet is.
Verpand nooit je hart zomaar.
Zorg dat je geen broodkorst verkwist.

Ze zongen loepzuiver samen. Pap had zich geen zorgen hoeven maken over hun talent. Het doek viel, de zaal barstte los in een donderend applaus en pap ging het toneel op om een buiging te maken.

'Ik dank jullie allemaal,' zei hij. 'Ik moet bekennen dat toen men mij vertelde dat er een galavoorstelling gehouden zou worden ter gelegenheid van mijn vijftigjarig jubileum als componist, ik dacht: mijn god, ze weten kennelijk iets wat ik nog niet weet.' Hij zweeg even, en het publiek keek met genegenheid naar hem op.

'Het moet jullie allemaal opgevallen zijn,' ging pap verder, 'dat de erkenning of viering van een levenswerk in de showbizz een inleiding op de dood is. Het spijt me dat ik jullie allemaal moet teleurstellen, maar ik ben helaas van plan nog heel wat jaren te blijven.'

Het publiek lachte en klapte en kwam overeind. Ik keek naar die kleine man, mijn vader alleen op het toneel en huiverde. Ik sloeg mijn arm om Greg heen. 'Niet doen,' zei hij terwijl hij me afschudde. 'Dat kietelt.'

19

Helga's snelle, gemakkelijke Apfelstrudel

1 pond zoete appels: geschild,
van hun klokhuis ontdaan
en in dunne plakjes
gesneden
$1/4$ kop lichte rozijnen
$1/4$ kop krenten
$1/2$ theelepel kaneel

2 eetlepels witte suiker
2 sneden oud bruin brood, tot
kruimels gewreven
Pakje filodeeg van 400 g (het
leven is te kort om zelf
filodeeg te maken)
$1/4$ kop boter, gesmolten

Verwarm de oven voor op 200 °C (gasovenstand 6).
Doe de appels, rozijnen, krenten, kaneel, suiker en broodkruimels in een kom en roer goed door elkaar.
Smeer de vellen filodeeg in met de gesmolten boter en leg ze boven op elkaar op een vel bakpapier. Spreid het appelmengsel gelijkmatig over het bovenste vel uit en rol de vellen op zodat ze een soort boomstam vormen. Smeer de bovenkant in met gesmolten boter. Bak in een voorverwarmde oven gedurende 30 minuten tot het deeg goudbruin is en het fruit zacht.

Ik heb minstens twee flessen champagne gedronken op de afterparty. Greg en de kinderen waren bijna meteen weggegaan, en hadden de weerspannige Edie meegenomen. Ze sloeg met lichtzinnig genoegen Bailey's achterover en was al aan haar vijfde of zesde bezig – nog één en dan zou ze 'Danny Boy' gaan zingen. Ze had een vrouw tegen de muur klemgezet en stortte haar onbeduidende kletspraat over haar uit. De vrouw keek wanhopig om zich heen.

'Blijf,' had ik tegen Greg gezegd toen hij de vrouw te hulp schoot.

'Ik heb Bertie gesproken en hem gefeliciteerd. Ik kan me niet druk maken om de rest, dat stelletje egocentrische acteurs dat allemaal bezig is met *moi-moi-moi*. Trouwens, ik wil naar huis om aan de gemeente te schrijven over hun plannen om meer verkeersdrempels in onze buurt aan te leggen. Als je ziet waar zij mee bezig zijn, kunnen we net zo goed allemaal onze auto van de hand doen en springpaarden worden.'

'God, wat ben je geestig.'

'Alleen omdat jij wilt blijven hoef ik dat nog niet te doen.'

'Nee. Nou ja, jij doet nooit iets wat je niet wilt. Stel je voor dat je iets zou doen om een ander een plezier te doen.'

'Jezus, Chloe, wil je ruziemaken, of hoe zit het?'

'Het zou leuk zijn als ik af en toe eens op een feestje ben met mijn man in plaats van altijd alleen. Ik had net zo goed niet getrouwd kunnen zijn.' Mijn stem klonk iets te hard.

'Ik heb hier absoluut geen trek in. Ik zie je morgenochtend.' Hij draaide zich om en ging weg.

Ivan was helemaal niet naar het feestje gekomen. In de foyer van het theater hadden we een laatste verdrietige blik gewisseld. Hij schoof met zijn lichaam langs het mijne op een manier die zowel verlangen als verwijt uitdrukte, terwijl hij Becky maande voort te maken.

'Ik dacht dat we naar het feestje gingen,' hoorde ik haar zeggen.

'Ga jij maar. Ik heb geen zin.'

'Nee, nee, dan ga ik met jou mee naar huis, lief.'

Ik zag hem stijfjes lachen en van haar wegdraaien. Arme Becky. Ze leek zo hard haar best te doen en zo weinig terug te krijgen. En toch, ooit moesten ze gelukkig zijn geweest, in elkaar zijn opgegaan, gelukkig verzonken in zoenen en strelingen en gefluisterde lieve woordjes, net zoals Greg en ik. Wat was de tijd slopend voor een verhouding! Die knabbelde langzaam alle liefde en verlangen weg, tot er alleen nog maar gewoonte en plicht over waren. Kwam dat doordat je met de verkeerde was getrouwd? Of eindigde het er altijd mee dat degene met wie je getrouwd was je onverschillig werd, wie het ook was?

Op het feestje zag ik Lou in een hoekje met een kale man. Het was Gus Fallick, of moest ik Les zeggen? Toen wij met elkaar gingen had hij nog haar gehad, en ik zou hem niet herkend hebben als de manier waarop hij zijn hoofd naar Lou toe boog me niet bekend was voorgekomen. Onze hersens slaan de intieme herinneringen aan de tred en bewegingen van een minnaar op, de manier waarop hij lacht en zoent, lang nadat de intieme verhouding voorbij is. Wat zou ik me het meest van Ivan herinneren, vroeg ik me af. De dwingende manier waarop hij me in bezit nam, zijn stille glimlach nadat we gevreeën hadden, zijn oplettende blik als hij met me praatte? Les fluisterde in Lous oor en ze bloosde door wat hij zei, haar borst ging op en neer. Ik wilde net naar hen toe lopen om te kijken of hij me nog herkende, toen ik zag dat Lou het vertrek uit ging, vrijwel direct gevolgd door Les. Ze hadden een missie; zijn verbale gaven hadden kennelijk nog steeds toverkracht. Mijn geheugen vertelde me dat hij met zijn gefluister de basis had gelegd, en dat het karwei alleen nog maar in een donker hoekje afgemaakt hoefde te worden. Stel dat ik met hem was getrouwd? Zou ik dan beter of slechter af zijn geweest dan nu ik met Greg getrouwd was? Maar dan had ik Kitty en Leo niet gehad, dus alleen al om die reden kon ik nooit spijt hebben van mijn huwelijk met Greg. Ik dacht aan Ivan en aan hoe we eerder die avond uit elkaar waren gegaan. Ik balde mijn handen tot vuisten, dreef mijn nagels in mijn handpalmen in een poging de pijn een vorm te geven en om mezelf te verhinderen in huilen uit te barsten. Ik had mezelf tot mijn huwelijk veroordeeld.

'Wat heb je aan een echtgenoot?' vroeg ik aan Ruthie in het voorbijgaan.

'Goeie vraag. Mag ik er even over nadenken?'

Ik sloeg de rest van mijn champagne in één teug achterover, pakte nog een glas en nam een hapje van brood en braadvet van het blad van een ober die in lompen gekleed ging – al de canapés van de prins, kaviaar op vierkante stukjes zwart roggebrood, waren al op en er restten nu slechts bedelaarshapjes.

Ik liep naar pap, die omringd was door een groep mensen die hem wilden gelukwensen.

'Het was geweldig, pap. Ik ben erg trots op je.' Ik omhelsde hem, maar toen iemand tegen hem begon te praten nam ik de gelegenheid te baat om weg te glippen, uit angst dat ik mezelf te schande zou maken door in een dronken huilbui uit te barsten en zijn grote avond te bederven. Soms kun je niet van je ouders verlangen dat ze met een kusje alles weer goedmaken.

'Kom mee,' zei Ruthie, die me naar de uitgang zag wankelen. 'Ik breng je naar huis.'

'Weet je wat het is, Ruthie? Mensen bedenken op een gegeven moment dat het tijd is om te trouwen, en dan trouwen ze gewoon met wie ze toevallig op dat moment zijn,' zei ik, alsof we al midden in een gesprek zaten. Ik was in het stadium dat het lijkt alsof de schellen je door de alcohol van de ogen zijn gevallen en je opeens glashelder ziet hoe het allemaal in elkaar steekt. 'Je trouwt dus niet noodzakelijkerwijs met de ware; je trouwt gewoon met wie toevallig voorhanden is. Weet je, degene met wie je gaat op het moment dat je besluit dat het tijd wordt dat je trouwt.' Ik verviel niet alleen in herhalingen, ik had ook nog eens de hik en ik sprak onduidelijk.

'Ik bedoel, je had net zo goed kunnen trouwen met degene met wie je daarvoor ging, maar toen dacht je er nog niet aan dat je moest trouwen, dus deed je het ook niet. Je trouwde er niet mee. Maar nu opeens besluit je dat de tijd daar is en dus trouw je gewoon met degene met wie je op dat moment toevallig gaat.'

Ruthie was zo lief om net te doen alsof het ergens op sloeg en ze zei: 'Ja, daar zit wel wat in. Ik denk dat er voor iedereen een moment aanbreekt dat je besluit dat je je moet binden. Maar tenzij je de pech hebt dat je een gewelddadige of gestoorde partner uitzoekt, heb je waarschijnlijk net zo veel kans dat je met de een gelukkig wordt als met een ander, en dat is natuurlijk ook de reden waarom gearrangeerde huwelijken helemaal zo gek nog niet zijn. Ik ben tot de conclusie gekomen dat het er helemaal niet zo veel toe doet met wie je trouwt, als hij maar uit de geschikte groep mensen komt.' Ze keek me doordringend aan. 'Het komt allemaal wel goed met ons, Chloe, echt. We zitten gewoon een beetje in een dipje. Ga maar door met je verhouding met Ivan als dat je erdoorheen helpt, maar wees discreet.'

'Maar ik heb het uitgemaakt! Ik heb tegen hem gezegd dat ik niet meer wil afspreken en nu ben ik ontzettend verdrietig. Ik heb alles kapotgemaakt, ik word nooit meer gelukkig.' Ik begon luidruchtig te snikken.

Ik weet niet precies meer wat er daarna gebeurd is, maar ik denk dat Ruthie me op de een of andere manier thuis heeft gekregen. Ik werd de volgende ochtend, een zondag, alleen wakker in een leeg huis. Ik belde haar om de lege plekken op te vullen.

'Heb jij enig idee waar mijn man kan zijn?'

'Hij is met Richard, alle kinderen en zijn moeder naar het park. Hij zag eruit als zo'n beeld op Paaseiland.'

'Streng, onverplaatsbaar en bestendig?'

'Precies.'

'En is die stenige uitstraling volgens jou het gevolg van zijn moeders aanwezigheid of van het wangedrag van zijn vrouw?'

'Ik zou zeggen: van allebei een beetje.'

'Kut. Misschien moet ik wel van huis weglopen.'

Ik stond op en dwaalde door het huis. De keuken was onberispelijk – een stil verwijt; Edie was met haar schort om aan de gang geweest. Ik wist niet wat ik moest doen in dit ongewoon stille weekendhuis, dus kroop ik weer in bed en bladerde de zondagskranten door. Ivans cartoon van pap keek me vanuit de *Sunday Times* aan. Hij had hem in hermelijn uitgedost, gezeten op een troon in de koninklijke loge van het theater: *Bertie Zhivago's lange regeringsperiode als koning van de West End Musical*, stond eronder. Toen viel me iets op; ik keek nog eens goed en zag dat Ivan in de loge daarnaast het silhouet van een paartje had getekend, een eerbetoon aan onze scheiding.

Wat later kwam Sammy binnen. Hij ging op de rand van mijn bed zitten.

'Is iedereen terug?'

Hij knikte. 'Ja, de kinderen maken hun huiswerk en Greg brengt Edie naar het station.'

'Ik heb helemaal geen afscheid genomen.'

'Dat hindert niet. Greg heeft gezegd dat je je niet lekker voelde.'

'Wat zei zij?'

'Ze snoof ongelovig en herinnerde Greg aan zijn vroegere vriendin Mary O'Grady, een "gezellige, flinke meid" die zes kinderen heeft gekregen. De laatste baarde ze in haar eentje thuis, en daarna stond ze op, haalde de andere kinderen uit school en maakte het avondeten voor haar man. Vispastei, geloof ik.'

Greg en ik bewogen ons de rest van de dag omzichtig om elkaar heen, meden oogcontact en een gesprek. Ik voelde me ellendig en het deed pijn als ik eraan dacht dat ik Ivan niet meer zou zien. Ik kon mijn verdriet over het verlies van mijn minnaar moeilijk met mijn man en mijn kinderen delen. Dat is het probleem met een geheim leven: het moet geheim blijven en de gevolgen daarvan moet je alleen dragen. Nu ik gedwongen was mijn verdriet in stilte te verwerken, vond ik het makkelijker om gewoon kwaad te zijn op Greg.

De volgende avond werd de stilte tussen ons drukkend.

'Wat heb ik precies misdaan, behalve dat ik het grootste deel van de zondag in bed heb gelegen?' vroeg ik aan Greg toen ik weer boven kwam na een uitputtende dag waarin ik me met de psyches van anderen had moeten bezighouden. Ik had het er niet zo best van afgebracht: het leek tegenwoordig al mijn energie op te slokken om mijn eigen psyche op orde te houden. Greg zat in een leunstoel in de zitkamer; zijn lichaam van me af gewend, precies zoals Becky op het gala het hare van Ivan af had gewend. Maar bij Greg leek het alsof hij bang was dat hij, door bij mij in de buurt te komen, aangestoken zou worden met een besmettelijke ziekte. Hij hield de krant als een schild omhoog. Daaronder kon ik nog net zijn mond zien, stijf dicht. Zonder de krant te laten zakken zei hij: 'Als je dat niet weet, heeft het weinig zin het je te vertellen.'

Goed dan, ik was een beetje dronken geworden en had in het openbaar ruzie met hem gemaakt. Ik vond dat hij nogal overdreven reageerde. Greg had iets met de vuile was binnenhouden. Hij vond het prettig ons als een harmonieus gezin aan de buitenwereld te presenteren. Ik vond dat nogal burgerlijk van hem, maar ik stamde uit een geslacht van schreeuwerige, maak-van-je-hart-geen-moordkuil-Joden. Ik moest natuurlijk – voor ik mezelf opwerkte tot een staat van terechte verontwaardiging over iets wat ik beschouwde als onterechte boosheid – wel eventjes bedenken dat ik de afgelopen maanden een buitenechtelijke verhouding had gehad, en dat ik daarmee alle rechten op verontwaardiging had verspeeld. Maar onder Gregs stilzwijgende verwijten voelde ik me als een op de vingers getikte tiener.

'Dus je gaat het er niet over hebben, zoals gewoonlijk? Je gaat me gewoon negeren?' Ik voelde me beter nu ik de aanval koos.

Hij gaf geen antwoord.

Ik was het zat: hem, het huis, ons leven. Edies bloemige parfum hing uren na haar vertrek nog in de lucht. Ik voelde me gevangen door Gregs stemming, net zoals ik me vroeger gevangen had gevoeld door de buien van mijn moeder als ze teleurgesteld in haar verduisterde slaapkamer op bed lag. Ik had behoefte aan frisse lucht.

'Goed,' zei ik. 'Ik ga weg.'

'Doe wat je niet laten kunt. Dat doe je trouwens toch altijd,' zei Greg.

Ik sloeg de huiskamerdeur met een klap achter me dicht.

'Waar ga je naartoe?' vroeg Kitty toen ik mijn jas van de kapstok pakte.

'Uit.'

'Je gaat altijd uit. Je bent er nooit meer. Ik kan net zo goed geen moeder hebben.' Ze bekeek me van top tot teen. 'En je kleedt je als een vrouw die weer jong wil lijken. Zoals gescheiden vrouwen zich kleden als ze op jacht zijn naar een nieuwe man.'

'O, schatje.' Ik knielde neer en nam haar in mijn armen. Ze hield haar kleine lichaam strak en gaf niet toe.

'Zijn pappa en jij weer vriendjes?' vroeg ze.

'Bijna. Maar lieverdje, het is heel normaal dat mensen soms ruzie hebben. Dat betekent niet dat ze niet meer van elkaar houden.' Hoewel, dacht ik, ik wist niet of ik nog wel van Greg hield. Ik leek alles kapot te hebben gemaakt. 'Kom mee, dan gaan we samen naar opa. Dat zal ons opvrolijken.'

Het was een opluchting om weg te gaan en naar pap te vluchten. Iedereen heeft een wijkplaats nodig en voor mij waren dat altijd het huis van mijn vader of dat van Ruthie. Helga had haar verblijf verlengd en begroette me hartelijk. Ze nam Kitty mee naar de keuken voor een lesje Apfelstrudel maken en liet pap en mij alleen in zijn muziekkamer. Ik vertelde hem dat ik een punt achter mijn verhouding had gezet. Hij zei niets; hij knuffelde me alleen maar en ging achter zijn vleugel zitten.

Ik keek naar zijn handen terwijl hij een van zijn liedjes speelde en dacht aan Ivan en aan de manier waarop zijn handen met mijn lichaam gespeeld hadden. Ik moet gekreund hebben van verdriet want pap hield op en draaide zich om om me aan te kijken.

'Alles goed, Chlo?'

'Ik wilde gewoon dat ik opnieuw kon beginnen met alles.'

'Hoe bedoel je?'

'Met mijn leven. Ik wil het uitvlakken en opnieuw beginnen. Van dit leven heb ik een zootje gemaakt. Ik wil een kans om het opnieuw te proberen. Denk je dat ik een zenuwinzinking heb? Jung had er een, weet je. Hij noemde het een confrontatie met het onderbewuste. Ik denk dat die van mij meer een botsing met het onderbewuste is. Ik vind mijn leven gewoon verschrikkelijk, ik kan er niet meer tegen.'

'Alles heeft uiteindelijk zijn doel. Ook uit ziekte kan iets goeds voortkomen,' zei pap. 'Maar ik snap wel dat het moeilijk is om dat nu in te zien.'

Greg en ik leken niet in staat te zijn iets tegen elkaar te zeggen wat niet door de ander als afwijzing of kritiek werd opgevat. De hele daaropvolgende week ontblootten we onze tanden naar elkaar als dieren die in dezelfde kooi opgesloten zitten. Het echtelijke scorebord had net zo goed in het volle zicht opgehangen kunnen zijn: met al onze fouten van de afgelopen zeventien jaar in neonletters erop. Ik betrapte mezelf erop dat ik zat uit te rekenen hoeveel dagen Kitty nog op school zou zitten (vijfenhalf jaar; vijf keer 365 is 1825 plus een halfjaar (182) is 1997, zeg 2000). Over ongeveer 2000 dagen zou ik bij hem weg kunnen gaan; dan zouden de kinderen het huis uit zijn als we scheidden en het gezin opbraken, maar dan zou ik negenenveertig zijn. Ivan zou me vergeten zijn en niemand anders zou me willen. Greg was in de weer met de verschillende oorlogen die hij met de gemeente voerde en verder hield hij zich onledig met het corrigeren van fouten van eenieder die op zijn pad kwam – of het nu medeweggebruikers of winkeliers waren – en met tekeergaan tegen de kinderen. Nu en dan betrapte ik hem erop dat hij me aandachtig opnam, alsof hij overwoog iets te zeggen. Was hij van plan me met zijn verdenkingen te confronteren? Ik draaide steeds maar weer de film van mijn herinneringen aan Ivan af. Uiteraard voelde iedereen de spanning; Bea en Zuzi hielden zich op een afstandje en zelfs Jessie bleef liever bij haar moeder.

20

Abes aardappel-latkes met Jamaicaanse scherpe saus

Voor de latkes:
700 vastkokende aardappels
1 citroen
1 ui, geraspt
1 ei, geklopt
2 eetlepels meel

2 theelepels bakpoeder
Flinke snuf zout
Snufje peper
Plantaardige olie of schmalz
   om in te bakken

Verwarm de oven voor op 140 °C (gasovenstand 1). Pers de citroen uit en voeg het sap toe aan een grote kom met ijskoud water. Schil de aardappelen en rasp ze grof boven de kom; laat een halfuur staan.

Laat de aardappels goed uitlekken, druk ze daarna droog in een theedoek.

Doe de geraspte aardappel in een grote kom en voeg uien, ei, meel en bakpoeder toe. Laat een halfuur staan.

Doe een paar eetlepels olie of schmalz in een koekenpan met dikke bodem en plaats op gematigd vuur. Schep voor iedere latke 1 eetlepel van het aardappelmengsel in de koekenpan, en bak er vier tegelijk. Bak ze tot ze goudbruin en bol zijn, ongeveer 1 minuut. Draai ze om en laat de andere kant ongeveer ½ minuut bruinen. Leg ze op een rooster en houd ze warm in de oven. Voeg voor iedere volgende portie een beetje vet toe in de pan.

Voor de scherpe saus:

225 g rode habanero-pepers, zaadjes en steeltjes verwijderd

1 witte ui, gehakt

2 tenen knoflook, gehakt

½ kop appelazijn

½ kop limoensap (of citroensap)

2 eetlepels water

1 middelgrote papaja, gekookt tot hij zacht is, geschild, ontdaan van zaadjes en fijngehakt

1 tomaat, fijngesneden

1 theelepel tijm

1 theelepel basilicum

½ theelepel geraspte nootmuskaat

2 eetlepels mosterdpoeder

½ theelepel kurkuma

Doe de pepers, ui, knoflook, papaja en tomaat in een food-processor en pureer. (Misschien gaat dit niet in één keer.) Stort in een ondiepe schaal. Doe de azijn, het limoensap en het water in een steelpannetje en verhit tot het zachtjes kookt; strooi er dan de tijm, de basilicum, de nootmuskaat, het mosterdpoeder en de kurkuma bij. Giet dit hete, gekruide mengsel bij de puree en meng goed door elkaar. In de ijskast blijft het tot acht weken goed.

Het was tien uur. Sammy was uit, de au pairs ook en alle anderen lagen al te slapen, behalve ik. Het was vier weken na paps gala, vier weken waarin ik Ivan gezien noch gesproken had, en nog steeds moest ik voortdurend aan hem denken.

'Wat had je dan gedacht?' had Ruthie die middag in het café gezegd. 'Er zijn nog maar achtentwintig dagen voorbij. Je mag hem minstens zestig dagen niet bellen of zien; dat is de regel.'

'Welke regel? Zijn er dan nog meer regels?'

'Ja, honderden. Dit zijn de regels die betrekking hebben op uit elkaar gaan. Ken je ze niet meer? *Niet bellen, niet schrijven, niet afspreken.* En als je dreigt te verslappen, moet je mij bellen, zodat ik je tegen jezelf in bescherming kan nemen.'

'Ik ben toch geen tiener!'

Ruthie gaf geen antwoord, maar ze snoof in plaats daarvan nadrukkelijk. Het was waar: ik gedroeg me als een zestienjarige.

Mijn vingers jeukten om hem een sms'je te sturen en ogenblikkelijk ergens met hem af te spreken. Ik liep door het slapende huis en ging naar beneden naar de keuken, waar ik een glas wijn inschonk, in de hoop dat dat me óf de moed zou geven om te bellen, óf me zou verdoven, zodat ik niet zou bellen. Ik drink zelden als ik alleen ben. Ik liet mijn hoofd tegen het raam rusten en keek naar buiten, de tuin in. De kale takken van de kersenboom die we voor mam geplant hadden waren in het maanlicht net te onderscheiden. Ik ving het beeld op van een weerspiegeling in het glas en dacht even dat het mijn moeders gezicht was, maar toen besefte ik dat ik het zelf was. Ik begon steeds meer op haar te lijken nu ik ouder werd. Mam was toen ze stierf maar twaalf jaar ouder geweest dan ik nu. Niemand weet hoe lang hij te leven heeft; wat zou ik doen als ik wist dat ik nog maar twaalf jaar had? Hoe zou ik de rest van mijn leven willen doorbrengen? Ik pakte de telefoon al om Ivan te bellen, maar toen ik hem aanraakte ging hij over.

'Ruthie, godzijdank, ik wilde hem net bellen.'

'Kom naar me toe, nu,' beval ze.

Onderweg naar buiten zag ik een envelopje op de deurmat liggen. Het was aan mij geadresseerd en persoonlijk bezorgd. Het was van Ivan, alsof mijn verlangen hem naar me toe had gehaald. Ik maakte het open en trof een cartoon van ons samen aan. Ik zat in mijn therapeutenstoel en luisterde, terwijl hij praatte. Hij hield zijn handen naar me uitgestoken. Daaronder had hij in het Russisch geschreven: *Ne mogoe bez tebja. Davaj boedem, kak my byli v natsjale. Ja tak tebja loebljoe.*

Dat hij het risico had durven nemen het door mijn brievenbus te gooien! Ik liep er resoluut mee naar de vuilnisbak maar op het allerlaatst stopte ik het toch maar in mijn jaszak.

Ruthie en ik zaten in haar keuken waar ik nog een groot glas wijn achteroversloeg voor ik in slobberige tranen uitbarstte. Ik heb nooit netjes kunnen huilen: een eenzame traan, een zachte snik, een kanten zakdoekje tegen het oog gedrukt. Nee, ik ben een slordige huiler met dikke ogen en een rode neus. Ruthie ging even stiekem naar de wc, om coke te snuiven, vermoedde ik. Ik kon het trouwens aan haar gezicht zien. Wat zaten wij in de nesten.

'Ik zou normaal gesproken niemand willen pushen,' zei ze, 'maar wil je een lijntje? Misschien knap je ervan op.'

Ik huilde nog steeds met veel misbaar, veegde mijn neus aan mijn mouw af, hikte en slikte. Ik schudde mijn hoofd.

'Nee, dank je. Ik heb het jaren geleden een keer geprobeerd en toen moest ik ervan huilen. Dat kan ik op het ogenblik ook prima op eigen kracht.'

Ik schonk mezelf in plaats daarvan een glas wodka in en liep achter Ruthie aan naar haar veilige badkamer, waar ze het marmer naast de wasbak droogveegde en een dikke lijn wit poeder uitlegde. Terwijl zij het netjes opsnoof, sloeg ik mijn wodka in één teug achterover. De wodka leek hetzelfde effect op mij te hebben als de coke op haar: we knapten er enorm van op.

'Ik voel me geweldig, ik heb me nog nooit zo lekker gevoeld, ik voel me heerlijk,' zei ik. 'Kom op, wegwezen hier, we gaan ergens dansen. Waar gaan we naartoe? Ik weet het al: we gaan naar Abe. Misschien speelt de band van zijn broer wel. Kom op, hup hup, we gaan.'

'God, je doet of je vijftien bent! Wat zat er in die wodka?' mopperde Ruthie terwijl ze me lang genoeg tegenhield om *touche éclat* over mijn door tranen bevlekte gezicht te poederen voor ze achter me aan naar buiten liep.

Abraham (Abe) Green was een een meter negentig lange rastafari met dreadlocks tot zijn middel, die een Joods eethuis uitbaatte dat de hele nacht open was, een paar panden verder dan de Wolga. Hij droeg een gehaakt keppeltje in alle kleuren van de regenboog, een miniversie van de rastamuts. Abe hield vol dat hij een aardige Joodse jongen was wiens Spaans-Portugese voorouders in de zestiende eeuw naar Jamaica waren gekomen, en zijn lichtgroene ogen deden inderdaad een ingewikkelde afstamming vermoeden. Zijn zinnen waren doorspekt met 'oy veys', 'ai jai jai's' en 'please, Gods'. In zijn vrije tijd studeerde hij voor rabbijn, en zijn grote kennis van Joodse teksten, gekoppeld aan de authenticiteit en smakelijkheid van zijn cuisine, had ertoe geleid dat de plaatselijke Joodse gemeenschap hem al snel aan de boezem drukte. ('Het is dan wel een *schwartze* met te lang haar, met het is ónze schwartze.')

'Zozo,' begroette hij ons toen we binnenkwamen. 'Waaraan heb ik dit onverwachte genoegen te danken? Jullie bellen niet, jullie schrijven niet – hebben jullie een leukere tent gevonden? Jullie zijn hier zo lang niet geweest.' Hij kon je in ieder geval als een echte Jood een schuldgevoel bezorgen.

'Hoe staan de zaken?' vroeg ik.

'Gefilte Fisch!*. *Lou tof*, wat dacht je?'

Abe had de vertederende gewoonte om de namen van Joodse gerechten als vloeken te gebruiken. Ruthie en ik gingen zitten. Ik voelde me rusteloos. Wat had ons hier gebracht? Het laatste wat ik wilde was eten. Ik was dronken en wilde nog dronkener worden. De zaak zat vol oude Joden die een hapje aten voor ze naar huis en naar bed gingen (je moest niet het risico lopen dat je van de honger omkwam voor je je eigen ijskast bereikt had) en rasta's met trek. Abe foeterde een echtpaar uit dat, hoewel ze al lang klaar waren met eten, aan hun tafeltje bleef zitten. 'Als je wilt zitten, ga dan naar huis om te zitten. Als je wilt eten, blijf dan en eet.' Harde houten stoelen, een opzettelijk gebrek aan gezelligheid en kale formica tafeltjes benadrukten alle de regels van het huis: niet rondhangen, maar eten en wegwezen! Abe hield van omzet maken. Hij bracht een bord met ingemaakte komkommer en gehakte lever naar ons tafeltje.

'Sorry, Abe, maar ik heb geen honger. Heb je iets sterks te drinken?' vroeg ik.

---

* Gefilte Fisch: visballetjes gemaakt van gemalen vis, matzemeel en eieren, gekookt in visbouillon. Koud opgediend met mierikswortel.

'Iets sterks? Wat weten wij Joden van alcohol? Shit, wat hebben jullie allemaal? Wel zitten, niet eten, ik ben geen bankje in het park!' Hij zweeg. 'Een beetje sabbatwijn uit Israël, dat is alles.'

Ruthie en ik keken elkaar aan en trokken een gezicht. Hoe wanhopig waren we? 'Is-ie droog?'

Abe haalde zijn schouders op, hief zijn handen, de palmen naar de hemel gericht, en trok een gezicht dat Joden sinds mensenheugenis kennen. Een gezicht dat scheen te zeggen: 'Wat wil je? Een wonder?'

'Ik denk eigenlijk dat jullie niet zozeer alcohol nodig hebben. Jullie zien er nogal gespannen uit. Jullie zouden wat moeten roken, dat kalmeert en geeft je weer trek, en daarna eten jullie een hapje.'

We gingen met hem mee naar de kamer achter de zaak en keken toe terwijl hij geroutineerd een jointje rolde.

'Wat dit betreft zijn je rastagenen duidelijk sterker dan de Joodse,' zei ik.

'Genen vullen elkaar aan. Twee halve maken één volmaakte hele. Rastaweed om je trek te geven, Joods eten om die honger te stillen. Yin en yang, sorry dat ik het zeg. De rastafari-Jood is het meest ontwikkelde wezen ter wereld,' zei Abe zelfvoldaan.

Ruthie en ik knikten bij deze wijze woorden, die extra hard aankwamen na de zesde trek aan de joint die hij gerold had.

Ik speelde gedachteloos met een van Abes sneeuwbollen. Hij had een verzameling van zo'n tweehonderd stuks, die stoffig op de overvolle boekenplanken stonden. Mijn favoriet was een bol met twee chassidische Joden, in lange zwarte jassen en met zwarte hoeden op, gebogen tegen de wind. Hun lange baarden en gebedslokken leken naar achteren te waaien. Ik keek ernaar en had het gevoel alsof ik het glazen koepeltje werd binnengezogen, regelrecht de achttiende-eeuwse Poolse *sjtetl* in waar ze woonden. Voelde ik me daarom zo thuis bij Ivan, vroeg ik me af: vanwege de Oost-Europese connectie, een onuitwisbare, in het ras verankerde herinnering die ik als geboorterecht had meegekregen? Hij had iets heel vertrouwds, alsof hij cultureel bij me hoorde, een gevoel dat ik bij Greg niet had. Ik drukte de sneeuwbol tegen mijn gezicht en voelde het koele glas. Het was me nooit eerder opgevallen hoe langzaam ieder zilveren sneeuwvlokje viel, bijna in slow motion. Nog maar kortgeleden was alles te snel gegaan en nu ging het allemaal heel… erg… lang… zaam…

'Wanneer kom je weer een pannetje kippensoep brengen, Chloe?' hoorde ik Abe vragen. Het klonk alsof hij vanaf de bodem van een diepe put sprak.

'Gauw.' Mijn antwoord leek enige tijd later te komen, alsof het geluid pas gehoord kon worden nadat de woorden al een tijdje mijn mond uit waren. En was het wel mijn mond? Het voelde als mijn mond, maar wat betekende 'mijn' eigenlijk? En wat betekende 'mond' eigenlijk, nu we het er toch over hadden?

('Heb je wiet van Abe gerookt?' vroeg Greg me de volgende dag. 'Wiet van Abe?' herhaalde hij terwijl hij ongelovig zijn hoofd schudde. 'Ben je helemaal van de pot gerukt? Ik neem nooit meer dan twee trekjes van een joint van Abe, en ik ben het gewend. Je hebt nog geluk gehad dat je niet tegen een *locked-in* syndroom bent aangelopen.' 'Wat bedoel je?' vroeg ik. 'Dat je niet meer kunt bewegen of praten. Jezus, Chloe, wat heb je toch?')

'Greg was hier gisteren.' Abe had zijn ogen dicht en hij zwaaide zachtjes heen en weer alsof hij bad. 'Hij stond met Moisje in de keuken te kletsen en hij vroeg hem hoeveel schmalz hij in zijn kneidlach deed. Maar die van Moisje zijn niet zo goed als die van jou.' Hij sloeg met zijn hand tegen zijn voorhoofd. 'Tzimmes!* Wat een *schmuck*! Dat had ik stil moeten houden.'

'Bij mij zijn geheimen veilig. Ik ben de Geheimenkoningin,' zei ik.

Abe keek me weifelend aan terwijl hij een cd in zijn gettoblaster deed. 'Luister hier eens naar, Herbie heeft een nieuwe mix van de *Sjema* gemaakt.'

We tikten met onze voeten mee op de maat van Herbies reggaeversie van het Joodse gebed. Ik stond op en begon te dansen, en ik heb een vage, maar beangstigende herinnering dat ik de andere twee meevoerde het restaurant in, in een soort polonaise, met onze

---

* Tzimmes: een gerecht van wortelen, gebakken in boter en honing.

271

rechterhand over onze ogen zoals het hoort als je dit speciale gebed opzegt, terwijl we zongen *Sjema Jisrael Adonai Eloheinu Adonai Echad.** Het scheen aanstekelijk te werken want alle klanten deden mee.

Laat niemand zeggen dat Joden niet weten hoe ze lol kunnen trappen! Tegen die tijd hadden Ruthie en ik honger als een paard gekregen dus gingen we zitten en vielen aan op het bekende eten van onze voorvaderen: gezouten rundvlees, gehakt ei, bagels en Abes variatie op een oude favoriet: aardappel-latkes met Jamaicaanse scherpe saus, allemaal weggespoeld met zoete rode Israëlische sabbatwijn.

'Is je ontslag al geregeld?' vroeg ik aan Ruthie, terwijl er een stukje lever uit mijn mond viel.

Ik hoorde het gesis van een collectief ingehouden adem. Iedereen om ons heen verstijfde in de pantomimehouding die schrik uitbeeldt. Vorken hielden halverwege op weg naar monden halt, glazen bereikten hun bestemming niet meer, en hier en daar zag je mensen drie keer over hun rechterschouder spugen, om het boze oog af te weren.

'Wat, wat is er? Wat heb ik gezegd?' vroeg ik aan niemand in het bijzonder.

Een goedgeklede man in pak boog zich vanaf het tafeltje naast het onze naar voren en greep me stevig bij mijn arm. 'Excuseer, maar denk je dat we dat een prettig woord vinden als we zitten te eten?'

'Wat? Ontslag?'

De hele zaak sidderde weer van afschuw en wendde zich van ons af. Ik zag Volodja binnenkomen en zwaaide naar hem. Ik had hem toen Ruthie eventjes niet keek stiekem ge-sms't en hem gevraagd hiernaartoe te komen. Hij had een jas over zijn pyjama aangetrokken en hield zijn verfomfaaide exemplaar van *Dokter Zjivago* onder de arm.

---

* Hoor, Israël, de Eeuwige is onze God, de Eeuwige is Eén.

'Waar ben je nu?'

'Lara is naar het station gegaan en Joeri heeft gezegd dat hij daar ook naartoe komt.'

'Weet je echt niet hoe het verdergaat?'

'Nee, ssst, bederf het nou niet.'

'Hoe kun je dat als Rus nu niet weten?'

'Tja, ik heb die dag op school kennelijk gespijbeld.'

Ik haalde mijn zakken leeg. Gebruikte tissues, brokkelige stukjes ongekauwde kauwgum, munten, een verfrommelde parkeerbon… Eindelijk vond ik het: het kaartje van Ivan.

'Wat staat erop?'

Volodja keek om zich heen. Het stel aan het tafeltje naast ons keek belangstellend toe. Ik stond op, nam Volodja bij de arm en trok hem mee naar buiten. Hij hield het kaartje onder het licht van een straatlantaarn en kneep zijn ogen samen om het te kunnen lezen.

'Er staat: *Ik kan niet zonder je. Laten we weer zijn zoals in het begin. Ik hou zo veel van je.*'

Ik begon weer te huilen. Heel netjes dit keer, maar een paar tranen die keurig hun weg langs mijn wang zochten.

'Wees niet als Joeri Zjivago, Chloe. Ga naar de *vokzal*, het station; vergooi je kans op geluk niet.'

'Leugenaar, je weet dus best hoe het afloopt!' Ik sloeg hem op zijn schouder.

Volodja haalde zijn schouders op.

'En trouwens, hoe zit het dan met al dat "wees voorzichtig" van je?' vroeg ik.

'Soms moet je de liefde niet in de weg staan.'

'Ik ben dol op Russen,' zei ik terwijl ik mijn armen om hem heen sloeg. 'Jullie zijn zo onweerstaanbaar hartstochtelijk en romantisch.'

Nu ja, overlegde ik bij mezelf, het had Joeri Zjivago uiteindelijk weinig goeds gebracht om zijn liefde voor Lara te ontkennen. Ten slotte was hij zonder Tonja én zonder Lara achtergebleven en was hij eenzaam in Moskou aan zijn eind gekomen. Het leek een teken, alsof de kosmos me wees welke weg ik moest gaan. Ik kuste Volodja en ging het restaurant weer in.

'Ja, en, wat stond er op dat stukje papier?' vroeg de zwaar opgemaakte matrone die naast me had gezeten, terwijl ze op weg was naar buiten.

'Zeg ik niet,' zei ik.

Ze zwaaide vol afkeer naar me. 'Wat flauw!'

'Kom mee, Ruthie,' zei ik. Ik sleurde haar mee om Abe te betalen. Hij duwde me een klein plastic zakje in handen waarin wat wiet zat.

'Voor Greg,' zei hij.

Ik wierp hem een kushandje toe terwijl ik Ruthie mee naar buiten trok. 'Jij gaat nog wat van dat witte poeder van je snuiven, dan rook ik de wiet van Greg wel op.'

'Je bent in een beest veranderd,' zei ze. 'Een wild, drugsverslindend beest.'

Daarna werd het allemaal een beetje vaag, hoewel ik me nog herinner dat ik een joint rookte terwijl ik op de keukenvloer van Ruthie lag en toekeek hoe ze een lijntje coke opsnoof dat zich om de tafelpoot kronkelde.

'Wie zegt dat het rechte lijntjes moeten zijn?' had Ruthie gezegd. 'Saai, saai, saai. Ik wil een beetje leven, ik wil kronkellijntjes, cirkels, vierkantjes. Ik wil nieuwe vormen verzinnen voor cocaïne en het opsnuiven ervan.'

God, wat waren we slim, creatief, interessant, geestig en geweldig, en wat hadden we veel om over te praten. Jammer dat ik me niet veel meer kan herinneren van wat we gezegd hebben, maar ik geloof dat we heel wat problemen opgelost hebben, van ons en van anderen.

'Dat is het!' had Ruthie op een gegeven moment uitgeroepen. 'Ik spuit secondelijm in de sloten van de auto van David Gibfuck. Dat zal hem leren mij te ontslaan. Die klootzak! Hij zal er een stuk minder glad uitzien als hij niet in zijn flitsende Saab kan stappen maar de benenwagen moet nemen of het openbaar vervoer, net als de mensen die geen werk meer hebben vanwege hem, en die ook geen baan meer hebben vanwege hem.' Ze stak haar vinger op om haar woorden kracht bij te zetten. (Je praat veel door drugs, maar het hoeft niet noodzakelijkerwijs logisch te zijn wat je zegt.)

Ik heb een verontrustende herinnering dat ik een bijzonder lange sms aan Ivan heb opgesteld, waarin al dan niet iets stond in de geest van: IK VIND HET ZO ERG DAT WE UIT ELKAAR ZIJN, JE MOET WETEN DAT JE HEEL BELANGRIJK VOOR ME BENT EN DAT JE DE AFGELOPEN MAANDEN MIJN ZIEL HEBT DOEN ONTWAKEN. IK HEB HET GEVOEL DAT WE ZIELSVERWANTEN ZIJN EN EEN UNIEKE BAND HEBBEN. JE HEBT GEMAAKT DAT IK WEER LEEF, JE HEBT MIJN ZINTUIGEN GE-RAAKT OP EEN MANIER WAAROP ZE IN GEEN JAREN GERAAKT ZIJN, JE HEBT MIJN HART GEOPEND EN...
'Het gaat er bij sms om dat je het kort houdt,' had Ruthie gezegd terwijl ik door zat te typen.
'Ja, ja, maar ik moet hem een aantal dingen zeggen. Het is heel, heel belangrijk; ik begrijp het nu helemaal.' Mijn vingers leidden een eigen leven. IK VOELDE ME WAT OVERDONDERD DOOR ALLES WAT ER TUSSEN ONS GEBEURDE EN IK DACHT DAT HET VOOR ONS AL-LEBEI HET BESTE ZOU ZIJN ALS WE ONZE RELATIE VERBRAKEN. IK BEGRIJP NU DAT DAT EEN VERSCHRIKKELIJKE VERGISSING WAS. NA-DAT IK HET UITMAAKTE, HEB IK ALLEEN VERDRIET EN WANHOOP GEVOELD. IK WIL JE DOLGRAAG WEER ZIEN, LIEVELING, EN IK WIL JE ARMEN OM ME HEEN VOELEN. Voor ik op 'Send' drukte voegde ik er nog in een door drugs aangezette golf geilheid aan toe: IK WIL JE OOK NOG EENS IN ME VOELEN BEWEGEN, ZODAT WE SAMEN KUNNEN GENIETEN OP DE VLAKTEN VAN DE VLESELIJKE HEERLIJKHEID. Ik moest er de volgende ochtend van blozen. *In vino veritas*? Mis-schien. *In narcotica nonsensicus*? Duidelijk.

Nu lag ik rood van schaamte in bed en stak voorzichtig een hand uit om het stukje bed naast me te bekloppen. Leeg. Ik keek op mijn horloge. Eén uur. Wat wilde dat zeggen? Wat voor soort één uur: 's nachts of 's middags? Ik zag het licht door de gesloten gordijnen naar binnen vallen. O, god, ik had de halve dag verslapen. Hoe laat was ik thuisgekomen? Ik kon me herinneren dat Ruthie om half-acht 's ochtends nog een fles wijn had opengetrokken, en daarna had ze Sephy, die net opgestaan was, naar de kiosk om de hoek gestuurd om kranten en sigaretten te halen. (We hadden allebei in de loop van de nacht besloten dat het heel volwassen was om te roken.)

'Hoe kan het nou dat ze jou sigaretten verkopen?' vroeg Ruthie toen Sephy terugkwam.

'Geen punt,' zei ze. 'Ik heb gewoon gezegd dat mijn moeder te dronken was om ze zelf te komen halen.'

Dit ontnuchterde ons onmiddellijk en op de een of andere manier ben ik het park door gekomen, waarin een vroegeochtendcongres van de parkbank-dronkenlappen gaande was. Ze wiegden zwijgend heen en weer en klampten zich aan hun bierblikjes vast alsof het reddingsboeien waren. Eindelijk wist ik precies hoe zij zich voelden; hier hoorde ik bij. Ik stond in het kille ochtendlicht van een winterse zondag naar mijn eigen voordeur te kijken.

Ik was mijn sleutels vergeten, en na enige minuten daar kleumend en verdwaasd te hebben gestaan, gooide ik een steentje naar ons slaapkamerraam. Het miste zijn doel, maar het luide en verontwaardigde gepiep van de duif die erdoor geraakt werd (eentje van Madge?) bracht Greg naar het raam, zwijgend en somber. Hij kwam naar beneden en liet me zonder een woord te zeggen binnen.

Mijn mond was droog, mijn armen en benen prikten en mijn hersens deden pijn. Het huis was stil. Ik tastte naar de telefoon en trok hem in mijn schaamhoekje onder de dekens terwijl ik het nummer intoetste.

'Ruthie?' fluisterde ik schor.

'Het spijt me,' zei Ruthie, 'maar Ruthie is helaas overleden. Een overdosis, geloof ik. Ik ben haar lijk, meer niet.'

'Jezus, Ruthie, ik heb zo'n spijt van vannacht.'

'Ik niet,' zei ze. 'Ik vond het goed. Het was de *big bang* die ik nodig had om te stoppen. Je weet wel, het punt van tot-hier-en-niet-verder. Toen jij weg was heb ik een tijdje zitten denken dat het niet zo geweldig, of grappig of zelfs maar slim was. Ik heb de rest van die troep door de plee gespoeld, heb alles aan Richard opgebiecht en ben naar een Narcotics Anonymous-bijeenkomst in Notting Hill Gate gegaan.'

'Ben je nog bekenden tegengekomen?'

'Ik mag niets zeggen. Ik heb de NA-eed afgelegd.'

'Saai van je.'

Ik schaamde me diep dat ik Ruthie had aangemoedigd om coke te snuiven terwijl ik eerder zo mijn best had gedaan haar ervanaf te helpen. Ik had het resultaat van een discreet gesprek dat ik een week eerder met Richard had gevoerd helemaal tenietgedaan. Ik was op een middag waarop Ruthie niet thuis was naar hem toe gegaan. Richard zat in zijn werkkamer, verdiept in een boek over oude Griekse in steen gebeitelde teksten. Ik zei tegen hem dat Ruthie in de problemen zat en dat ze verslaafd was aan cocaïne. Hij had nogal verbijsterd gekeken en ik besefte dat ik het moest verpakken in een context die hij begreep.

'Cocaïne bestaat al eeuwen,' zei ik. 'Misschien waren de oude Grieken wel net zo dol op het witte poeder als de oude Egyptenaren?'

'Ja, inderdaad.' Richard kikkerde meteen op en kneep in zijn neusbrug, zoals hij altijd doet als hij iets wil vertellen. 'Er zijn aanwijzingen dat gedurende de oude Olympische Spelen de atleten op allerlei manieren hun prestaties verbeterden: met alcohol, opwekkende middelen en opiaten, die ze waarschijnlijk kauwden. Je weet natuurlijk wel dat de Spelen in 395 voorgoed ophielden en dat Olympia onherstelbaar verwoest is?'

Dat wist ik niet, maar ik knikte toch. Hij zweeg even en schudde treurig zijn hoofd, alsof de vernietiging van Olympia het laatste nieuws betrof.

'Toen de Olympische Spelen in 1896 in hun huidige gedaante in Athene nieuw leven ingeblazen werden,' ging hij verder, 'gebruikten sommige deelnemers cocaïne en andere stimulerende middelen om ze extra scherp te houden.' Hij legde het boek zorgvuldig neer, na eerst met een leren bladwijzer aan te hebben gegeven waar hij gebleven was, en liep naar zijn bureau. Op dat bureau stond zijn concessie aan de moderne wereld te glimmen: een zilverkleurige Apple-laptop. Hij tikte de woorden 'cocaïne' en 'misbruik' op Google in. 'Dank je wel dat je me dit verteld hebt, Chloe,' zei hij. 'Ik weet dat Ruthie de laatste tijd niet gelukkig is.' Ik vroeg hem om me niet aan Ruthie te verklikken, maar ik weet niet of hij nog luisterde, en toen ik de kamer uit ging was hij al bezig met zijn onderzoek naar drugsverslaving en maakte hij nauwgezet aantekeningen in het platte zwarte aantekenboekje dat hij altijd bij zich heeft.

'Wat zei Richard?' vroeg ik nu zenuwachtig aan Ruthie. Ik vroeg me af of hij mijn naam nog genoemd had.

'Het leek hem ontzettend op te luchten dat ik eindelijk uitlegde waarom ik me de aflopen maanden zo idioot heb gedragen. Hij sloeg zijn armen om me heen en zei dat hij van me hield en dat hij alles zou doen wat nodig was om me te helpen.'

'Dus echtgenoten dienen toch ergens voor?'

'Nou, laten we nu niet overdrijven. Hoewel, ik moet toch wel toegeven dat die van mij op dit moment niet helemaal nutteloos is.'

'God,' zei ik toen de herinnering aan de afgelopen nacht me overviel. 'Je hebt geluk dat jij al dood bent. Ik wil ook dood.'

Ik haalde mijn mobiel uit de veilig afgesloten la waarin ik hem uit gevoel voor zelfbehoud en ondanks mijn dronken, stonede toe-stand had verstopt. Daar stond mijn berichtje aan Ivan, compleet en gelukkig opgeslagen onder 'Concepten'. Godzijdank had ik hem niet verstuurd. Ik was wakker geworden met nieuwe voornemens en ik wist dat ik geen contact met hem moest opnemen. Mijn rela-tie met Ivan was voorbij. Afgelopen. *The End*. De telefoon ging in mijn hand over en maakte me aan het schrikken. Ivan? Nee, een boodschap van Greg: SMS ME ALS JE JE VERWAARDIGT OP TE STAAN. Oeps, ik was duidelijk uit de gratie. Ik sms'te terug: IK BEN WAKKER.

De vrouw die me vanuit de badkamerspiegel aankeek had ik nog nooit eerder gezien. Ze was een vreemde voor me: een aantal jaar ouder dan ik, met donkere kringen onder ogen die wanhopig ke-ken, met vettig haar dat rond een opgezet gezicht hing waarin de sporen van eventueel vroeger aanwezige schoonheid vrijwel volledig leken te zijn uitgewist.

Ik liet het bad vollopen, liep door het lege huis, waarvan iedere steen me verwijten leek te maken, en verzamelde een voorraadje groenten en koude natte theezakjes, die ik allemaal netjes op de badrand legde. Komkommer alleen was niet goed genoeg; in mijn huidige toestand had ik een grotere selectie *crudités* nodig voor mijn dikke oogleden. Ik voegde essentiële oliën aan het water toe, stapte erin, liet me zakken en bad dat natuurlijke remedies de schade die door alcohol- en drugsmisbruik was aangericht konden neutraliseren. Het was allemaal goed en wel dat je hersens dachten dat je nog een tiener was, maar je lichaam was er ook nog en dat zei tegen je dat je een vrouw van middelbare leeftijd was en dat je het tempo gewoon niet meer aankon. Niets scheen te helpen. Ik voelde me verward, ik was niet lekker en had een dokter nodig, maar ik betwijfelde of mijn eigen huisarts medelijden met me zou hebben. Misschien had BV gelijk; misschien was seks inderdaad als benzine en liep ik nu met een lege tank. Weldra zou ik sputteren, hikken, en er voorgoed mee uitscheiden.

21

Chloe Zhivago's humble pie

De spreekwoordelijke *humblepie* dateert uit de tijd van Willem de Veroveraar, toen de kasteelheer met de beste stukken van het hert dineerde, terwijl de bedienden zich tevreden moesten stellen met het hart, de lever, de nieren en andere ingewanden, die de *nombles* of *umbles* genoemd werden. Sindsdien geeft de uitdrukking 'humble pie eten' aan dat je vrijwillig een nederige status of vernederende behandeling accepteert.

Ik ben geen fan van slachtafval – ik ben van mening dat het zelden nodig is dat je je zó vernedert –, dus speel ik vals en gebruik ik in plaats daarvan rundvlees, en maak ik mijn eigen humble pie, geschikter voor een prins dan voor een bedelaar.

1½ pond stoofvlees van het rund, in stukjes gesneden
1 eetlepel meel, gekruid met zout, peper en een theelepel kaneel
1 middelgrote ui, gehakt
4-5 wortelen, in blokjes gesneden (ik neem Chantenay-wortelen)
1 kop rode wijn
½ kop meel

1 groentebouillonblokje
Enkele excuustranen

DEEG:
170 g meel
85 g boter
Zout
Een beetje koud water
1 eidooier
1 geklopt ei om de pie mee te bestrijken

Meng de eetlepel meel met de kruiden in een plastic zak; voeg de stukjes rundvlees toe en schud, zodat ze gelijkmatig bedekt raken met het meel. Verhit een beetje olie in een snelkookpan en bak het vlees met de gehakte ui bruin. Voeg de wortelen toe, 1 kop water en de wijn. Voeg het bouillonblokje toe. Doe het deksel op de pan en kook op hoog vuur tot de pan op druk gekomen is, draai zachter en kook nog 10 minuten. Voeg koud water en excuustranen toe aan ½ kop meel en meng tot een gladde pasta. Voeg voorzichtig toe aan vlees en wortelen en roer goed.

Snij terwijl het vlees opstaat de boter in stukjes en wrijf die met je vingertoppen door het meel waaraan het zout is toegevoegd, tot het geheel op broodkruimels lijkt. Meng de eidooier erdoorheen en voeg zo veel water toe dat het mengsel tot een deeg gebonden wordt. Snijd doormidden en rol op een met meel bestoven werkblad uit. Leg in een ingevette pasteivorm van 23 cm doorsnede, en snijd de overtollige randjes eraf. Giet het vlees- en wortelenmengsel erover uit, rol de rest van het deeg uit en bedek de pie ermee. Strijk het geklopte ei erover uit, snijd er luchtgaatjes in met een scherp mes. Bak 30 minuten op 180 °C (gasovenstand 4).

Het behoeft geen betoog dat mijn laatste uitspatting mijn echtgenoot niet voor me innam. Ik kon het hem niet kwalijk nemen. Ondanks mijn herhaalde pogingen mijn excuses aan te bieden, praatte hij helemaal niet meer met me, en op een avond trof ik Kitty in haar kamer aan terwijl ze een tas inpakte. Ze gaf me een brief die aan Greg en mij gericht was, in paarse inkt geschreven:

Lieve pappa en mamma,
Ik kan er niet meer tegen. Ik weet niet wanneer ik weer terug ben. Waarom hebben jullie ruzie? Twee mensen die al zo lang samen zijn zouden juist naar elkaar toe moeten groeien en niet uit elkaar. Daarom moet ik weg, ook al hou ik van jullie.
Veel liefs van jullie dochter. xxx Kitty xxx

Zelfs Greg voelde zich op de vingers getikt door Kitty's poging om van huis weg te lopen. Nu zij zo goed doorhad hoe het er tussen ons tweeën voor stond, leek ons gedrag nog kinderachtiger. Het was vreemd. Kitty was de aanleiding dat ik het met Ivan had uitgemaakt, maar dat had de toestand er niet beter op gemaakt. Mijn relatie met Greg was eerder slechter geworden. Op een eigenaardige manier had mijn overspel een soort evenwicht in ons huwelijk bewaard.

Diezelfde avond kwam Leo dronken thuis en kotste de gang onder. Hij wankelde naar me toe, de tranen stroomden over zijn gezicht en hij hikte.

'Ik haat mezelf,' zei hij met dubbele tong. 'Ik hou van jou, echt waar, maar ik haat mezelf.'

'Wat heb je gedronken?'

'Wodka,' zei hij. Hij omhelsde me en ging toen op de vloer liggen, waar hij meteen in slaap viel. Even later werd hij weer wakker en gaf opnieuw over.

'We kunnen hem niet laten slapen,' zei ik tegen Greg terwijl ik hem in de stabiele zijligging legde. 'Dan stikt hij.'

Greg en ik hielpen hem onder de douche. Ik had Leo in geen jaren naakt gezien. De laatste keer was hij nog niet in de puberteit geweest en had hij een jongenslijf. Het gezegde klopt: kleine kinderen worden groot. Ik was zo ontzet dat ik wel móést kijken. Waar was mijn schattige jongetje gebleven? Het moment waarop hij voor de eerste keer als een stevig ingepakt bundeltje door de vroedvrouw in mijn armen werd gelegd stond me nog levendig voor de geest: 'Hier is je zoon,' had ze gezegd en ik voelde me trots. Ik kon bijna niet geloven dat mijn vrouwenlichaam dit kleine, volmaakte mannelijke schepsel had voortgebracht. Ik had in mijn hele leven nog nooit zoiets knaps gedaan. En nu, in een oogwenk, was hij dít geworden: een dronken, kotsende, naakte man. Maar desondanks was hij nog steeds weerloos, had hij nog steeds mijn bescherming nodig, was hij nog steeds mijn schattige jongetje.

'Ik heb gewoon een beetje gedronken, mam.'

'Zijn bloedsuikerspiegel is vast veel te laag,' zei Greg. 'Hij moet naar het ziekenhuis.'

'Ik breng hem wel,' zei ik. 'Blijf jij hier bij Kitty.'

In het ziekenhuis kotste Leo over de schoenen van een vreemde, waarna hij op de koude harde vloer viel. Dit was te erg, zelfs voor de geharde, gewonde vechtjassen die de vaste gasten van de Eerste Hulp waren. Ze keken me allemaal verwijtend aan: welke moeder laat haar kind nu zo dronken worden?

'U zult wel blij zijn,' zei de hoofdzuster terwijl ze Leo doortastend naar een bed bracht en een infuus aanbracht om zijn bloedsuikerspiegel op peil te houden.

'Ja,' zei ik wrang, 'dolblij.'

Ik zat de hele nacht aan het bed van mijn zoon en keek naar de oude dronkaards die van de straat werden binnengebracht en hier een veilige haven vonden. Een van hen viel me met name op, een lange man in een pak dat weliswaar sjofel was, maar nog een vervlogen elegance uitstraalde. Hij sprak netjes en beleefd tegen het ziekenhuispersoneel, op de zorgvuldige manier van iemand die net doet of hij nuchter is. Ik keek toe hoe hij zijn zilvergrijze haar naar achteren streek en zijn hoed zorgvuldig op het voeteneind van zijn bed legde in een gebaar dat zowel precieus als vertrouwd was: het was duidelijk dat hij geen onbekende was hier, en inderdaad liep een zuster even later glimlachend langs hem heen, salueerde voor hem en zei: 'Goedenavond, majoor.' Ik vroeg me onwillekeurig af wat zijn geschiedenis was en wat hem hiertoe gebracht had. Een leven lang zwaar drinken dat was begonnen als een gril tijdens de adolescentie en dat ergens onderweg een carrièrestap was geworden. Ik draaide me weer naar Leo en zag dat in zijn ogen schaamte de plaats van beneveling innam. Hij keek ook naar die dronken onbekende. Ik hoefde niets te zeggen, ik zag dat hij zijn lesje al geleerd had. Soms heb je een crisis nodig om verder te gaan met een nieuwe fase in je leven. Misschien was mijn verhouding met Ivan nodig geweest om Greg en mij in staat te stellen verder te gaan. Ik wist niet zeker hoe ik het moest doen, maar terwijl ik daar zat en luisterde naar de gelijkmatige ademhaling van mijn zoon, nam ik me nog vaster dan daarvoor voor om Ivan naar het verleden te verbannen en me te richten op een toekomst met Greg.

Niettemin was het moeilijk in Huize Knorrepot te wonen, en mijn voorzichtige pogingen om bij Greg weer ín de gratie te komen, waren tot nog toe op niets uitgelopen. Als de kinderen erbij waren deed hij net of alles in orde was, maar als we samen waren, praatte hij afstandelijk tegen me, als tegen een kennis op wie je niet erg gesteld bent.

'Hoe gaat het thuis?' vroeg Ruthie me op een ochtend in het café.

'Slecht.'

'Seks?'

'Geen.'

'Zou je het daar niet eens met hem over moeten hebben? Ik bedoel, jij bent tenslotte mevrouw therapie… daar verdien je je geld mee.'

'Weet ik, maar het probleem is dat ik door een verhouding te beginnen het recht verspeeld heb Greg daarop aan te spreken,' zei ik treurig.

Het was moeilijk om boos te zijn op Greg omdat hij niet met me deed wat ik zo gewillig met een ander had gedaan. Het was ook moeilijk om niet naar Ivan en zijn liefkozingen te verlangen, vooral omdat hij me de afgelopen dagen weer ge-sms't had. Tot dan toe had ik de verleiding weerstaan om te antwoorden, maar ik moest toegeven dat ik dat, ongeacht mijn goede voornemens, nog steeds wilde.

Er zat niets anders op: ik zou mijn echtgenoot terug moeten winnen, en de eerste stap was *humble pie* te eten, zowel letterlijk als figuurlijk. En ik moest het ook voor Greg maken. De liefde van de man gaat inderdaad door de maag en niet, zoals we maar al te vaak zouden willen, via een mes in zijn borst.

'Wat ben je van plan, mam?' vroeg Kitty toen ik de wortelen stond te schrappen.

'Hoe bedoel je? Ik maak het eten klaar.'

'Je hebt je verweggezicht,' zei ze ongelukkig. 'Ik dacht dat dat weg was, maar het is er weer.'

Ze had me betrapt terwijl ik aan Ivan stond te denken. Het was of Kitty nog in de baarmoeder zat en mijn emoties met me deelde via de navelstreng die ons ooit zo nauw verbonden had: ze merkte iedere stemmingswisseling bij me op. Verdere kritische blikken bleven me bespaard omdat haar mobiel overging. Haar gezicht verzachtte toen ze het bericht las.

Ze hield me het mobieltje voor: WAS JE MAAR HIER.

'Van wie is dat?' vroeg ik.

'Van Max. Ik ga met hem.'

'Sinds wanneer?'

'Sinds gisteren.'

Het was allemaal zo heerlijk eenvoudig. Max had Kitty gebeld en verkering met haar gevraagd. Ze zei dat hij even geduld moest hebben, tot ze het had uitgemaakt met Joe, die de afgelopen veertien dagen haar vriendje was geweest, en nu gingen Max en Kitty met elkaar. Nou ja 'gaan'... er zat weinig beweging in. Over een paar dagen of weken zou een van de twee het weer uitmaken, waarschijnlijk per sms of over de telefoon, en dan zou zij weer met een ander gaan, misschien wel met de beste vriend van het ex-vriendje. Het was een nuttige babypiste om relaties op te oefenen. Wat jammer dat het later zo ingewikkeld werd. Misschien moest ik gewoon tegen Greg zeggen dat het uit was en er met Ivan vandoor gaan. Gezien de regelmaat waarmee Kitty en haar vriendinnen jongens aan de dijk zetten en weer met nieuwe 'gingen', was het toch niet zo vreemd dat niemand meer leek te verwachten dat relaties eeuwig duurden en dat voor heel veel mensen vandaag de dag seriële monogamie het normale patroon was? Was het maar zo ongecompliceerd en waren relaties maar als gloeilampen: gewoon vervangen als ze doorgebrand zijn.

Mijn mobiel piepte. Het was Ivan: WAS JE MAAR HIER.

'Laat zien,' zei Kitty terwijl ze haar hand uitstak.

Ik verborg de mobiel in mijn hand.

'Ik heb jou mijn sms'je ook laten zien,' zei ze.

'Sorry, schat, het is van een patiënt,' loog ik.

Kitty snoof ongelovig en ging de keuken uit, waarbij ze tegen Leo aanbotste die net binnenkwam.

'Fuck op, Leo,' zei ze en ze gaf hem een zetje.

'Fuckfuckzelfopbitchwiedenkjeweldatjebentjijgaatmeverdomme-nietzeggendatikopmoetfucken.' Ik keek naar hem, niet zozeer ver-baasd over de heftigheid van zijn antwoord, als wel door de enor-me snelheid waarmee het gegeven werd.

'Hoimamwatiserwaaromkijkjezonaarme?'

'Ik wil niet dat je dat soort woorden tegen je zusje gebruikt. Wat is er aan de hand? Je hebt de afgelopen twee jaar bijna niets gezegd en nu is het alsof ik naar een salvo uit een machinegeweer zit te luisteren.'

'YeahdatkomtdoordatikdewhiteTwistawordthijishethelemaal-denumberonerapartiestdesnelsterapperterwereldenikworddeblankeversieendaaromoefenikmeinzosnelmogelijkpraten.'

'God sta ons bij,' mompelde ik.

'Ik doe het ook nooit goed,' zei Leo overdreven langzaam. 'Eerst zeur je steeds dat ik mompel en nu ik praat, heb je nog steeds klach-ten. Jij begrijpt er helemaal niets van. Ik weet eindelijk wat ik wil met mijn leven!' Hij stormde de keuken uit en sloeg de deur met een klap achter zich dicht.

Alles stond klaar voor een vreedzame en verzoenende gezinsmaal-tijd. Greg en de kinderen zaten zwijgend aan tafel terwijl ik opdien-de. We waren eindelijk weer eens onder ons, waardoor de spannin-gen alleen maar meer opvielen. Greg begon te eten terwijl hij de krant las en de kinderen geïrriteerd de les las omdat ze te hoorbaar kauwden en hun mes en vork niet goed gebruikten. Als er geen af-leidend gepraat en gelach zijn, ergeren de tafelmanieren van een ander je maar al te snel. De kinderen voelden dat wel aan en schrokten hun eten naar binnen, waarna ze zo snel mogelijk van ta-fel opstonden, terwijl Greg en ik zwijgend dooraten. Maar toen de pie zijn wondere werk begon te doen, ontspande hij zich, legde de krant weg en keek me, voor het eerst in eeuwen leek het, echt aan. Ik zat doodstil, een vork vol pie halverwege mijn mond.

'Je weet hoe heerlijk ik het vind als ik je humble pie zie eten,' zei hij.

Ik lachte, stond op om hem nog eens op te scheppen en toen ik het bord aan hem gaf zei ik: 'Maar ik vind het nog heerlijker het jou te laten eten.' Ik stak voorzichtig mijn hand naar hem uit. 'Laten we proberen wat liever voor elkaar te zijn,' zei ik.

Later in bed drukte ik me tegen hem aan, in de hoop dat we elkaar ook lichamelijk terug konden vinden.

'Te moe,' zei hij, terwijl hij wegschoof en me zijn rug toekeerde.

Ik lag een tijd wakker, luisterde naar de wind en de regen buiten en keek naar de lichtgevende wijzers van de wekker terwijl ze naar twee uur toe kropen. Soms voel je je eenzamer met iemand naast je dan als je alleen bent.

De volgende morgen stonden er drie boodschappen van Sheila op het antwoordapparaat van mijn praktijk, de ene nog hysterischer dan de andere: kreten van blinde paniek in de laatste uren voor haar tocht naar het altaar. Ze zou die middag trouwen. Ik zuchtte en belde haar terug.

'Denk je dat het mogelijk is om gelukkig getrouwd te zijn, Chloe?' vroeg ze met een van angst verstikte stem.

'Ik denk dat je niet te veel moet verwachten en dat je ook naar de goede momenten moet kijken, niet alleen naar de slechte.'

'Ik weet niet of ik hiermee door moet gaan.'

'Ik had nooit gedacht dat ik Dolly Parton nog eens als bron der wijsheid zou citeren,' zei ik, 'maar ik heb eens een interview met haar gehoord waarin haar gevraagd werd hoe ze erin slaagde zo vrolijk te blijven terwijl haar zo veel nare dingen zijn overkomen, en toen zei ze: "Ik heb besloten voor het geluk te kiezen." Zo makkelijk kan het dus zijn. Dus Sheila: kies voor het geluk, je krijgt een geweldige man, je houdt van hem, hij houdt van jou. Ik zie je op de bruiloft.'

Sheila zou bij haar ouders thuis trouwen: een geweldig chic herenhuis aan Holland Park. Honderden maagdelijk witte aronskelken flankeerden de treden die naar de voordeur leidden. Een dienstmeisje in uniform nam mijn jas aan en ik voegde me bij de massa voor een preceremonieel glaasje champagne. Ik voelde me niet lekker en al die welopgevoede stemmen gonsden in mijn oren en benauwden me. Bovendien moest ik ontzettend nodig plassen, en daarom ging ik naar boven. Terwijl ik aarzelend stilstond en probeerde uit te maken welke van de vele deuren die ik zag naar een wc zou leiden, hoorde ik stemmen en een deur die openging. Sheila verscheen in een wolk witte tule. Ze lachte terwijl ze een paar krullen die aan haar bruiloftskapsel dreigden te ontsnappen op hun plek duwde. Achter haar zag ik de gestalte van een man die zijn overhemd in zijn broek stopte.

'Weet je dan niet dat het ongeluk brengt als de bruidegom je voor de bruiloft ziet?' vroeg ik lachend. Ze keek me zwijgend aan en toen viel het kwartje.

'O, dat is de bruidegom niet,' zei ik.

'We hebben afscheid genomen. Ik ben nog niet getrouwd.'

Ik hield een hand op om de stroom van verontschuldigingen te stuiten. Het was niet het geschikte moment voor therapie, dus wenste ik haar succes en zei tegen haar dat ze er prachtig uitzag. Dat hoor je tegen bruiden te zeggen, en in dit geval was het de waarheid: ze straalde die bijzondere schoonheid uit van een vrouw die zojuist seksueel bevredigd is.

Ik vond een badkamer en bekeek mijn gezicht in de spiegel. Ik zag er niet op m'n best uit. Ik ging op de wc-pot zitten, maakte een van de gastendoekjes met applicatie – het handelsmerk van de middenklasse die deftig wil doen – nat en drukte het tegen mijn voorhoofd. Trillend liep ik weer naar beneden, waar de plechtigheid weldra zou beginnen.

De zitkamer was bijna tien meter lang; aan de ene kant gaven hoge openslaande deuren toegang tot een grote tuin waarin de bomen net weer tot leven kwamen. Aan de nog kale takken ontsproten hier en daar kleine groene blaadjes, en in de bloembedden stonden vroege narcissen te stralen. De stoelen waren in rijen aan beide zijden van de kamer opgesteld, met een gangpad in het midden. Ook hier stonden aronskelken, en ik besefte dat hun geur me misselijk maakte. Sheila stond aan de arm van haar vader te wachten, etherisch in de vroege lentezonneschijn die door het raam achter haar naar binnen viel. Ik lachte haar geruststellend toe en ging zitten. Ze zag eruit alsof ze op het punt stond in huilen uit te barsten. Ze keek niet naar de knappe bruidegom, die zich omdraaide om naar haar te kijken toen ze naar hem toe liep, maar naar de man van wie ik eerder een glimp had opgevangen en die halverwege het gangpad zat. Toen ze langs hem liep, leek haar lichaam naar hem toe te buigen, alsof ze door een magneet werd aangetrokken. Eén moment aarzelde ze, toen herstelde ze zich, rechtte haar schouders en liep vastberaden door. Haar vader gaf haar aan de bruidegom, maar ze deed mij denken aan een gevangene die nadat hij net zijn vonnis heeft gehoord zich omdraait van de beklaagdenbank om door de gevangenisbewaarders te worden weggeleid. Ik wist toen wat zij nog niet begrepen had: dat haar relatie met de overhemdinstopper die nu somber op zijn stoeltje zat nog lang niet voorbij was. Het is veel makkelijker om de waarheid bij een ander te zien dan bij jezelf. Dit heldere inzicht in de relatie tussen Sheila en haar minnaar deed me realiseren dat hetzelfde voor Ivan en mij gold. Ik moest hem weer zien.

Toen ik later probeerde onopgemerkt weg te glippen, kwam er een vrouw met een scherp gezicht, die gekleed was in een fuchsiaroze pakje, haastig naar me toe lopen. Ze legde een hand op mijn arm.

'U bent vast Chloe Zhivago,' zei ze. 'Ik ben de moeder van Sheila. Heel erg bedankt voor alles wat u voor haar hebt gedaan. Ik geloof niet dat we haar zonder uw hulp zover gekregen hadden.'

Ze keek naar Sheila, die naast haar nieuwe man stond en lachte voor de foto. Foto's zijn emotioneel niet betrouwbaar; ze laten alleen zien wat je aan het oppervlak kunt zien. Ze kunnen liegen, en dat doen ze dan ook regelmatig. Deze zou je door de jaren heen vanuit het vaak ter hand genome fotoalbum tegemoet glimlachen, een vastgelegd moment van vals huwelijksgeluk. Geen moment zou het bij je opkomen dat de bruid minder dan een uur voor haar huwelijk nog in de armen van een ander gelegen had. Zelfs nu nog zag ik Sheila wegkijken. Haar blik bleef rusten op de donkere gestalte van haar minnaar, die tegen een deur leunde en zijn ogen niet van haar af kon houden.

'Ik hoop dat ze samen heel gelukkig worden,' zei ik tegen Sheila's moeder. Ik voelde me een bedriegster in dit sprookje, als de boze fee die haar vloek uitspreekt over Doornroosje, waardoor ze zich aan het spinnewiel zal prikken. Het voelde alsof ik door Sheila het huwelijk in te helpen niet iets gaf, maar juist iets wegnam.

De geur van de aronskelken volgde me toen ik de treden af liep, en op straat bleef ik even staan omdat ik me duizelig voelde. Mijn mobiel, die ik op stil had gezet, trilde in mijn zak, als een boos insect dat mijn aandacht wilde trekken. Ik lette er niet op, liep Holland Park Gardens in en ging op een bankje in de Japanse tuin zitten; ik had behoefte aan een moment alleen. Wat mijn relatie met Ivan ook voor de toekomst van mijn huwelijk betekende, ik wist dat ik hem weer moest zien. Ik zat daar en keek naar het stille water in de Japanse vijver, van waaruit een wit rotsblok oprees dat rustig de wacht hield – de poortwachter, misschien, van een meer contemplatieve en spirituele manier van leven. Mijn mobiel trilde weer en haalde me terug naar het heden. Het was Ivan.

'Kom naar me toe, Chloe,' zei hij. 'Gun me één hele nacht met jou. Ik heb je ontzettend gemist.'

'Weet ik, ik jou ook.' Zijn stem verwarmde me. Ik wilde niets anders dan dat hij me in zijn armen hield en me zijn verhalen uit Rusland vertelde. Dat was het fijnste voor me, zelfs nog fijner dan het vrijen: het gevoel dat ik uit mijn wereldje naar een andere wereld werd getransporteerd, waar het leven zinderde van de mogelijkheden.

Terwijl ik met de auto onze straat in draaide, zag ik Madge lachend en in zichzelf pratend over de stoep rennen. Gekte was haar toevluchtsoord geworden om aan de verschrikkelijke treurnis van haar echte leven te ontsnappen. Maar, dacht ik terwijl ik zag dat ze zich omdraaide om een duif uit te foeteren, die gekte beschermt haar wel tegen haar herinneringen, maar blij wordt ze er niet van. Er is een aantal dingen waar je onmogelijk overheen kunt komen. Het einde van een huwelijk: ja; de dood van je kinderen: nee.

Gelukkig was er niemand thuis, en binnen twintig minuten had ik me gewassen, andere kleren aangetrokken, me opgemaakt en was ik alweer op weg naar een hotelletje op het platteland en naar Ivan. Ruthie had me via de telefoon op m'n kop gegeven, maar zag in dat het zinloos was en ze had goedgevonden dat Kitty en Leo die nacht bij haar kwamen logeren. 'Klassiek,' zei ze, 'het allerlaatste shot van de verslaafde die gaat afkicken. Pas maar op dat het geen overdosis wordt.'

Ik liet een boodschap op Gregs voicemail achter, een onzinverhaal dat ik toch maar op de receptie van Gina bleef en dat ik de volgende ochtend pas weer thuis zou zijn omdat het buiten de stad was.

Ik nam de trein naar de plek waar we hadden afgesproken, een pub in Oxfordshire met een Michelin-ster. Ivan wachtte al op me, lag naakt op het hemelbed in een slaapkamer die voor minnaars ontworpen leek. Ik draaide me om terwijl ik me uitkleedde, verlegen omdat we elkaar zo lang niet hadden gezien, en glipte snel tussen de lakens in zijn armen. Ik kroop tegen hem aan als een kat die geaaid wil worden; het voelde zo heerlijk om weer aangeraakt te worden dat ik bijna hardop begon te spinnen.

'Ik heb je ontzettend gemist,' fluisterde hij nadat we gevreeën hadden.

'Ik jou ook,' antwoordde ik, hoewel ik me in werkelijkheid een beetje afstandelijk voelde na de daad. Ik werd niet zo door hem bedwelmd als ik me van daarvoor herinnerde. Het gaf me een vreemd, leeg gevoel en ik wilde praten om de afstand te overbruggen.

'Vertel me eens een verhaaltje over Rusland,' zei ik, maar ik hoorde aan zijn ademhaling dat hij in slaap was gevallen.

Ik stond op, liep naar het raam en keek naar buiten. Het was veel donkerder en stiller dan ik gewend was, en ik kon Ivans rustige ademhaling achter me horen. In de verte werd de stilte verbroken door het eenzame geblaf van een vos die zijn vrouwtje riep. Ik stapte weer in bed en zette mijn telefoon aan. Hij ging bijna direct over. Het was Greg. Zijn woorden troffen me als de bliksemschicht waarvoor ik altijd bang was geweest.

'Chloe, ik heb slecht nieuws.'

'Wat is er gebeurd? Is er iets met de kinderen? Wat is er?'

'Je vader. Hij heeft een hartaanval gehad. Het is goed afgelopen, hij ligt in het ziekenhuis en zijn toestand is stabiel.'

'O, god, en nu ben ik er niet!'

Dit was het dus: mijn straf, het resultaat van mijn slechtheid. De prijs voor het genot met de man naast me moest betaald worden met de ziekte van mijn vader en het feit dat ik nu niet bij hem was. Ik zei tegen Greg dat ik zo snel mogelijk zou komen en toen maakte ik Ivan wakker om het te vertellen.

'Het komt vast allemaal goed met hem,' zei hij slaperig.

Paniekgolven sloegen door me heen. Ze begonnen onder in mijn maag en trokken door mijn hele lichaam, tot de angst in mijn vingertoppen en mijn tenen klopte. Van kinds af aan heb ik met de doodsangst voor mijn vaders sterfelijkheid geleefd. Ik wilde naar hem toe vliegen, wilde in mijn eigen huis zijn, mijn man en kinderen zien. Wat deed ik hier in een hotelkamer met de man van een ander?

'Ik moet naar huis,' zei ik.

'Het is al laat,' zei hij. 'We gaan morgenochtend meteen terug. Greg heeft toch gezegd dat zijn toestand stabiel was? Laten we van onze nacht samen genieten, je hebt me een nacht beloofd.' Hij pakte mijn hand en probeerde me weer bij hem in bed te trekken.

'Dat kan niet. Ik moet nu naar mijn vader. Hij heeft me nodig.' Het zachte bed met zijn warme lakens stond in schril contrast met de donkere angstput die me dreigde op te slokken.

'Ik heb je ook nodig, Chloe.' Ivan zuchtte zwaar – de zucht van een man die het vervelend vindt dat zijn pleziertje verstoord wordt. Het echte leven en clandestiene liefdes gaan niet goed samen.

'Het spijt me, lief, maar je begrijpt het toch wel?' Ik pakte zijn hand.

Ivan moest zichzelf duidelijk geweld aandoen om te glimlachen en te zeggen: 'Natuurlijk. Kom mee, de laatste trein is al weg. Ik breng je wel met de auto.'

Onderweg bedacht ik opeens iets: het was vreemd, maar toen we die avond de liefde bedreven, had ik aan mijn man gedacht.

22

Toen ik bij het ziekenhuis aankwam, was het al heel laat. Bij de ingang stond een groepje patiënten te roken, niet gehinderd door de motregen of door de infuusstandaarden die naast hen de wacht hielden. Ze klampten zich aan het leven vast, zelfs nu ze bezig waren hun eigen ondergang te bewerkstelligen, en trokken stevig aan hun sigaret, zodat het puntje langdurig rood opgloeide. Het leek erop alsof ze er nieuw leven uit opzogen, in plaats van dat ze hun eigen einde dichterbij brachten. Hoe ziek moest je zijn voor de doodsdreiging een verslaving overwon, vroeg ik me af. Ik keek naar een man met een geamputeerd been in een rolstoel die een nieuwe sigaret aanstak met de peuk van de vorige. Hij had het uitgeteerde lichaam van een levenslange roker en stond letterlijk met één been in het graf. Hij ving mijn blik op en haalde zijn schouders op met een verontschuldigend gebaar van 'wat doe je eraan?'.

Het licht op de afdeling waar mijn vader lag was gedempt en achter de balie zat een zuster wier borsten uit haar strak dichtgeknoopte uniform dreigden te springen, te telefoneren. Ze zag er eerder uit als een actrice in een ziekenhuisserie dan als een medisch geschoolde kracht. Angst, bedacht ik, weerhoudt je er niet van details te zien; het maakt ze alleen absurd.

'Waar ligt Bertie Zhivago?' vroeg ik.

'Het bezoekuur is afgelopen,' zei ze terwijl ze overdreven naar het ondersteboven op haar vluchtgevaarlijke boezem gespelde horloge keek.

'Ik ben zijn dochter.'

Ze bekeek me alsof ze op zoek was naar een onderscheidend trekje dat mijn bewering zou ondersteunen.

'Wat wilt u verdomme, een geboortebewijs?' snauwde ik. Angst oversteeg mijn manieren.

'Bed 12,' zei ze, terwijl ze deed alsof ze me niet gehoord had. Ze pakte een dossier op. 'Blijf niet te lang.'

De patiënten lagen met z'n vieren op een zaaltje, de meeste volkomen stil. Ik keek bij het eerste zaaltje naar binnen en hoorde iemand slijm ophoesten. De ziekenhuisgeur, gecombineerd met de geur van door bezorgde familieleden aangeboden bloemen en fruit creëerde een weemakend aroma van wanhoop en ellende: de metgezellen van ziekte.

Helga zat in een stoel naast paps bed te doezelen; haar borst ging gelijk met die van hem op en neer. Hij zag er klein en teer uit, en zijn huid leek grijs tegen het witte ziekenhuislaken. Ik wilde zijn hand pakken, maar die zat vol infuusnaalden waar geneesmiddelen door naar binnen werden gepompt. Op zijn borst waren draden vastgetaped die naar een monitor lcidden. Op het flikkerende scherm was de grafiek van zijn zwoegende hart te zien.

Hij bewoog en deed zijn ogen open. Het heeft altijd geleken of pap in staat was mijn aanwezigheid te voelen: wij deelden die onzichtbare band waarvan ze zeggen dat alleen de moeder die met haar kind heeft.

'Het spijt me, lieverd,' zei hij, 'dat ik zo lastig ben.'

'Ja, je bent een grote egoïst,' zei ik glimlachend terwijl ik een kneepje in zijn schouder gaf. Ik schrok ervan, zo mager voelde hij aan. Ik wilde me tegen zijn borst werpen om me door hem te laten troosten nu ik zo ontdaan was omdat hij ziek was. Maar hij had míjn troost nodig, dus bleef ik grapjes maken, praatte met moeite door die harde brok heen die zich in mijn keel had gevormd.

'Wat is er gebeurd?'

'Ik zat in mijn werkkamer en wilde net de vogeltjes van een nieuw liedje opschrijven toen een groot lelijk paard me tegen mijn borst schopte… Zo voelde het tenminste. En daarna lag ik hier aan al die draden.'

'Goddank dat Helga er was,' zei ik. Als hij alleen was geweest, hoe lang zou hij daar dan hulpeloos gelegen hebben, terwijl ik de stad uit was met een man die mijn echtgenoot niet was en ook niet de vader van mijn kinderen? Helga deed haar ogen open en glimlachte naar ons.

'Ik laat jullie even alleen,' zei ze op de opgewekte, flinke toon die mensen aanslaan als ze proberen te doen alsof er niets is om je zorgen over te maken.

'Ik voel me al veel beter,' zei pap, 'nu ik mijn twee favoriete volwassen vrouwen bij me heb.' Helga tikte pap tegen zijn wang, knuffelde mij even en ging een frisse neus halen.

'Ik mag haar heel graag, pap,' zei ik. 'Ze is heel lief.'

'Ze mag jou ook graag. Gelukkig maar. Het is belangrijk voor me dat de vrouwen van wie ik hou elkaar mogen.'

'Waar is Sammy?'

'Greg en hij zijn een uur geleden weggegaan,' zei pap.

'Heeft Greg met een arts gesproken?' vroeg ik.

'Ik weet niet of er wel een arts is langs geweest. Een twaalfjarig meisje in een witte jas heeft mijn pols gevoeld en iets gezegd in de trant van dat ze me dit weekend hier houden. Greg heeft even met haar gebabbeld.'

Ik liep naar de balie. De tv-seriezuster zat nog steeds te bellen, en gezien de manier waarop ze met het bovenste knoopje van haar uniform speelde, belde ze waarschijnlijk met haar vriendje. Ik ging in haar gezichtsveld staan en keek haar strak aan.

'Ik bel je zo terug, ik heb hier een mogelijk LF'je,' zei ze en ze hing op.

'Lastig familielid,' zei ik. Ze bloosde. Ze kon niet weten dat ik stage in een ziekenhuis had gelopen, dat mijn man arts was en dat ik bekend was met alle afkortingen die het ziekenhuispersoneel zo graag gebruikt. Ik vond het prettig dat ik haar in de verdediging had gedrongen.

'Is er een arts bij mijn vader geweest?'

'Ja, dokter Ashby. Ze is de coassistent die dienst heeft.'

Dat moest de twaalfjarige zijn.

'En de specialist?'

'Die is er in het weekend niet.'

'Is de coassistente er nog?'

'Nee, ze is nu weg, maar ze is oproepbaar. Ze vond dat hij goed vooruitging.'

'Zo. En als hij een specialist nodig heeft, hoe snel is er dan iemand?'

'Tja, het is nu weekend, dus dan duurt het wel een paar uur, denk ik.' Ik voelde het bloed plotseling naar mijn hoofd stijgen, een woede opgewekt door haar meewarige lachje dat leek te zeggen dat ze wist hoe ze met lastige mensen zoals ik moest omgaan.

'U doet net alsof het weekend een onverwachte gebeurtenis is: o, het is vrijdag, jeetje, het wordt weekend, wat een verrassing,' zei ik. 'Weet u wel dat er iedere week een weekend is?'

Ze verschoof wat spullen op haar bureau, zette met zorg de telefoon loodrecht op een toren van plastic postbakjes van waaruit menselijke levens in de vorm van patiëntenmappen slordig naar buiten staken. Misschien hoopte ze dat ze me met het opruimen van levenloze dingen kon kalmeren.

'Ik betwijfel of ziekte weet dat hij zaterdag en zondag vrij moet nemen en zijn slachtoffers alleen van maandag tot en met vrijdag moet lastigvallen.' Ik had nog geen zin om mijn betoog te staken.

'Het spijt me, maar zo gaat het nu eenmaal in ziekenhuizen,' zei ze. 'Het gaat op het ogenblik heel goed met uw vader.'

Ik boog me over de balie. 'Hoe zou jij je voelen als het jouw vader was die daar in het ziekenhuisbed lag na zijn hartaanval? Dit is niet zomaar een oude man naar wie niemand omkijkt, weet je, iemand die "een mooi leven heeft gehad". Iedereen verdient de beste zorg, maar dit is mijn vader, een man van wie gehouden wordt, met vrienden en familie, en als hem iets overkomt terwijl jij dienst hebt, dan stel ik je persoonlijk verantwoordelijk.'

Mijn ogen hadden zich met tranen gevuld en ik stond op het punt volkomen door het lint te gaan, maar ik kon aan haar gezichtsuitdrukking zien dat ik tot haar doorgedrongen was en ik was blij. Pap was niet langer gewoon wéér een patiënt voor haar, hij was een echt iemand geworden, met een eigen leven. Hij was, kortom, een mens.

Ze boog zich naar voren en legde haar hand op de mijne. 'Maak je maar geen zorgen, we passen wel op hem.'

'Dank je wel, het spijt me dat ik me zo LF'erig heb gedragen.'

We voelden ons nu verbonden, dochters van vaders, dus ze glimlachte en zei: 'Ik zou me in jouw plaats net zo gedragen.'

Pap las een krant en zag er behoorlijk levendig uit toen ik bij zijn bed terugkwam.

'Hoe was je reisje naar de buitenwijken?' vroeg hij.

'Ha, ha, wat grappig. Ben ik zo doorzichtig?'

'Je bent mijn dochter.'

'Ik weet het eigenlijk niet. Het was raar om hem weer te zien en je hebt gelijk met wat je zei over wat er met het centrum gebeurt. Mijn centrum loopt het gevaar dat het zo verwaarloosd raakt dat er misschien binnenkort een sloopbevel wordt afgegeven. Ineenstortende torenflats, kapotte ramen, noem maar op. Ik bedoel, kijk eens wat er onlangs allemaal gebeurd is. Zoon komt met een alcoholvergiftiging in het ziekenhuis terecht, echtgenoot voert een eenmansoorlog tegen de plaatselijke overheid, tienerdochter kan waarschijnlijk ieder moment zwanger worden en vader heeft hartaanval gehad.'

'Ik denk niet dat jij verantwoordelijk gehouden kan worden voor mijn hartaanval of voor het excentrieke gedrag van Greg, maar de fouten van Leo en Kitty zijn duidelijk jouw schuld, omdat jij hun moeder bent.'

Hij pakte mijn hand en streelde hem. 'Greg is een goeie kerel, Chloe, en hij houdt van je. Weet je wat Simone Signoret heeft gezegd?'

Ik schudde mijn hoofd.

'"Een huwelijk wordt niet door ketens bijeengehouden. Het zijn de draadjes, honderden kleine draadjes die mensen door de jaren heen aaneenhechten. Dat houdt een huwelijk in stand… meer dan passie of seks!" Ik denk dat ze gelijk heeft. Dat heeft me aan je moeder gebonden, en dat bindt me nu aan Helga.'

Helga kwam op dat moment terug met een plastic bekertje met een bruine, smakeloze vloeistof die het lef had zichzelf thee te noemen.

'Je ziet er beter uit, Bertie. Chloe is een goede verpleegster.'

Pap glimlachte en klopte me op mijn hand. 'Ik ga nu slapen,' zei hij. 'Waarom gaan jullie niet ook naar huis om wat te rusten, meisjes?'

Helga en ik keken elkaar aan. Ik zag dat ze mijn plaats niet wilde innemen, maar het was ook duidelijk dat ze pap niet alleen wilde laten.

'Blijf jij, maar bel me als dat nodig is,' zei ik.

Ze glimlachte dankbaar. 'Ik vind het fijn om hier in deze stoel naast hem te slapen.'

Het was moeilijk om pap aan de zorgen van een andere vrouw toe te vertrouwen. Ik was er zo aan gewend hem voor mezelf te hebben. Maar ze hadden me thuis nodig.

Ik zette mijn mobiel weer aan toen ik het ziekenhuis uit liep en hij piepte meteen. BEL ME, TSJOEDO. IVAN XX

Ik had onmiskenbaar het gevoel dat Ivan me ontglipte. Zijn gezicht en stem, die gewoonlijk in mijn geheugen gegrift stonden, leken vaag. Het was alsof ik een hele tijd koorts had gehad die nu over was en mij zwak en uitgeput had achtergelaten. Hij voelde ver-af en wonderlijk onbelangrijk, alsof hij tot een ander leven behoorde. Ik belde hem snel.

'Hoe is het met hem?'

'Het ziet er niet zo slecht uit. Hij is vrij bleek en zwak, maar nog helemaal zichzelf,' zei ik.

'Laten we dan weer samen weggaan,' zei hij. Zijn stem werd laag en hees. 'Dan zal ik je vastbinden en op vijf verschillende manieren laten klaarkomen.'

'Hmm, tja, ik moet echt in de buurt van mijn vader blijven.' Sekspraat werkte op de een of andere manier niet bij een ziekenhuis, of na de hartaanval van een ouder. 'Zeg, ik moet ophangen. We bellen morgen wel weer.'

Mijn afspraakje met Ivan was tenslotte toch bijna de fatale over-dosis geworden, maar met mijn vader als slachtoffer, in plaats van mij.

Ik voelde genegenheid in me opwellen toen ik Greg zag. Het was diep in de nacht en hij zat op de bank, beschenen door het flikke-rende licht van de tv. De kinderen zaten aan weerszijden tegen hem aan en sliepen, hun armen als baby's achteloos uitgestrekt. Toen ik hen zo met z'n drieën samen zag, kreeg ik tranen in mijn ogen. Greg stond voorzichtig op om de kinderen niet wakker te maken. We keken elkaar aan, hij zuchtte en trok me naar zich toe. Ik huil-de tegen zijn schouder, stille snikken van angst om mijn vader en van verdriet en spijt om wat er met Greg en mij gebeurd was.

'Het komt allemaal goed, lieverd,' zei Greg, terwijl hij mijn ach-terhoofd streelde. 'Ze zeiden dat het een licht hartinfarct was en dat hij er met rust weer bovenop komt.'

'Hij zag er zo mager en breekbaar uit. Ik vind het onverdraaglijk dat ik afscheid van hem zou moeten nemen.'

'Dat weet ik, lieverd, dat weet ik.' Hij pakte mijn kin vast en licht-te mijn gezicht op naar het zijne. 'Maar de kinderen en ik zullen er altijd zijn om voor jou te zorgen. Je had gelijk: we moeten echt lie-ver voor elkaar zijn.'

Ik huilde nu net zo goed om Greg en mij als om mijn vader.

'Iedereen heeft het wel eens een tijdje moeilijk, zo is het leven nu eenmaal,' ging hij verder. 'Dat betekent niet dat dat het einde is. Het is gewoon ergens in het midden, een plek langs de weg.'

Hij was veel volwassener dan ik, besefte ik, en ik bedacht dat dat een van de dingen aan hem was waarom ik van hem was gaan hou-den. En wat had ik veel van hem gehouden. Toen we net samen-woonden, rende ik altijd opgewonden het huis in als ik zijn auto buiten geparkeerd zag staan, blij dat hij thuis was en op me wacht-te. Ik was degene die over de gereedschappen beschikte om mense-lijk gedrag te duiden, maar Greg was, ondanks zijn grillen, heel wat evenwichtiger dan ik. Eerst werd Kitty wakker, toen Leo, en ze gin-gen allebei rechtop zitten. Kitty duwde Greg en mij dichter tegen elkaar aan.

'Geef elkaar een kus,' zei ze.

'Getver,' zei Leo. 'Moet dat?'

'Waarom niet? Jij doet het toch ook? Jij hebt in het park gescoord,' zei Kitty.

Leo schopte haar.

'Wat betekent dat?' vroeg ik.

'Hij heeft een meisje gezoend.'

'Wij noemden dat "iemand versieren".'

'Jah,noujadetijdenzijnveranderdhetisandersdaninjouwtijd,' zei Leo die weer in zijn 'snelste blanke rapper ter wereld'-taaltje verviel en een dreigende blik op Kitty wierp.

We keken elkaar aan en glimlachten. Ik had het gevoel dat er iets van de waanzin van de afgelopen maanden wegvloeide.

'Het spijt me, Greg,' zei ik.

'Wat spijt je?'

'Alles.'

Onze gezinsidylle werd verstoord door het geluid van een brakende Janet en de verre klanken van harde stemmen op de bovenste verdieping van het huis. Bea en Zuzi hadden duidelijk ruzie.

De volgende dag brak fris en helder aan. In de keuken stond Bea kwaad brood te smeren. Haar zware wenkbrauwen waren gefronst in een mengeling van ergernis en concentratie. Kitty stond op een stoel achter haar, borstelde haar haar en repeteerde de huwelijksgelofte die voor stellen van hetzelfde geslacht was geformuleerd.

'Hoe kom je daaraan?' vroeg ik, terwijl ik wees op de uitdraai die ze vasthield.

'Van een speciale website, mrsandmrs.com,' antwoordde ze met de technologische gewiekstheid van een kind van de eenentwintigste eeuw.

'Jij moet zeggen: "Ik, Bea Havlova, neem jou Zuzi Palkhova, als mijn wettige partner."'

Hoewel de gelukkigste dag in hun leven nog maanden in het verschiet lag, namen de voorbereidingen voor wat bij ons bekendstond als de Lesbitiaanse Bruiloft, steeds meer tijd van iedereen in beslag. Leo had, toen hij op een avond dat ik aan het koken was van Sammy leerde houtsnijden, een fantasieverhaal opgehangen waarin Bea en Zuzi helemaal niet uit de Tsjechische Republiek afkomstig waren, maar geboren waren op het eiland Lesbos en daarom als Lesbitianen moesten worden aangeduid. 'Zohebiknogeensietsaanmijnklassiekeopleidingmam,' had hij gezegd. 'Het klinkt net alsof ze van Mars komen,' had ik ertegen ingebracht. 'Voormijzijnzenietmeerdanjammervandiekutten,' zei hij, waarmee hij me oprecht choqueerde.

Leo kwam nu de keuken binnen en tastte blindelings in de ijskast naar het pak sinaasappelsap. Ik had hem nog nooit zo vroeg wakker gezien op een zaterdagochtend.

'Jij deugt niet,' zei Bea klaaglijk. 'Jij bent op een stoel gaan staan om door het raampje in de deur van onze kamer te kijken als wij in bed zijn.'

Leo grijnsde ongemakkelijk en zei niets.

'Heb je dat echt gedaan?' vroeg ik.

Hij haalde nonchalant zijn schouders op.

'Misschienwelenmisschienooknietikbendeenigediedatweetenhetgaatverderniemandeenreetaanenikgaheterzekernietmetmijnmoederoverhebben.'

'Atlas en hij kijken ook door de telescoop op het dak van Ruthie naar ons,' zei Bea, terwijl ze met haar mes in Leo's richting priemde.

O, jee, het was allemaal goed en wel om liberaal te zijn, maar het leek beter om toch de grens te trekken bij het thuis aanbieden van een meisje-meisje live-seksshow aan onze adolescente zoon en zijn vrienden. Hoewel het in het geval van Atlas duidelijk therapeutisch had gewerkt: nog maar een paar dagen geleden had Ruthie tegen me gezegd dat hij de laatste tijd dacht dat hij misschien toch heteroseksueel was.

Ik ontkwam aan verder gênante gedachten over de ontluikende seksualiteit van mijn zoon door mijn toevlucht te zoeken in de woonkamer. Daar trof ik Zuzi aan, met haar handen om een kop thee geklemd, alsof ze er zo veel mogelijk warmte aan moest ontlenen. Een gesloten exemplaar van *Dokter Zjivago* lag op het tafeltje naast haar. Ze had het eindelijk uit. Ze staarde somber en nogal glazig voor zich uit.

'Ik dacht altijd dat het huwelijk een sprookje was. Mijn Bea, zij houdt nu van mij, maar houdt zij genoeg van mij? Stel, zij vindt een ander meisje? Stel, ik ben niet haar Lara?'

'Dat risico moet iedereen nemen. Kies voor het geluk.' (Opnieuw bleek het evangelie volgens Dolly Parton een handig therapeutisch instrument.)

Ze zette haar beker neer en begon de verlovingsring met de saffier aan haar vinger rond te draaien. Een ring met een saffier voor een bruid à la Sappho.

'In Tsjechië hebben wij een ander spreekwoord: "Ga er niet altijd van uit dat het goede gebeurt, laat je niet verrassen door het kwaad."'

Ik zag dat de wees-gelukkigmantra van Dolly en mij moeilijk te slijten was aan de Tsjechische psyche. Oost-Europeanen zijn net Joden wat hun sombere levenshouding betreft en de neiging om altijd van het ergste uit te gaan.

'Heb je het wel eens met een man gedaan, Zuzi?'

'Een paar keer, maar ik vind het walgelijk. Ik word misselijk van die lucht.'

Ze rimpelde haar besproete neusje van afkeer.

Dat vind ik nu juist zo prettig aan mannen: hun geur. Niet van alle mannen, alleen van de mannen die ik aantrekkelijk vind. Er was de laatste tijd veel onderzoek gedaan naar feromonen, en ik had dat allemaal gelezen in een poging iets anders dan mijn trouweloze hart de schuld te kunnen geven van mijn verhouding met Ivan. Hij had me bij de neus genomen. Hoe zat het met de reukzin van homofielen en lesbiennes dat ze zich aangetrokken voelden tot hun eigen sekse? Ik nam me voor om tegen Ruthie te zeggen dat ze Atlas zowel aan mannen als aan vrouwen moest laten ruiken, om te kijken wat hij lekkerder vond. Dan zou hij eens en voor altijd weten waar zijn seksuele voorkeur naar uitging. Ik begon behoorlijk enthousiast te raken terwijl ik hierover nadacht. Het zou een geweldig artikel voor de *Psychological Review* zijn. Voor het eerst sinds tijden vond ik mijn werk weer spannend.

Zuzi keek nog steeds somber.

'In het begin houdt Joeri Zjivago van Tonja, het meisje dat hij tot zijn vrouw maakt en dan gaat hij naar de oorlog en valt voor Lara en doet Tonja pijn. Misschien ben ik de Tonja en niet de Lara en als Bea de Lara vindt, dan verlaat zij mij.'

'Er bestaat ook een Joods gezegde,' zei ik en ik citeerde een van paps vele aforismen: "Stel geen vragen aan sprookjes".'

Om de een of andere reden klaarde haar gezicht hiervan op en ze ging naar de keuken, naar Bea. Iedereen heeft kennelijk de behoefte om in 'ze leefden nog lang en gelukkig' te geloven.

Pap was klaarwakker en zat merels op een stuk muziekpapier te krabbelen toen Sammy en ik later die ochtend bij hem op bezoek kwamen. Helga vertelde ons dat de behandelend arts had gezegd dat hij over een paar dagen naar huis mocht. Ze zag er uitgeput uit. Haar haar zat alle kanten op en haar kleren waren gekreukt. Zelfs haar pas aangebrachte lippenstift kon haar vermoeidheid niet verbergen. We stuurden haar naar huis om zich om te kleden en te gaan slapen.

'Helga trekt bij me in,' zei pap. 'Ze zegt dat ze voor me wil zorgen. Dat is niet nodig, maar ik vind het fijn als ze blijft, ik vind het fijn als we echt samen zijn. Aristoteles heeft gezegd: "Niemand verkiest een bestaan zonder vrienden, al bezit hij alle andere dingen in de wereld." Hij heeft gelijk. Uiteindelijk worden de kleine irritaties van het dagelijks samenleven meer dan gecompenseerd door de liefde en de kameraadschap die je in elkaars gezelschap vindt. Dat heeft mijn hartaanval mij tenminste geleerd.'

'Fijn,' zei ik. 'We mogen haar graag, hè, Sammy?'

'Ja,' knikte hij, maar hij ontweek mijn blik en ik wist dat hij zelfs na al die jaren het gevoel had dat we ontrouw waren aan mam.

'Het wordt tijd dat jij ook iemand vindt, Sammy,' zei pap.

'Ik heb een vriendin, een Spaans meisje. Ze heet Nieves.'

'Mooi,' zei pap. 'Ik vind het naar om te denken dat je alleen bent.'

Aan de andere kant van het zaaltje zag ik de aantrekkelijke zuster die ik de vorige dag uitgefoeterd had. Ze ving mijn blik en lachte. Ik liep naar haar toe.

'Dank je wel,' zei ik. 'Het gaat veel beter met hem.'

'Het is een genoegen om voor hem te zorgen. Was iedereen maar zo,' voegde ze eraan toe toen een man uit een bed vlakbij geërgerd 'Zuster, zuster, zuster!' riep, waarbij zijn stem bij iedere sommering luider werd.

Ik liep terug naar pap. In het bed naast hem lag een oude man, bleek en bewegingloos. Zijn familie zat plechtig om hem heen geschaard en bereidde zich duidelijk op het ergste voor. Ik keek naar het gezicht van een van hen, een vrouw van ongeveer mijn leeftijd, die ongetwijfeld zijn dochter was. Ze keek op, alsof ze voelde dat ik naar haar keek, en toen onze blikken elkaar kruisten, glimlachten we verlegen in herkenning naar elkaar. We waren allebei dochters die een speciale band met hun vader hadden. Ik wilde pap hier zo snel mogelijk weg hebben, naar de veilige buitenwereld, alsof het lot dat haar vader overduidelijk te wachten stond besmettelijk zou zijn.

'Ik ga nu slapen, en jullie tweeën zullen het wel druk hebben. Dus wegwezen,' zei pap en hij gaf ons allebei zijn eigen driedubbele kus.

Op weg naar beneden zei Sammy: 'Ik heb Armie van Madge opgespoord.'

'En?'

'Hij is teruggegaan naar Jamaica.'

'Wat ga je nu doen?'

'Ik weet niet goed wat ik kan doen; ik denk dat ik de Jamaicaanse autoriteiten om informatie ga vragen. Tegen Madge zeg ik dan dat ik nog op zoek ben.'

De rokers hielden nog steeds hun stille wake bij de ingang van het ziekenhuis, stevig ingepakt tegen de kou in ochtendjassen met truien eroverheen. Toen we langs hen liepen ging mijn mobiel. Het was Ruthie.

'Bea heeft me net gebeld. Zuzi is weg,' zei ze.

'Hoe bedoel je?'

'Ze heeft een briefje achtergelaten waarin stond dat Bea naar het station moest komen en iets over dat ze de kracht van haar liefde wilde testen. Ze heeft er alleen niet bij gezegd naar welk station.'

Dokter Zjivago was tot leven gekomen. Lara was vooruitgegaan en Joeri Zjivago beloofde haar te volgen. Of misschien wilde ze zich net zoals Anna Karenina voor een trein werpen?

'Jezus christus,' zei ik. 'Laat me even nadenken.' Station. *Vokzal.* Ik wist het weer: eens, tijdens het gezellige postcoïtale uitwisselen van verhaaltjes dat Ivan en ik zo genoeglijk hadden gevonden, had hij me verteld dat het Russische woord voor 'station' was afgeleid van Vauxhall Station. Het verhaal wil dat tsaar Nicolaas I in 1844 op staatsiebezoek in Londen Vauxhall bezocht om de treinen te zien. Hij nam abusievelijk aan dat 'Vauxhall' (in het Russisch *vokzal*) de algemene term voor een station was. Het was een gok, maar het leek me een goeie in de context van al die Russische literatuur die de Russo-Tsjechische 'leesclub' de afgelopen maanden tot zich genomen had.

Voor de zoveelste keer ging ik aan de slag om Bea tevreden te houden. 'Ik ga wel,' zei ik tegen Ruthie, 'ik denk dat ik weet waar ze zit. Bel een taxi voor Bea en zeg tegen haar dat ze naar Vauxhall Station moet komen.'

Toen ik naar het station holde, zag ik Bea uit een taxi stappen en naar binnen stormen. Ik hield mijn pas in; dit was hun geschiedenis, niet die van mij. Terwijl ik wachtte, belde ik naar het ziekenhuis om te vragen hoe het met pap was en kreeg ik te horen dat hij sliep. Algauw kwamen Bea en Zuzi uit de ingang van het station naar buiten. Ze hadden hun armen om elkaar heen geslagen en lachten en huilden tegelijkertijd. Een apenbruiloft, zo noemden Sammy en ik dat vroeger toen we klein waren en de zon scheen terwijl het tegelijkertijd regende.

'Hoe wist jij dat zij hier zou zijn?' vroeg Bea aan me.

'Vokzal,' zei ik schouderophalend.

OPERATIE GESLAAGD, sms'te ik naar Ruthie toen ik de auto door de middagdrukte laveerde. Vanaf de achterbank klonken gefluisterde liefdeswoordjes in het Tsjechisch.

'Ik zeg zij is te gevoelig voor Russische literatuur. Zij trekt het zich te veel aan, al die gevoelens. Het is te veel voor haar en dat maakt dat zij wegloopt,' zei Bea vanaf de achterbank. 'Maar daarom houd ik van haar, omdat zij een zacht hart heeft.'

Ik keek in het achteruitkijkspiegeltje naar hen. Zuzi had haar hoofd op Bea's schouder gelegd en Bea streelde haar arm.

'Ik ben haar Lara,' zei Zuzi. Hun onschuldige geloof dat het genoeg was om van elkaar te houden, maakte dat ik zin had om een potje te janken. Je hebt veel meer dan liefde nodig om je door een leven samen met iemand anders heen te helpen.

Ik stond stil voor een stoplicht en keek weer in mijn spiegeltje. Ik zag dat Bea haar hand bezitterig over de lichte welving van Zuzi's buik legde. Was Zuzi zwanger, vroeg ik me af. Maar hoe waren ze dan aan zaad gekomen? Ik had een verontrustend visioen van hen tweetjes die een slapende Leo een nachtelijke zaadlozing ontfutselden. Terwijl het licht op groen sprong, drong het met beangstigende zekerheid tot me door dat ík degene was die zwanger was, niet Zuzi. Ik telde in gedachten terug en concludeerde dat de laatste keer dat ik ongesteld was geweest tien dagen voor die nacht was geweest waarin ik zowel met mijn minnaar als met mijn man had geslapen. Ik had bij geen van beiden een voorbehoedsmiddel gebruikt. Dat betekende dat ik twee maanden zwanger was en dat ik niet zeker wist wie de vader was.

'Alles goed met je?' vroeg Greg toen hij opendeed. 'Je ziet erg bleek.'

Ik kon er nu niet met hem over praten. Ik moest nadenken. Ik kon toch niet nog een kind krijgen? Ik kon toch niet weer opnieuw beginnen? De slapeloze nachten, de luiers, de klok rond de boel in de gaten houden, wat vereist wordt van de ouder van een peuter. Terug naar nooit een zin af kunnen maken, nooit een boek kunnen lezen. En toen moest ik denken aan die zoete melklucht, zo'n klein schepseltje dat zich uitrekte en gekke babygezichtjes trok, die korte armpjes die recht omhooggestoken werden en die niet verder kwamen dan de bovenkant van het hoofdje. De komst van een nieuw mensje, heel en compleet. Je moet geen kind krijgen om een relatie te redden, maar tegelijkertijd kon het een nieuwe kans voor Greg en mij zijn. Behalve dan dat het misschien zijn kind niet was. En in dat geval zou het het einde zijn, en niet een nieuw begin. Ik had tegen pap gezegd dat ik een nieuwe kans wilde, dat ik dit leven uit wilde wissen en opnieuw beginnen; was dit dan het teken dat ik een nieuw leven met Ivan moest beginnen? Konden we een kind krijgen en nog lang en gelukkig leven? Hoe ging dat Joodse spreekwoord ook weer? Als twee gescheiden mensen trouwen, zijn er vier in het bed. Eerder acht, als je de kinderen meetelde, of negen, als je de nieuwe baby ook zou meetellen.

BV zat in mijn zitkamer en oreerde tegen het verzamelde gezelschap over het belang van seks binnen een relatie. Het was er bepaald gezellig. Ze zag er beeldschoon uit, ondanks haar belachelijke wit met roze hoed die op een omgekeerd ijshoorntje leek. Jezzie zat naast haar, en aan de andere kant van haar zat Jessie, stijf rechtop. Jezzie lachte zelfgenoegzaam, alsof hij wilde zeggen: 'Ben ik geen fantastische kerel?', terwijl BV het over zijn prestaties in bed had, en Jessie keek alsof ze haar geest had gedwongen haar lichaam te verlaten om aan de gênante situatie te ontsnappen. Drie Oost-Europese lesbo's, door Bea opgetrommeld toen ze Zuzi kwijt was, hingen aan BV's lippen. Ze luisterden aandachtig terwijl zij gedetailleerd uitweidde over het onvermogen van de meeste mannen om het vrouwenlichaam te begrijpen, en bovendien verkondigde dat ze zelf lesbisch zou zijn als ze het niet zo lekker had gevonden om geneukt te worden. Een lange, ernstig uitziende vrouw met kort gebleekt haar krabbelde iets op een stukje papier en gaf het onder Jeremy's neus aan haar. 'Als je van gedachten verandert, bel mij dan.'

Typisch BV, om een lesbo te scoren. Ik wist al hoe haar volgende boek zou heten: *Sapphische liefde: het ware vrouwelijke orgasme*, of zo. Jeremy's zelfingenomen lachje bekoelde enigszins en Jessie, die eruitzag of ze zou gaan overgeven, vond eindelijk de kracht om op te staan en de kamer te verlaten.

'Jezzie en ik gaan trouwen,' fluisterde BV tegen me. 'Ik denk dat ik het nu ga vertellen.' Ze tikte met een vork tegen haar glas om de aandacht te vragen.

'Doe dat niet nu,' zei ik. Ik hield haar hand tegen en keek naar Bea en Zuzi die vlak naast elkaar zaten, hun armen om elkaar heen. 'Laat Bea en Zuzi genieten van hún moment.'

BV zweeg en keek me aan. 'Je hebt gelijk,' zei ze toen. 'Ik ben soms wel verschrikkelijk egocentrisch, hè? Ik snap niet dat je het nog met me uithoudt.'

Ik snapte dat ook niet, maar misschien kwam het doordat ik me tegen wil en dank vermaakte als ik bij haar was. En dat ze zelf af en toe ook besefte dat ze te ver ging, maakte ook veel goed. Iedereen zou een krankzinnig mooie vriendin moeten hebben. Het was net of je een kunstwerk bezat; hoe lastig zoiets ook is om in bezit te krijgen en in bezit te houden, uiteindelijk weegt niets op tegen het genoegen ernaar te kijken.

BV keek me aan en zei rustig: 'Het is voorbij, hè?'

'Wat?'

'Je verhouding met Ivan.'

'Waar heb je het over?'

'Kom op, Chloe, je weet dat ik een heks ben. Ik vermoedde het al tijden en op de avond van Berties gala wist ik het zeker. Maar het is voorbij, dat zie ik.'

Was het echt voorbij? Misschien wel. Wat had Ruthie ook alweer gezegd? Soms kunnen andere mensen iets over je vertellen wat je zelf nog niet weet.

'Ga je echt met Jeremy trouwen?' vroeg ik om van onderwerp te veranderen.

'Ja. Het begin van een huwelijk is hemels, vind je niet?'

'Dat weet ik niet,' antwoordde ik. 'Ik heb maar één huwelijk gehad en dat heb ik nog steeds.'

Maar ik wist wat ze bedoelde; het begin van een relatie is hemels. Dát had ik zo heerlijk gevonden aan mijn verhouding met Ivan.

Maar de trieste waarheid was dat er geen garantie was dat het zo zou blijven, en eerder wel dan niet zouden we onvermijdelijk in die toestand tussen tevredenheid en onverschilligheid terechtkomen die het lot is van de meeste getrouwde stellen.

Ik zag Greg naar me toe lopen, zijn gezicht stond ernstig. Had hij besloten me over Ivan aan te spreken?

'Chloe, Helga belde net. Bertie heeft weer een hartaanval gehad. Hij ligt op de intensive care.'

23

Paps gezicht was amper zichtbaar achter het zuurstofmasker. Helga stond aan het voeteneind van zijn bed met een arts te praten. Tot mijn opluchting was hij boven de veertig en zag hij eruit als een specialist. Hij draaide zich om toen Greg, Sammy en ik op hem af liepen. Zijn gezicht stond ernstig.

'Dit zijn de zoon, de dochter en de schoonzoon van Mr Zhivago,' zei Helga. Ze kwam naast me staan. 'Mr McTernan is zelf arts,' voegde ze eraan toe terwijl ze een hand op Gregs arm legde.

De arts glimlachte even naar Greg: het glimlachje van een professional die weet dat hij een collega de waarheid kan vertellen.

'Mr Zhivago heeft een zwaar myocardiaal infarct gehad en is heel zwak,' zei hij. 'Hij wordt met medicijnen behandeld. Hij krijgt een infuus met GTM en heeft een hyperium IV. We houden het zuurstofgehalte van zijn bloed in de gaten en voeren seriële ECG's uit.'

'En opereren?' vroeg Greg.

'Zijn bloedvaten zijn helaas niet goed genoeg meer voor een bypass, en hij is te oud voor een transplantatie. We moeten het in de gaten houden en afwachten.'

Meer nog dan zijn woorden, beviel de gezichtsuitdrukking van de specialist me niet. Greg ook niet: hij trok me tegen zich aan. Het was buiten donker en in de kamer was het stil, afgezien van het geluid van paps ademhaling. Een verpleegster was met hem bezig, controleerde zijn bloeddruk en de verschillende infusen. Ze leek ons niet aan te willen kijken.

We bleven de hele nacht, alle vier, en keken toe hoe paps borst moeizaam rees en weer daalde. Ik denk dat we allemaal wisten dat dit zijn laatste nacht zou zijn en we wilden er geen van allen een moment van missen. We praatten niet veel, hielden alleen elkaars hand vast en veegden onze tranen weg. We hielden om de beurt ook pap vast, bewogen stilletjes rond het bed, ruilden een voet in voor een hand. Het was alsof we door hem aan te raken hem aan het leven vastkluisterden. Helga zong zachtjes:

> Bertie komt uit Engeland
> Zhivago is zijn naam
> Hij woont in Temple Fortune
> Op de High Market-laan.
> Huisnummer 20
> Bel gewoon maar aan.

Het was het liedje dat Jürgen uit zijn hoofd had geleerd zodat hij pap na de oorlog zou kunnen vinden.

Op een gegeven moment in die stille, donkere en eindeloze nacht waakte ik een paar minuten alleen. Ik nam paps hand en streelde hem, hield hem tegen mijn gezicht en kuste hem. Ik wilde hem zo veel zeggen. Ik wilde hem smeken bij ons te blijven, ik wilde nog één keer met hem lachen, genieten van zijn warmte, zijn wijsheid, zijn humor en hem bedanken voor al die liefde die hij mij in mijn leven geschonken had. Maar ik kon het niet. Ik wilde niet dat hij wist dat hij dood zou gaan. Dus zei ik het enige wat ik kon zeggen, woorden die niet afdoende leken om uit te drukken wat ik voor hem voelde.

'Ik hou van je, pap.'

Hij bewoog even en trok plotseling het zuurstofmasker van zijn gezicht.

'Ik hou ook van jou,' zei hij. Hij keek me aan en voegde eraan toe: 'Weet je waar ik het meest trots op ben?'

Ik vertrouwde mijn stem niet, dus ik schudde mijn hoofd.

'Op mijn familie. Op dat ik vader en grootvader ben.' Zijn stem klonk verrassend gewoon. Hij glimlachte heel lief naar me, klopte op mijn hand en sloot zijn ogen. Ik zette zachtjes het zuurstofmasker terug en streelde zijn zachte, zilvergrijze haar op dat slimme, geestige hoofd van hem dat propvol kennis, gezegdes, muziek en merels zat. Waar zou dat allemaal naartoe gaan? Het moest toch wel ergens heen gaan, het kon toch niet zomaar gedoofd worden als een lamp waarvan je de schakelaar indrukt? Helga kwam terug en ze ging aan de andere kant van het bed zitten. Onze handen raakten elkaar terwijl we zijn hoofd streelden.

Ik dacht aan hem, als jonge man, ver van huis in een Italiaans bos met het geweer van de vijand tegen zijn slaap. Hij had zijn hele leven nog voor zich, maar hij was bang dat hij dood zou gaan. Ik dacht aan al de lotgevallen die hem tot het heden hadden gebracht, waarin de weduwe van diezelfde Duitse soldaat naast hem zat en van hem hield, nu de dood eindelijk zeker leek. Wat zou het raar zijn als we bij het begin al zouden weten hoe ons leven zou uitpakken. Ik zat daar, terwijl een nieuw leven in me begon te bewegen: dat eerste gefladder van een baby, dat als borrelende luchtbelletjes voelt. Mijn hele leven was ik bang geweest mijn vader te verliezen en nu leek er geen ontkomen meer aan. Al de vallende sterren waarbij ik een wens had gedaan, de paardenbloemenpluizen die ik had weggeblazen, het zout dat ik over mijn linkerschouder had gegooid terwijl ik de bezwering uitsprak: 'Alsjeblieft laat pappa vierennegentig worden,' een leeftijd die ik uit de lucht had gegrepen omdat het onmogelijk oud en ver weg leek: het had allemaal niet gewerkt. Waarom was ik elke keer zwanger als een van mijn ouders stierf? Het was een wrede manier om je aan de onvermijdelijke cyclus van het leven te herinneren; voor iedere geboorte moest er met een sterfgeval betaald worden. Toen mam stierf, groeide Kitty binnen in me en ik dacht toen dat haar geboorte een wedergeboorte van een deel van mijn moeder betekende. Ik had de grondstoffen, het DNA, om mijn moeder op de een of andere manier te herscheppen, maar niet om haar te vervangen, want vervangen kan niet. Nu, terwijl pap voor onze ogen weggleed, groeide er weer een leven in me, een nieuw lid van mijn gezin dat iets van mijn vader in zich zou hebben. Ik wist toen dat ik dit kind zou houden, wat er ook zou gebeuren en wie de vader ook was. Ik wist ook dat het een jongetje zou zijn.

De specialist kwam de volgende ochtend vroeg terug. Hij nam Sammy en mij apart.

'U moet beseffen dat uw vaders toestand bijzonder ernstig is,' zei hij. Ik geloof dat ik er tot op dat moment nog in geloofde dat onze liefde voor pap genoeg zou zijn om hem bij ons te houden. Sammy en ik sloegen onze armen om elkaar heen en huilden.

'We moeten de kinderen halen,' zei ik tegen Greg.

'Zouden ze daar niet erg door van streek raken?' vroeg Helga.

'Ze vergeven het ons nooit als ze hem niet meer zien.'

Ik had Ruthie gevraagd om bij ons thuis bij de kinderen te blijven, en ik ging nu de kamer uit om haar te bellen. Mijn stem brak toen ik het haar vertelde. Ik liep terug door de gang; het ziekenhuis kwam tot leven. Hier en daar zaten artsen en verpleegsters te praten en te lachen. Dat doorgaan van alledaagse dingen griefde me. Hoe kan ik dit dragen, vroeg ik me af, en de vraag herhaalde zich steeds in mijn hoofd. Ik begreep nu waarom Madge voor gekte gekozen had: verdriet doet te veel pijn en kan je naar een andere wereld verjagen.

Ruthie kwam met Kitty en Leo, wier gezichten zwaar waren van een verdriet waarvoor ze te jong leken. Ze probeerden dapper niet te huilen. We stonden daar, met z'n allen om hem heen, keken en wachtten zoals de specialist ons had aangeraden, maar we wisten allemaal dat we afscheid namen. Opeens kwam pap overeind en haalde zijn masker weg. Hij keek ons aan.

'Hallo allemaal,' zei hij. Hij vond het heerlijk om ons allemaal te zien en hij klonk alsof hij net de deur had opengedaan om ons binnen te noden. Eén moment durfde ik te hopen dat hij beter zou worden, en toen bedacht ik dat ik wel vaker had gehoord dat momenten van helderheid vaak voorafgaan aan de dood. Pap keek ons een voor een aan, alsof hij de gezichten in zijn geheugen wilde prenten, ging weer liggen, sloot zijn ogen en ademde uit – een lange diepe zucht van loslaten. Hij had ons verlaten. Uiteindelijk weerspiegelde zijn dood zijn wezen: het was waardig en rustig.

Ik weet niet wat me ertoe dreef op zoek te gaan naar een schaar om een stukje van paps karakteristieke zilvergrijze haar als aandenken af te knippen. Was het dezelfde behoefte om een stukje van je geliefde te bewaren dat de boerenjongen uit het Russische verhaal van Ivan ertoe had gebracht om de neus van het dode meisje van wie hij hield af te bijten? Ik drukte Leo en Kitty tegen me aan. Op dat moment, afgezien van het ondraaglijke verdriet om het verlies van mijn vader, een verdriet dat me voor altijd dreigde te verpletteren, wist ik dat ik bij Greg zou blijven en dat mijn verhouding met Ivan, zoals BV had opgemerkt, helemaal voorbij was.

24

Ik heb Ivan nog één keer gezien. Het was een paar weken later, na de crematie, nadat het eerste verschroeiende verdriet van het verlies zich gestabiliseerd had tot een doffe, aanhoudende pijn. 's Ochtends voelde ik me eventjes normaal en dan herinnerde ik me weer dat ik in een wereld zonder mijn vader wakker werd. Dan daalde het vertrouwde verdriet voor de rest van de dag op me neer. We hadden paps twee dagen na zijn dood gecremeerd. De Joodse achtergrond van Sammy en mij stak atavistisch de kop op. Joden begraven hun doden zo snel mogelijk. Ik dacht vroeger dat dat vanwege de hitte in de woestijn was, maar eigenlijk, had Ruthie me verteld, is het omdat als iemands ziel eenmaal is teruggegaan naar God, het schandelijk wordt gevonden om het lichaam in het land van de levenden te laten talmen.

'Geboorte, huwelijk, dood, dan krijgt godsdienst wat haar toekomt,' had Sammy een paar dagen na paps dood gezegd toen we in zijn flat zaten. Na het ziekenhuis waren we daar allemaal heen gegaan; het leek logisch om daar te zijn, alsof we op die manier bij hem konden zijn en hem levend konden houden. De flat rook nog naar hem, en de vleugel stond open zoals hij hem had achtergelaten; stofdeeltjes dansten in het lentezonnelicht dat schaamteloos ons verdriet bescheen. Het was heel stil in de kamer, alsof de piano wist dat mijn vaders handen hem nooit meer zouden doen zingen. We bleven ook na de crematie veel in de flat, om *sjiwwe** te zitten, zoals de gewoonte is. Ruthie had eten gebracht en zorgde voor ons terwijl we daar zaten en huilden en onze herinneringen aan Bertie deelden.

'Sommige dingen doen Joden wel goed,' ging Sammy verder. 'Ik bedoel, je snapt wel waarom ze hun kleren stukscheuren. Het helpt om fysiek uitdrukking te geven aan je innerlijke toestand. Zo voel ik me namelijk precies: verscheurd. Jij niet?'

Volgens de Joodse gebruiken voor de rouwperiode had Sammy zich niet geschoren en zijn overhemd was gescheurd.

Hij zag eruit zoals ik me voelde: berooid, een wees. Het doet er niet toe hoe oud of volwassen je bent als je ouders overlijden; je blijft je verlaten en eenzaam voelen. Als ze sterven sterft er een stukje van jou met hen mee, je jongere zelf, je jeugd. Er is niemand meer om je te vertellen hoe je als baby was, wat je eerste woordjes waren en met welk speelgoed je het liefste speelde. Al die herinneringen zijn met hen begraven. Ik was niet langer meer de dochter van iemand. Het vangnet was weg, er was geen generatie meer tussen ons en het graf. Aan het eind van de verschrikkelijke eerste week was Helga naar Duitsland vertrokken, waardoor we nog verweesder achterbleven.

'Jullie begrijpen het toch wel?' had ze gezegd. 'Ik moet bij mijn kinderen in Duitsland zijn. Maar ik zal vaak naar jullie toe komen; we zijn voor altijd onderdeel van elkaars leven.'

Een paar weken later waren Sammy en ik naar de flat gegaan om aan het karwei te beginnen van een leven dat voorbij was door te pluizen, uit te zoeken en in dozen op te bergen. Ik vond een deel van onze jeugd daar terug, verboren in lades en in de vorm van oude vergeelde schoolrapporten en kleine onzinbriefjes vol liefde die ik aan pap had geschreven en hij aan mij. Hij had ze allemaal bewaard, weggestopt in een houten doos ergens achter in een kast. Dochters leren, als ze geluk hebben, het liefhebben van hun vader. De briefjes waren me bijna te veel; ik besefte weer in alle hevigheid hoeveel ik verloren had.

---

* Sjiwwe zitten: een zevendaagse periode van officiële rouw die in acht wordt genomen na de begrafenis (of eventueel crematie) van een nabij familielid.

'Je zou dankbaar moeten zijn voor al die jaren dat je wel een vader hebt gehad,' had BV een dag eerder tegen me gezegd toen ze in mijn keuken haar hand voor me ophield om de verlovingsring van Jeremy te laten bewonderen. 'Dat heb ik nooit meegemaakt.'

BV's vader was op haar tiende overleden. 'Hier, ik heb iets voor je om je op te vrolijken.' Ze gaf me een envelop. Er zat een tegoedbon in voor een sessie met Rasa Rastumfari, de legendarische colonirrigator. Ik neem aan dat ze het goed bedoelde, maar dacht ze nu echt dat een schone dikke darm het verlies van een geliefde vader kon goedmaken?

Sammy trof me in paps slaapkamer aan terwijl ik zat te huilen om een foto die ik gevonden had. Het was een foto van mij, op mijn veertiende, terwijl ik naast mijn vader zat en mijn hoofd op zijn schouder liet rusten. Hij draaide zich half naar me toe en glimlachte. Ik herinnerde me de dag nog waarop hij genomen was, de dag na de begrafenis van oma Bella. Vlak daarvoor hadden pap en ik nog in elkaars armen gehuild. Sammy had een kartonnen doos in zijn handen die hij in dezelfde kast had gevonden en waarop plechtig MIJN JEUGD geschreven stond. Hij ging naast me zitten en liet zijn verleden door zijn handen gaan.

'De vagina van Ginny Best,' zei hij plotseling terwijl hij iets omhooghield.

'Wát?'

'Deze foto's. Die heb ik van haar vagina genomen, of beter gezegd: van haar vulva, niet haar vagina. We waren negentien of zo. Niet slecht,' zei hij terwijl hij de foto dichterbij hield.

'De vagina of de foto?'

'Allebei. Ik maakte goeie foto's.'

Hij had vroeger uren in de tot donkere kamer omgetoverde badkamer doorgebracht, terwijl ik ongeduldig op de deur stond te bonzen.

'Wat moet ik ermee?' vroeg hij me nu.

'Ze naar haar opsturen?' stelde ik voor. 'Ze weggooien?'

'Wil je ze eerst nog zien?'

'Ik dacht het niet.'

We waren opgeknapt van het vagina/vulva-intermezzo, dus toen Ivan me een paar minuten later sms'te en vroeg of we iets konden afspreken, sms'te ik terug dat hij naar het café om de hoek kon komen.

Het is de dood, niet de liefde, die alles verandert. Wat zag Ivan er aantrekkelijk uit toen hij binnenkwam. Een aantrekkelijke vreemde. Ik zag wel waarom ik hem gewild had, hoewel de verbinding tussen ons nu geheel verbroken leek. Eerst gaven we niet openlijk toe dat we afscheid van elkaar namen. Dat hoefde niet, want we wisten het allebei. Ik zat tegenover hem en liet mijn pink langs het litteken in zijn wenkbrauw glijden, om het braille van zijn gezicht te lezen zodat ik het altijd zou onthouden.

'Becky en ik gaan scheiden,' zei hij tegen me. 'Ik vind het verschrikkelijk zoals ik tegen haar doe, ze verdient beter.'

'Hoe is ze eronder, gaat het?'

'Ik denk dat ze opgelucht is.'

We zaten een tijdje zwijgend bij elkaar.

'Ik vind het heel erg van Bertie…' begon hij.

Mijn ogen vulden zich met tranen. 'Ik moet weg,' zei ik, 'Sammy zit op me te wachten.'

'Als je me nodig hebt, of als er iets verandert…' zei hij toen ik opstond.

Ik legde mijn vinger op zijn lippen, waarna ik hem verving door mijn mond en hem kuste, zoals hij mij ooit had gekust, toen dit allemaal begon.

Bij de deur gaf hij me een vel papier. Er stond een gedicht in het Russisch op.

'Nog een laatste briefje,' zei hij met een droevig lachje. 'Vergeef me dat ik de woorden van een ander leen om jou te vertellen hoe ik me voel. Het zijn de woorden van de grootste Russische dichter, van Aleksandr Poesjkin.'

Hij hield me nog één keer stevig vast, draaide zich om en ging weg.

Ja vas ljoebil: ljoebov jesjtsjo, byt mozjet,
V doesje mojej oegasla ne sovsem;
No poest ona vas bolsje ne trevozjit,
Ja ne chotsjoe petsjalit vas nitsjem.
Ja vas ljoebil: bezmolvno, beznadezno,
To robostjoe, to revnostjoe tomim;
Ja vas ljoebil tak iskrenno, tak nezjno,
Kak daj vam Bog ljoebimoj byt droegim.

Dit keer vroeg ik niet aan Volodja om het te vertalen, ik voelde dat het te intiem en ook te droevig was. In plaats daarvan logde ik in paps flat in op zijn computer en vond een vertaling op internet:

Ik hield eens van je: wellicht is die liefde nog niet geheel gestor-
ven in mijn ziel; maar laat dat jou niet langer storen. Ik wil je
niet verdrietig maken. Ik hield in stilte van je, hopeloos, gekweld,
nu eens door verlegenheid, dan weer door jaloezie; ik hield op-
recht van je, teder, en God geve dat er door een ander weer zo van
je gehouden wordt.

Poesjkin schreef het in 1829. Niets nieuws onder de zon in de liefde kennelijk, en dat gaf troost.

Daarna zag ik Ivan niet meer. Ik kon het niet. Het besef dat het nieuwe leven dat in me groeide deels van hem zou kunnen zijn, maakte het onmogelijk. De enige manier waarop ik het aankon was door mijn leven in hokjes te verdelen. Om zijn bestaan te ontkennen en te doen of het niet gebeurd was en ik gewoon een getrouwde vrouw was, zwanger van haar derde kind.

'Moet ik Greg over Ivan vertellen?' vroeg ik op een middag door de telefoon aan Ruthie.

'Regel Twee, weet je nog?' zei ze. '*Biecht nooit op: als je niet op de blaren wilt zitten, moet je je billen niet branden.*'

'Maar ik moet hem wel vertellen dat ik zwanger ben.'

'Ja, dat moet je inderdaad vertellen.'

Greg kwam thuis. Hij zag er uiterst tevreden uit en zwaaide met een vel papier naar me. 'Lees dit maar eens,' zei hij.

Geachte heer/mevrouw,

Betreffende de door u opgelegde boete vanwege het rijden binnen de betaalzone zonder het tarief te betalen.
Ik heb erop gelet dat ik niet vóór 18.30 uur de betaalzone binnen ben gereden.
In uw brief liet u me weten dat uw systeem is gesynchroniseerd met de 'atoomklok van Rugby'. Ik heb me ervan vergewist dat zowel mijn horloge als mijn autoklokje 18.30 uur aangaf voordat ik de betaalzone binnenreed. In uw eerste brief stelt u dat ik twee minuten en 45 seconden voor 18.30 uur de zone binnenreed – naar ik aanneem volgens de 'atoomklok van Rugby'. Ik moet opmerken dat ik mezelf altijd als een uitermate punctueel mens heb beschouwd en ik heb er altijd een punt van gemaakt dat mijn diverse uurwerken de juiste tijd aanwijzen. In de toekomst zal ik zeker mijn horloge vergelijken met de telefonische tijdmelding voordat ik het waag om 's avonds de betaalzone in Centraal-Londen binnen te rijden.
In mijn brief stipte ik echter nóg twee punten aan: 1 Ik vind dat een verschil van minder dan drie minuten tussen chronometers binnen de grenzen van het redelijke ligt. 2 Als Londen Transport wenst dat automobilisten zich net zo accuraat aan de betaalzone-uren houden als de atoomklok van Rugby, meen ik dat op elk kruispunt binnen de betaalzone klokken die de exacte tijd aangeven geplaatst dienen te worden.
Daarom verzoek ik u wederom, met alle respect, om in het licht van de twee door mij naar voren gebrachte punten deze boete kwijt te schelden.

Hoogachtend,
Greg McTernan

'Heel goed, schat,' zei ik. 'Ik ben zwanger.' (Nou ja, wanneer is het dan wél het goede moment om iemand zoiets te vertellen?)

'Daar kunnen ze het mee doen… Wat?'

'Ik ben zwanger.'

Hij keek naar me – een lange, harde, berekenende blik. 'Maar we hebben amper met elkaar gevreeën en je had je pessarium toch in?'

'Jij bent de dokter hier, je weet heus wel dat één keer genoeg is. En nee, ik had mijn pessarium niet in. Weet je niet meer? Het is een van de vele dingen die jij afgelopen jaar verstopt hebt en we hebben het geen van beiden meer terug kunnen vinden.'

'O, ja,' zei hij schaapachtig. 'Je had toch een nieuw kunnen nemen?'

'Dat leek me amper de moeite waard,' zei ik, iets scherper dan de bedoeling was.

Hij leek iets te willen zeggen, maar veranderde van gedachten. 'Wat wil je nu doen, Chlo?'

We stonden in de keuken. Greg leunde tegen de ijskast, naast de foto van ons allemaal die voor het huis genomen was op de avond van paps gala. Pap had ten slotte gelijk gehad: het was een eerbetoon geweest aan een leven dat bijna voorbij was. Daarnaast hing zijn overlijdensbericht. De foto die boven zijn piano had gehangen, waarop hij zo lief naar Leo en Kitty keek terwijl ze hun cadeautjes uitpakten, stond erop. Wie had kunnen vermoeden dat deze foto, die spontaan was genomen op een gelukkig moment, op een dag het verdriet zou symboliseren dat we voelden omdat we hem kwijt waren?

Ik wendde me tot Greg. 'Heeft pap het met jou ooit over doodgaan gehad?'

'Niet zozeer over doodgaan,' zei hij rustig, 'maar wel over na zijn dood.'

'Wat zei hij?'

Greg zweeg even, zette de ketel op en pakte bekers voor de thee. 'Hij maakte zich zorgen of jij het wel zou redden. Hij zei tegen me dat ik op je moest passen, en ik heb tegen hem gezegd dat ik altijd op je zou passen, omdat ik ook van je hou.'

Ik keek in zijn ogen en herkende de uitdrukking die erin lag. Zo keek hij vroeger ook altijd naar me, toen we pas bij elkaar waren.

'Ik ken jou nog wel,' zei ik terwijl ik hem een speels duwtje gaf om de tranen die mijn ogen vulden op de vlucht te jagen. 'Jij bent mijn vriendje Greg, de jongen op wie ik al die jaren geleden verliefd ben geworden. Ik heb het gevoel alsof ik je in geen tijden gezien heb.'

'Ik ben nog steeds dezelfde, en jij ook. Er is niets veranderd,' zei hij terwijl hij mijn gezicht streelde.

Was dat maar zo.

'Wat wil jíj?' vroeg ik aan Greg, terwijl ik mijn hand over de tot nu toe amper zichtbare zwelling van mijn buik liet glijden.

'Ik wil dat jij gelukkig bent. Ik wil dat we samen gelukkig zijn. Ik wil dat je weet dat ik van je hou.' Hij legde zijn handen op mijn schouders en trok me naar zich toe. 'Ik wil wat jij wilt.'

'Ik wil dit kind.'

'Dan krijgen we het, ook al betekent dat dat we tot ons zeventigste door moeten werken.'

Kitty en Leo vonden het reuze spannend toen ze eenmaal over het walgelijke feit heen waren dat hun ouders het nog steeds met elkaar deden. Ik wist niet hoe ik tegen Jessie moest zeggen dat ik haar kamer voor de baby nodig had. Ze bracht weer ieder weekend bij ons door, en ook minstens twee dagen door de week. Toen ik het onderwerp bij BV wilde aansnijden wuifde ze het probleem achteloos weg en zei: 'Maak je geen zorgen, engel, ze kan toch bij Kitty intrekken?' Ze maakte zich veel drukker over mijn figuur en vertelde me dat het dit keer bijzonder onwaarschijnlijk was dat het weer in orde zou komen. Na een derde kind, op mijn gevorderde leeftijd.

'Je moet een keizersnee nemen, dan kun je gelijk een buikwandcorrectie laten doen,' zei ze. 'Dat doet iedereen tegenwoordig.'

Gek genoeg vond ik het bijna enger om aan Bea te vertellen dat ik zwanger was dan aan Greg. En mijn angst bleek gegrond.

Ze stond voor de spiegel in de gang en epileerde haar wenkbrauwen.

'Ik pas niet op baby's,' zei ze kordaat.

Misschien was dat maar beter ook. We konden toch niet zo doorgaan, met Zuzi en haar in huis. Dit gaf me uiteindelijk het ideale excuus om iemand anders te zoeken, iemand die wél bereid was de handen uit de mouwen te steken.

'Dat is mijn werk niet,' ging Bea verder. Haar boze beeltenis in de spiegel draaide zich om om me aan te kijken. 'Daar heb jij mijn Zuzi voor nodig. Dat is het werk dat zij deed in de Tsjechische Republiek, zij heeft ervoor geleerd.' Voor ik iets kon uitbrengen, riep ze Zuzi naar beneden, en in plaats van eindelijk van ze af te komen, hoorde ik mezelf ermee instemmen dat ze allebei in dienst kwamen: Bea voor Kitty en Leo en natuurlijk Jessie, en Zuzi voor de baby. Nu zou ik twee lonen moeten uitbetalen in plaats van één, terwijl we ook al een extra kind in huis kregen – eigenlijk twee, als je Jessie meetelde.

'Honderd,' zei Greg toen ik het aan hem vertelde.

'Honderd wat?'

'Nu moeten we doorwerken tot we honderd zijn, in plaats van zeventig.'

Alleen aan Ruthie kon ik soms opbiechten hoe verdrietig ik was dat ik Ivan kwijt was, en ik kon met haar over mijn angst praten omtrent het vaderschap van mijn kind, waarvan ik nachten wakker lag.

'Je zou de eerste niet zijn, Chlo,' zei ze in een poging me te troosten terwijl we op een middag een paar maanden later op de bank in mijn zitkamer lagen. Ik was zeven maanden zwanger en zij was nu officieel en heel gelukkig werkeloos, en deed het een poosje rustig aan tot ze wist wat ze hierna wilde doen. We hadden de gewoonte aangenomen om 's middags samen te rusten en waren verslaafd aan de serie *Richard and Judy*.

'Ik heb een keer een artikel over vaderschaps-DNA-testen voor de *Smart* geschreven,' zei ze. 'Weet je dat grofweg dertig procent van de mannen die zo'n test doen erachter komt dat ze niet de vader van het kind zijn dat ze als hun eigen kind grootbrengen? Regel Tien: *Stem nooit in met een DNA-test.*'

'Ik vind het ongelooflijk,' zei ik, 'dat sommige mensen zo gemakkelijk van partner wisselen. Je leest vaak over vrouwen die scheiden en de volgende dag alweer met iemand anders gaan en diens kind krijgen. Ze lijken het allemaal zo makkelijk te doen.'

'Wie zijn die vrouwen?' zei Ruthie, en ze keek me iets strakker aan dan ik prettig vond. Ik was tenslotte het rechte pad op gegaan en had mijn minnaar voor mijn echtgenoot opgeofferd.

'Ach, je weet wel, in al die tijdschriften, *Chavs Weekly*, of hoe ze dan ook heten.'

'Misschien hebben zij niet met hun gezin wat wij hebben, weet je – de aandrang om het kost wat kost bijeen te houden.'

'Hmm, maar dat is toch iets goeds, neem ik aan. Wat is er belangrijker dan het gezin?'

'Vrijen Greg en jij weer met elkaar?' vroeg Ruthie.

'Non-stop,' antwoordde ik. 'En zo gek, het lijkt wel of er niets gebeurd is.'

Ze keek me vorsend aan. 'Eén keer per week?'

Ik knikte.

'Dan heb je gelijk,' knikte ze. 'Voor seks binnen het huwelijk is dat zo goed als non-stop. Maar hoe zat het dan met die onthouding van hem?'

'Weet ik niet. Greg zegt dat het gewoon een fase in ons leven was voor we doorgingen naar de volgende fase. Ik heb je toch over de Grey Away verteld die ik in de badkamer had gevonden?'

Ruthie knikte. 'Hij gebruikt het niet meer, hè? Ik vind die grijzende slapen wel leuk.'

'Ik ook,' zei ik. 'Grappig dat dat spoortje grijs juist een van de dingen was die ik zo aantrekkelijk aan Ivan vond.'

'Denk je dat je nog eens een verhouding zult krijgen?'

'Zeg nooit nooit,' zei ik.

Ruthie ging rechtop zitten en keek me ontzet aan.

'Grapje, de volgende keer ben jij aan de beurt,' zei ik.

We zaten even zwijgend bij elkaar, genietend van de lome middag, tot we gestoord werden door de bel.

Het was Madge, met een bos rozen uit haar tuintje, samengebonden met een strook goudkleurige stof uit haar verzameling. De rijke geur maakte dat je je neus diep in de bloemblaadjes wilde begraven.

'Ik wil je bedanken dat je me geholpen hebt,' zei ze.

'Dat was ik niet, dat was Sammy,' zei ik.

'Nou ja, jullie hebben er met z'n tweeën voor gezorgd dat ik me beter voel.'

'Sammy probeert nog steeds Armie voor je op te sporen.'

Ze knikte en we keken elkaar even aan. Ik nodigde haar binnen, maar ze schudde haar hoofd en draaide zich om. Ik keek haar na terwijl ze de straat overstak, naar het park, waar ze meteen omgeven werd door een groepje duiven.

'Ik mis Bertie,' zei Ruthie toen ik weer binnenkwam.

'Ja,' zei ik zachtjes. 'Soms raak ik al van het kleinste dingetje van streek. Ik zat gisteren in de metro en er zat een oude man tegenover me; toen ik zijn handen zag moest ik huilen, ze deden me aan die van pap denken.'

Oudemannenhanden die liefde symboliseerden. Ouderhanden die je voorhoofd gladstreken en je wangen aaiden.

We zwegen een tijdje, dachten in stilte aan mijn vader. Ik keek naar Ruthie. Het ging weer goed met haar, de cocaïneverslaving behoorde tot het verleden. Richard en ik hadden haar de afgelopen maanden amper uit het oog gelaten.

'Herinner je je onze doos nog?' vroeg ik. 'Ik vraag me af of hij ooit gevonden is.' Een Schots geruit koekjesblik dat meer dan dertig jaar geleden in een tuin begraven was. Het was op een regenachtige zaterdagmiddag in juli geweest en we hadden het grootste deel van de dag doorgebracht met de voorbereidingen op de voorbereidingen (het leukste onderdeel) voor een feestje die avond. Terwijl de regen neerviel hadden we binnen gezeten en met elkaar gepraat over wat we van het leven verwachtten. Wie kon weten wat 'nog lang en gelukkig leven' werkelijk zou betekenen? Het was in ieder geval anders dan wat we er ons toen van voorgesteld hadden.

En nu, al die jaren later, was het moment aangebroken om iets anders te begraven, iets ondraaglijk verdrietigs dat het einde van een tijdperk betekende. De as van pap. Op een grijze, bewolkte dag, de dag waarop hij negenenzeventig zou zijn geworden, kwamen we samen in onze tuin bij de kersenboom waar de as van mam al begraven lag. Helga was uit Duitsland overgekomen. Ze vond het geweldig dat ik zwanger was en ik had haar gevraagd of ze ere-oma wilde zijn.

'Dat betekent heel veel voor me, Chloe,' had ze gezegd.

We hadden elkaars hand gedrukt, niet in staat meer te zeggen. Daar stond ze, lang en kaarsrecht, met haar armen om Kitty en Leo geslagen. Ze was ook hún oma geworden. Kitty zong een van de liedjes van pap en Leo las een gedicht voor dat hij geschreven had. Ze zagen er ontzettend verdrietig uit, en ze kwamen amper uit hun woorden terwijl de tranen over hun wangen stroomden. Het leek niet eerlijk dat ze zo jong al zo'n groot verdriet moesten meemaken, en toch was dit de onvermijdelijke levenscyclus van liefde en dood. Op een dag zouden ze, als de gebeurtenissen zich in hun normale volgorde zouden voltrekken, Greg en mij moeten begraven. Ik keek naar Greg, slank en knap, zijn blauwe ogen rood terwijl hij naast me stond. Het stukje dat ik had uitgekozen om voor te lezen ging over vaders en dochters, maar het was op ons allemaal van toepassing in onze verhouding met pap. Het kwam uit een roman die ik onlangs gelezen had, *Decorations in a Ruined Cemetery* van John Gregory Brown: 'Er loopt een soort gouden draad door de woorden van een man als hij tegen zijn dochter praat, en geleidelijk, in de loop der jaren, wordt die lang genoeg om in je handen te nemen en tot een stof te weven die voelt als de liefde zelf.'

Ruthie pakte mijn hand. Sammy deed de urn open en liet de as de aarde in stromen, en terwijl dat gebeurde, brak er een onverwachte zonnestraal door de wolken, waardoor de grond verlicht werd. Een merel streek op een tak van de kersenboom neer, zijn kopje onderzoekend van links naar rechts draaiend. Hij deed zijn snaveltje open en zong: een lange, hoge, trillende toon, alsof hij ons wakker wilde maken. Janet, die nog steeds amper at, keek er hongerig naar en Sammy sloeg zijn ogen op en tuurde naar de wolken.

'Ik dacht even dat ik paps gezicht zag,' zei hij verdrietig. 'Zou het niet geweldig zijn als hij naar ons zat te kijken?'

Misschien deed hij dat wel op een bepaalde manier. Stel dat een relatie ten slotte toch niet eindigt met de dood en dat hij voortgezet kan worden, ook al is iemand niet langer fysiek aanwezig? Even werd me een blik vergund in een andere wereld die niet zo absoluut leek als de wereld die wij bewoonden. Paps stem klonk nog steeds in mijn hoofd en soms voelde ik zijn aanwezigheid naast me. De baby schopte me tegen de onderkant van mijn ribben, en ik riep au. Greg en de kinderen legden hun handen op mijn buik. We wisten dat we ons verlies nooit helemaal te boven zouden komen, maar dat mogelijk het onverbiddelijke voortschrijden van de tijd het op een dag een beetje draaglijker zou maken.

Epiloog

Chloe Zhivago's Thaise groene placentacurry

2 theelepels korianderzaad
1 theelepel zwartepeper-
korrels
2 verse groene pepers, van de
zaadjes ontdaan en in
stukjes gehakt
2½ centimeter gemberwortel,
fijngehakt
3 eetlepels koriander (gehakt,
blaadjes en steeltjes)
2 grote knoflooktenen

3 eetlepels gehakte lente-uitjes
1 citroengrasspriet, in stukken
gehakt
2 eetlepels plantaardige olie
400 ml kokosmelk
4 kaffir limoenblaadjes
850 g verse placenta
1 bosje basilicumblaadjes
1 eetlepel vissaus
Bereidingstijd: 30 minuten

Maal de korianderzaadjes en de peperkorrels in een koffiemolen of vijzel tot poeder. Voeg de verse kruiden toe (pepers, gember, korianderblaadjes, knoflook, lente-uitjes en citroengras) en vermaal tot een pasta. (Als je vals wilt spelen, kun je ook deze stap overslaan en kant-en-klare Thaïse groene currysaus van de toko nemen.) Bak de pasta een paar minuten in een koekenpan in de olie. Voeg de kokosmelk en de limoenblaadjes toe (waaruit de stengeltjes en bladnerven verwijderd moeten zijn) en laat 10 minuten sudderen. Snijd de placenta

in blokjes. Voeg aan de saus toe en laat sudderen tot hij zacht is (ongeveer 20 minuten).
Voeg de gehakte basilicumblaadjes toe en vissaus naar smaak.
Dien op met rijst.
Voor zes personen.

Chloe Zhivago (44) hield haar pasgeboren derde kind, een jonge-tje, in haar armen. 'Zullen we hem Bertie noemen?' vroeg ze terwijl ze naar haar man Greg keek. Hij knikte, boog zich over de baby heen en trok het dekentje terug zodat er een klein voetje zichtbaar werd. Het kleine teentje lag scheef over het vierde teentje heen. Greg kuste het voetje, bedekte het weer en zei tegen zijn vrouw: 'Ik weet niet of ik het had kunnen verdragen als hij niet van mij was geweest.' De baby staarde met de wijsheid van een oude man in het lichaam van een pasgeboren kindje naar zijn ouders. Chloe leek iets te willen zeggen, maar Greg legde haar met een kus het zwijgen op. 'Hier, eet dit maar,' zei hij en hij hield haar een lepel voor. Het was kippensoep met kneidlach. 'Heerlijk, lief,' zei Chloe. 'Je hebt er het geheime ingrediënt in gedaan, hè? Hij is volmaakt.' In werke-lijkheid was hij niet helemaal volmaakt, maar het kwam aardig in de buurt.

Opmerking van de schrijfster

Ivan heeft uiteraard het Cyrillische alfabet gebruikt voor zijn brief-jes aan Chloe, net zoals Poesjkin voor zijn gedicht. Het leek me het beste om het Russisch in deze roman naar het Romeinse schrift om te zetten, zodat de lezer die geen Russisch spreekt zich toch een voorstelling kan maken van de melodie van de taal.

Dankbetuiging

Ik wil mijn broer Conrad Lichtenstein en mijn vriendin Claire Ladsky bedanken. Zij hebben als eersten het manuscript van dit boek gelezen en ze hebben mij bijzonder geholpen en aangemoedigd. Verder gaat mijn dank uit naar de vrienden die me steunden toen ik aan het schrijven was: Simon Booker (die zo aardig was me te vertellen dat schrijven niet alleen maar uit tikken bestaat, maar ook de uren behelst die je niet achter de computer doorbrengt), Lola Borg, Richard Denton, Neil Grant, Alla Svirinskaya en Colleen Toomey. Bovendien gaat mijn dank uit naar Tania Abdulezer, Jochen Encke, Marc Faupel en Neil Geraghty die mij op de been hebben gehouden (zowel geestelijk als lichamelijk) en naar Amy Jenkins en Philip McGrade die me waardevolle schrijftips hebben gegeven. Verder wil ik een heleboel mensen die Gill heten bedanken: Gill Morgan, Jill Robinson en haar workshop, Annabel Giles (dat is wel niet precies Gill, maar er zit genoeg Gillerigs in haar achternaam), die er vanaf het begin af aan bij waren. Gillian Gordon vanwege haar inspirerende workshop, en Gill Hudson die me een werkruimte heeft aangeboden waarin ik kon schrijven. En ook bedank ik Henrietta Morrison voor het ruimhartig aanbieden van haar werkkamer in Poland Street, waar een groot deel van dit boek geschreven is. Ik ben hartchirurg Shyam Kolvekar dankbaar voor zijn expertise. Bijzonder veel dank gaat uit naar mijn agent, Clare Alexander, voor haar standvastige en verstandige begeleiding, en ook naar mijn redacteuren Jane Wood en Anika Streitfeld – beter bestaat niet. En natuurlijk ook naar Sally Riley, die Chloe Zhivago en haar vriendenkring aan de man heeft gebracht. En dan ben ik nog heel veel dank verschuldigd aan mijn man, Simon Humphreys, en mijn kinderen, Oscar en Francesca, zonder wie ik helemaal niets ben. En ook aan Edwin Lichtenstein, mijn allerliefste vader, die voor hij stierf de eerste drie hoofdstukken gelezen heeft – meer had ik toen nog niet. Hij zei tegen me dat ik ermee door moest gaan. Ik hoop dat hij trots zou zijn geweest.

Olivia Lichtenstein, Londen, juni 2006